1

voyages

G. ROBERT MCCONNELL
ROSEMARIE GIROUX COLLINS

Sally Brown
Angelika Kater
Cynthia Lewis

Savoir faire

Éditions Addison-Wesley
Don Mills, Ontario • Reading, Massachusetts
Menlo Park, Californie • New York
Wokingham, Angleterre • Amsterdam
Bonn • Sydney • Singapour
Tokyo • Madrid • San Juan

CONCEPTION GRAPHIQUE
Word & Image Design Studio

COUVERTURE
Conception de Pronk & Associates ; illustration de Helen D'Souza

CHARGÉE DE PROJET
Nancy Fornasiero

Pearson Education Canada

ISBN 0-201-57486-1

Imprimé au Canada

7 8 -FR- 04

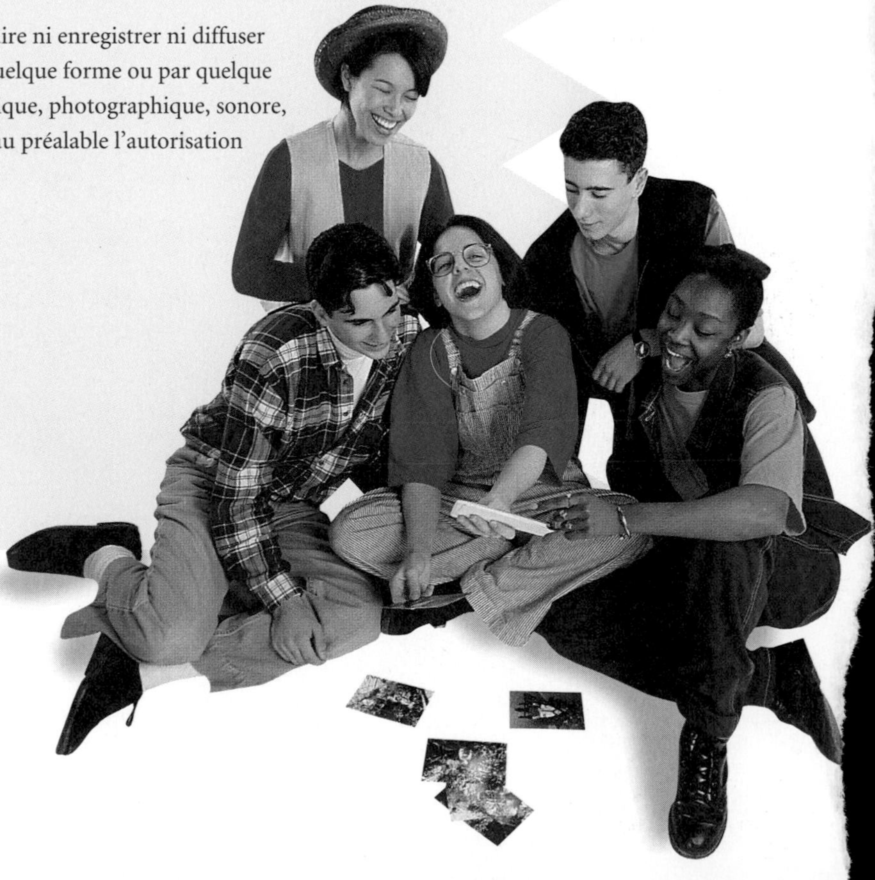

table des matières

1 à table 1

2 souvenirs d'enfance 35

words and pictures
3 paroles et images 69

facing the challenges

4 face aux défis

5 c'est tout un Canada 145

unité 1

à table

1 Voulez-vous monter une
émission télévisée
sur la cuisine ?

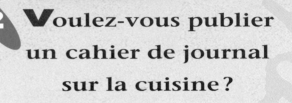

2 Voulez-vous publier
un cahier de journal
sur la cuisine ?

Pour capter l'intérêt des téléspectateurs, vous
pouvez…

- faire des interviews (chefs, clients, critiques,
  auteurs, restaurateurs, etc.).
- présenter des sondages sur les restaurants.
- faire des annonces publicitaires.
- faire des démonstrations culinaires.
- préparer un plat.
- faire des critiques de restaurants.
- décrire des menus de restaurants.
- présenter des plats ethniques.
- recommander des livres de recettes.
- commenter sur le monde culinaire.
- faire des rapports sur des plats français,
  ethniques, régionaux, etc.

Pour capter l'intérêt des lecteurs, vous
pouvez préparer…

- des annonces publicitaires.
- des critiques ou des évaluations.
- des recettes.
- une interview avec un chef.
- des conseils sur la cuisine.
- des articles sur la cuisine, les aliments,
  la nutrition.
- un guide des restaurants.
- des menus.
- des plats régionaux.
- des lettres.
- un concours.
- des sondages.

3 **V**oulez-vous créer un kiosque ethnique pour une «caravane gastronomique»?

Pour capter l'intérêt du public, vous pouvez…

- décorer le kiosque (photos, posters, ballons, bannières, drapeaux, cartes de la région, etc.).
- afficher des annonces, des recettes, des menus, des critiques, des sondages, des descriptions, des articles de magazines et de journaux, etc.
- distribuer des échantillons de mets traditionnels.
- jouer de la musique ethnique.
- vous habiller en costume.
- faire des démonstrations de cuisine.
- inviter des propriétaires de restaurants, des chefs de cuisine, etc.
- offrir des prix.

Préférez-vous proposer un autre projet-cible? Allez-y!

▲ Restaurants

AU BAIN-MARIE
Cuisine française
«Nous sommes reconnus par la qualité de nos grillades»
Salon privé
Ambiance intime
1214, St-André -286-9011

LA CABANE GRECQUE
Spécialités : brochettes, souvlaki, fruits de mer
Terrasse
102, Prince Arthur Est - - - - - - - - - - - - - -Réservation 849-0122

HIBISCUS
Cuisine caraïbe
Spécialité : rôtis à la broche
Toutes cartes de crédit acceptées
408, Lafleur -366-0072

LA MAISON CAJUN
Grande cuisine de la Louisiane
Mets créoles : gumbo, jambalaya
Ambiance de fête
1219, Mackay - 871-3898

LE RESTAURANT
Les Filles Du Roy
Spécialités québécoises : tourtière, tarte au sucre
Table d'hôte ou à la carte
415, Bonsecours, Vieux Montréal 849-3535
Stationnement gratuit

SALLE À MANGER
LES FILLES DU ROY

KATSURA
Cuisine japonaise authentique
• Sushi   • Table tatami
Réservations pour groupes
849-1172
2170, de la Montagne

LA·SOROSA·
RESTAURANT

Pizza à votre goût!
18 garnitures au choix
Salades • Pâtes maison
56, Notre-Dame Ouest 844-8595

El Sombrero

«L'ambiance la plus ensoleillée en ville»

Spécialités mexicaines
Heures d'ouverture :
tous les jours de 12h à 24h

4303, Ste-Catherine Est
253-1748

CHI·FU
致富

Mets chinois exceptionnels

•

Plats cantonais et széchuanais

•

Ouvert 7 jours sur 7

871-1277
1200, McGill College

Menara
«Le rendez-vous des gourmets et des gourmands»
Cuisine marocaine dans un décor authentique
Spécialité : couscous
256, St-Paul Est
861-1989

Le Taj
*Fine cuisine indienne.
Spécialités : tandouri, cari.
Décor indien authentique.*
2077, Stanley
Réservations recommandées :
845-9015

à vous la parole!

 Avez-vous déjà essayé une des cuisines ethniques annoncées? Quelle cuisine? Où? Quels plats avez-vous commandés? À votre avis, comment était la cuisine?

 À quel restaurant annoncé voulez-vous aller? Quel type de cuisine y offre-t-on? Quelles en sont les spécialités? Pourquoi avez-vous choisi ce restaurant?

CA 4-5

Quand vous choisissez un restaurant, qu'est-ce qui est le plus important pour vous?

- le genre de restaurant (casse-croûte, rôtisserie, pizzeria, restaurant ethnique, etc.)
- les plats (le choix, la quantité, le goût)
- l'ambiance (le décor, la musique)
- les prix
- le service

Y a-t-il d'autres critères importants?

 D'après tous ces critères, quels sont les meilleurs restaurants dans votre ville?

> Un **gourmet** apprécie **la qualité** des mets. Un **gourmand** apprécie **la quantité** des mets.

Quand on commande un repas…

- **à la carte**, on choisit parmi tous les plats au menu.
  de la table d'hôte, on choisit un menu à prix fixe.

(Document-ressource : *Télé-Direct*, Les Pages Jaunes, Montréal)

5

contact *culture*

- Dans quel état américain parle-t-on créole?
- Sur quel continent est situé le Maroc?
- Quelles sont les langues officielles du Maroc?
- De quelle région d'Italie la pizza est-elle une spécialité?
  - Qu'est-ce qu'un «sombrero»?
  - Qui était «William Tell»?

- Dans quel pays se trouvent la ville de Canton et la province de Széchuan?
- Quel est le pays d'origine du «souvlaki»?
- Quelle est l'orthographe moderne du mot «roy»?
- Qui étaient les filles du roy?
- Qu'est-ce qu'un hibiscus?
- Quelles îles des Caraïbes pouvez-vous nommer?
- Qu'est-ce qu'un «tatami»?
- De quel mot français est dérivé le terme «cajun»?

? . . . .

Pour poser une question avec un nom sujet...

De quelle région d'Italie **est-ce que la pizza est** une spécialité?

De quelle région d'Italie **la pizza est-elle** une spécialité?

. . . .

U*ne leçon de baguettes*

Un peu de pratique, voilà l'essentiel. Vous pouvez pratiquer avec des pailles, des crayons ou même des aiguilles à tricoter. Commencez par fixer la baguette du bas entre la base du pouce et l'index. Retenez-la avec la première phalange de l'annulaire. La deuxième baguette, seule mobile, est actionnée par le bout du pouce et de l'index. Dans certaines régions de la Chine, on approche le bol de la bouche.

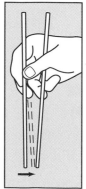

(Document-ressource : *Chine : Berlitz maxi-guide*)

Dans le domaine de la cuisine, l'anglais a emprunté plusieurs expressions au français.

Menu

Seafood Crêpe

Tuna on Croissant, Kaiser or Pita

Ham and Cheese quiche

Soupe du jour: Minestrone

«**D***is-moi*

ce que tu

manges,

je te dirai

ce que

tu es. »

— *Brillat-Savarin*

Quels mots français, utilisés en anglais, associez-vous avec...

- les soupes?
- les desserts?
- les salades?
- les genres de restaurants?

une bisque
un bouillon
un café
une cafétéria

un consommé
un croûton
un éclair
une mousse

un parfait
une rôtisserie
un soufflé
une vinaigrette

savoir faire

L'embarras du choix

Vous êtes en excursion à Montréal avec les membres d'un club parascolaire. Vous consultez les pages jaunes pour choisir un restaurant ethnique. À quel restaurant est-ce que la majorité des membres veulent aller?

Les membres de votre club veulent de plus amples renseignements sur des restaurants annoncés dans les pages jaunes. Le président ou la présidente demande à chaque membre de choisir un restaurant, puis de téléphoner au Bureau du tourisme pour demander des renseignements.

À quel restaurant voulez-vous aller? Quelles questions voulez-vous poser?

Faites votre appel, notez les renseignements, puis rédigez un rapport sur le restaurant pour présentation aux membres du club.

Un restaurant peut avoir...

- une cuisine exceptionnelle (extraordinaire, raffinée, etc.).
- les meilleurs mets italiens (grecs, espagnols, etc.) en ville.
- un grand choix de plats (desserts, salades, etc.).
- une ambiance agréable (unique, géniale, etc.).
- des prix raisonnables (abordables, modérés, etc.).
- une excellente réputation.

Quelques renseignements

- le genre de restaurant
- les heures d'ouverture
- le type de cuisine
- le code vestimentaire
- le coût moyen d'un repas complet
- le décor
- l'ambiance
- la réputation
- la popularité
- les tarifs pour groupes

«Quand les cuisiniers se battent, le rôti brûle.»

— *proverbe chinois*

Les pages jaunes

À votre avis, quels sont les éléments les plus importants d'une annonce dans les pages jaunes? Quand on crée une annonce pour les pages jaunes, que peut-on faire pour capter l'attention des lecteurs?

Vous et vos amis avez décidé d'ouvrir un nouveau restaurant ethnique. Quel genre de restaurant allez-vous ouvrir? Quel type de cuisine allez-vous offrir? Pourquoi?

Pour capter l'intérêt du public, vous voulez annoncer votre nouveau restaurant dans les pages jaunes de l'annuaire téléphonique. Vous avez consulté les tarifs, puis vous avez décidé de placer une annonce de 7,5 cm de large par 12,5 cm de long.

CA 6-7

Créez votre annonce, puis affichez-la dans la salle de classe.

Quelle est souvent l'inspiration pour un nom de restaurant?

une ville	une fleur
un pays	une spécialité
une région	un personnage célèbre

Quelles autres possibilités y a-t-il?

Carnet de Lecture

CA 9

Acadienne pure laine

Vous n'avez jamais entendu parler de fricot ou de poutine râpée? Vous n'êtes pas les seuls. On ne mentionne pas ces plats dans les dictionnaires. Cependant, si vous voyagez dans la région acadienne du Nouveau-Brunswick, vous allez les trouver sur les cartes de restaurants. Ce sont des mets acadiens traditionnels.

La cuisine traditionnelle acadienne est basée sur le gibier et les fruits de mer trouvés naturellement sur ce territoire situé près de la mer.

Les savoureux fricots, dont il existe plusieurs variétés, sont de nourrissants ragoûts. Le fricot, préparé à base de poulet, de bœuf, de lapin, de dinde ou de fruits de mer, fait un repas complet et mémorable.

La poutine râpée, un des rares mets légués par la vieille France et modifiés en Acadie, ressemble à une boule de neige. Ce plat combine des pommes de terre râpées crues et de la purée de pommes de terre. Ce mélange est enroulé autour de porc cuit, et le tout est mijoté à l'eau. La râpée est servie avec du sirop d'érable, de la confiture de canneberges ou de petits fruits sauvages.

De nos jours, le nom *Acadie* se réfère aux régions du Nouveau-Brunswick, de la Nouvelle-Écosse et de l'Île-du-Prince-Édouard où la langue et les traditions françaises sont toujours vibrantes. Aujourd'hui, par exemple, 35 pour cent des habitants du Nouveau-Brunswick descendent des premiers colons français qui se sont installés dans cette région.

(Document-ressource: *enRoute*)

Chacun sa râpure!

En Nouvelle-Écosse et dans l'Île-du-Prince-Édouard on adore aussi «la râpure». On combine du porc, du lard, des pommes de terre (râpées et en purée), des œufs et des épices pour faire une fricassée délicieuse.

? Y a-t-il des aliments propres à votre région ou à votre province? Quels aliments?
Quels plats prépare-t-on avec ces aliments?
Pouvez-vous décrire un de ces plats?

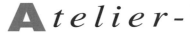

Atelier-**r**echerches

Tour du monde gastronomique

LA TOURTIÈRE

Région : le Québec

Description : une tarte à la viande

Ingrédients principaux : du porc haché, de l'oignon, des épices

Remarques : À l'origine (la Nouvelle-France, 17e siècle) préparée avec de la viande de tourterelle, une sorte de pigeon maintenant disparu. Aujourd'hui, on prépare la tourtière avec du porc.

Dans le monde francophone, chaque région est reconnue par ses plats traditionnels.

- l'acras de morue (la Martinique, la Guadeloupe)
- la bouillabaisse (la France)
- le cassoulet (la France)
- le couscous (le Maroc, l'Algérie, la Tunisie)
- les cretons de porc (le Québec)
- le hochepot (la Belgique)
- le poisson cru (la Polynésie française)
- les quenelles de foie de veau (le Luxembourg)
- la rougaille (l'Île de la Réunion, les Îles Seychelles, l'Île Maurice)
- le yassa au poulet (le Sénégal)

CA 10

Choisissez **un** de ces plats ou un plat français que vous connaissez déjà. Faites des recherches et rédigez un rapport sur ce plat pour présentation à la classe.

Arbres à miel

Le sirop d'érable est l'une des principales spécialités culinaires du Canada. L'année passée, on en a produit plus de 13,4 millions de litres. Ceci place le Canada au premier rang mondial, juste avant les États-Unis. Plus de 90 pour cent du sirop d'érable canadien provient du Québec.

(Document-ressource : *Le journal des jeunes*)

MAISON CAJUN

HORS-D'ŒUVRE

Popcorn à la cajun
petites écrevisses enrobées de pâte assaisonnée

Bâtonnets d'aubergine
trempés dans une pâte cajun, frits et servis
avec sauce à la moutarde créole

Salade chaude au poulet
poitrine de poulet grillée, arrosée de
vinaigrette maison, servie sur un lit
de fruits et de légumes verts

POTAGES

Gumbo Ya-Ya
soupe épaisse avec poulet, saucisse,
légumes et riz

Gumbo aux fruits de mer
soupe piquante aux huîtres avec crevettes,
légumes et riz

Soupe du jour

PLATS PRINCIPAUX

Jambalaya campagnard
crevettes, andouilles, écrevisses et huîtres
sautées dans une sauce aux poivrons et aux
tomates, servies avec riz

Poulet cajun
poitrine de poulet recouverte d'une sauce à
l'ail, accompagnée d'une pomme de terre au
four et légumes

Côtes levées
noircies à votre goût, servies avec sauce
barbecue, une pomme de terre au four et
légumes

Steak au poivre
bifteck grillé, sauté dans un mélange de
poivre, de poivrons et de crème, accompagné
d'une pomme de terre au four et légumes

Veau à l'Oscar
escalopes de veau sautées, garnies de crabe et
de sauce hollandaise, servies avec asperges
fraîches et légumes du jour

Agneau «Evangéline»
épaule d'agneau, recouverte de moutarde
créole, d'ail, d'écrevisses et de poireaux, cuite
au four, servie avec sauce tomate épicée, riz
et légumes frais

Crevettes créoles
crevettes géantes, mijotées dans une sauce
créole, garnies d'oignons et de poivrons,
servies avec riz et légumes

à vous la parole!

- Pourquoi la description d'un plat sur un menu est-elle importante pour le client? pour le restaurateur?

- Quand vous évaluez un plat principal, quels sont, pour vous, les critères les plus importants? D'après tous ces critères, à La Maison Cajun, quel plat principal voulez-vous essayer? Quels en sont les ingrédients? Comment le prépare-t-on? Comment le sert-on?

- Que voulez-vous prendre comme hors-d'œuvre? comme soupe? comme dessert? comme boisson?

À votre avis, pourquoi un plat au restaurant coûte-t-il, en général, beaucoup plus cher que le même plat préparé à la maison? Rédigez une liste de raisons et présentez-les à la classe.

Pour préciser les ingrédients d'un plat...

poulet **à** l'ail   sauce **à la** moutarde
glace **au** chocolat   soupe **aux** champignons

DESSERTS

Tarte aux pacanes
faite à l'ancienne — une spécialité de la maison

Bananes à la Foster
Une tradition de la Nouvelle-Orléans! tranches de banane flambées couronnées de notre «poudre magique cajun» et servies sur crème glacée à la vanille

Parfait aux pralines
glace à la vanille nappée d'une sauce pralinée

Gâteau au chocolat
Pour les maniaques du chocolat!

BOISSONS

eau minérale, boissons gazeuses, lait, café, thé, tisanes

On utilise souvent le participe passé d'un verbe dans la description des plats. Dans ces cas, il joue le rôle d'un adjectif. Par exemple,

« J'ai essayé les crevettes créoles. Elles étaient **garnies** d'oignons et **servies** avec du riz. »

Comme pour tous les adjectifs, il est important de faire l'accord avec le nom!

13

contact *culture*

- Qu'est-ce qu'un « hors-d'œuvre » ?
- Que signifie le terme « noirci » ?
- Dans quel pays a-t-on inventé la sauce hollandaise ?
- Qui était Evangéline ?
- De quel état américain le jambalaya est-il une spécialité ?
- Quelle ville de la France est célèbre par sa moutarde ?
- À quelle langue a-t-on emprunté le mot « barbecue » ?
- Pouvez-vous nommer une eau minérale française ?

L'anglais est une langue germanique (comme l'allemand, par exemple). Après la conquête de l'Angleterre par les Normands en 1066, les Anglais ont adopté beaucoup de mots français.

Guillaume le Conquérant

Le créole et le cajun

Le créole est une langue basée sur le français et l'africain. Cette langue est parlée par beaucoup d'habitants de la Louisiane et d'autres régions francophones, telles que la Martinique, la Guadeloupe et Haïti. Le français des Acadiens en Louisiane a évolué depuis leur arrivée du Canada et s'appelle le cajun. Aujourd'hui, en Louisiane, environ 500 000 personnes parlent créole ou cajun.

Pouvez-vous donner les mots anglais dérivés des mots français suivants ?

appétit	rôti
biscuit	salade
chef	sauce
côtelette	soupe
coupe	tarte
crème	
dîner	
épice	
grille	
morceau	
pâtisserie	
plat	

L'anglais moderne a un vocabulaire très riche et varié. Par exemple, il a gardé le mot germanique pour désigner l'animal, mais dans le domaine de la cuisine, il utilise un mot d'origine française pour désigner la viande de l'animal.

l'animal	la viande	français moderne
calf	veal	le veau
cow	beef	le bœuf
swine, pig	pork	le porc
deer	venison	la venaison
chicken, hen	poultry	le poulet
sheep	mutton	le mouton

« **T**rop

de sel

gâte la

soupe. »

— *proverbe créole*

Le goût, l'odorat, la vue... les sens gastronomiques

les quatre saveurs

aigre ou acide	*le vinaigre, le jus de citron*
amer	*les endives, l'écorce de citron*
doux	*qui contient du sucre*
salé	*qui contient du sel*

les quatre odeurs

âcre	*certains fromages, le gibier, le foie*
aigre ou acide	*la crème sure, le yogourt, la vinaigrette*
brûlé	*les barbecues, les grillades*
parfumé	*certains fruits, certaines épices*

les couleurs

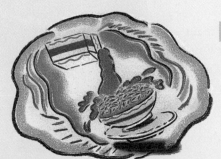

Imaginez vos impressions si...
les pommes de terre étaient bleues;
les légumes étaient tous noirs;
les céréales étaient vertes et le lait était violet.
Les couleurs influencent-elles votre appétit? Comment?

(Document-ressource : menu du restaurant Gargantua & Pantagruel)

savoir faire

Une bonne affaire!

Vous êtes propriétaires d'un nouveau restaurant ethnique. Un groupe de 20 jeunes vous invite à proposer un menu à prix fixe pour un dîner spécial. Ils veulent payer un maximum de 25 $ par personne, taxes et service inclus.

Comme restaurateurs, vos dépenses fixes (loyer, électricité, salaires, etc.) sont de 10 $ par assiette. Par contre, puisque vous achetez les ingrédients en gros, vous les payez 30 % moins cher que dans un supermarché. Comment pouvez-vous offrir un repas complet qui va plaire à ce groupe et, en même temps, réaliser un profit?

CA 12-13

Créez un menu (au choix : deux hors-d'œuvre, deux plats principaux, deux desserts et deux boissons) avec une description de chaque plat.

Affichez votre menu dans la salle de classe.

langage-ressource p. 26

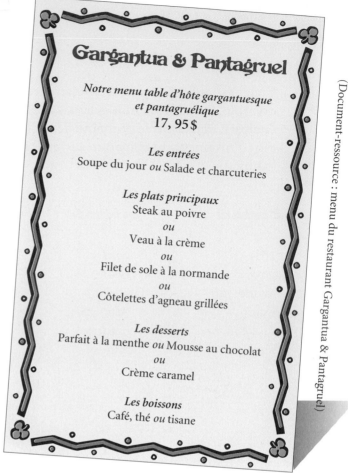

Gargantua & Pantagruel

Notre menu table d'hôte gargantuesque et pantagruélique
17, 95 $

Les entrées
Soupe du jour *ou* Salade et charcuteries

Les plats principaux
Steak au poivre
ou
Veau à la crème
ou
Filet de sole à la normande
ou
Côtelettes d'agneau grillées

Les desserts
Parfait à la menthe *ou* Mousse au chocolat
ou
Crème caramel

Les boissons
Café, thé *ou* tisane

Selon la classe, quel est le meilleur menu du point de vue…

- variété?
- description des plats?
- rapport qualité / prix?

Un plat peut être...

accompagné de (d')...	fait de (d')...	parsemé de (d')...
arrosé de (d')...	farci de (d')...	recouvert de (d')...
assaisonné de (d')...	frit	rôti
cuit à la broche / au four / sur charbon de bois	garni de (d')...	saupoudré de (d')...
	grillé	sauté
enrobé de (d')...	mijoté	servi chaud / froid
enveloppé dans...	nappé de (d')...	servi en brochette / avec... / sur...

« La découverte d'un mets nouveau fait plus pour le genre humain que la découverte d'une étoile. »

— *Brillat-Savarin*

« *Il faut manger pour vivre et non vivre pour manger.* »

— *Molière (17ᵉ siècle)*

« **L**a société est composée de deux grandes classes : ceux qui ont plus de dîners que d'appétit et ceux qui ont plus d'appétit que de dîners. »

— *Chamfort (18ᵉ siècle)*

« **C**'est une chose admirable que la nourriture, lorsqu'on a du chagrin ; il est certain qu'elle met du calme dans l'esprit... »

— *Marivaux (18ᵉ siècle)*

« **D**e toutes les qualités du cuisinier, la plus indispensable est l'exactitude. »

« **E**n cuisine, laissez-vous guider par votre bouche, votre palais, votre nez, vos yeux et votre cœur. »

— *Roger Vergé (20ᵉ siècle)*

« *Pour connaître quelqu'un, il faut avoir mangé un minot de sel avec lui.* »

— *Méry (19ᵉ siècle)*

« **S**e nourrir, en plus d'être essentiel à notre subsistance, est un des rares plaisirs dont nous puissions jouir durant toute notre existence. »

— *Jehane Benoît (20ᵉ siècle)*

« *Faites simple.* »

— *Escoffier (19ᵉ siècle)*

À partir d'une de ces citations, créez votre propre maxime. Par exemple, « De toutes les qualités du cuisinier, la plus indispensable est *l'imagination.* »

Pouvez-vous créer d'autres maximes ?

Anthelme Brillat-Savarin (1755–1826)

ren contres

Où avez-vous appris le français?

Comme tout le monde, j'ai suivi des cours de français à l'école. Ensuite, je suis allé à Paris pour travailler comme cuisinier. Là, bien sûr, j'ai pu souvent pratiquer mon français.

Qu'est-ce qui vous a incité à l'apprendre?

Heureusement, je n'avais pas le choix. À Paris, en cuisine, il n'y avait personne qui parlait un mot d'anglais. À cause de ça, j'ai appris bien vite!

Peter Oldfield

Avez-vous l'occasion de pratiquer votre français?

Bien sûr! Je parle souvent avec d'autres cuisiniers et avec des fournisseurs du Québec et de la France.

Pouvez-vous nous raconter une situation dans votre vie où vous avez profité de votre connaissance du français?

À Toronto, j'ai travaillé plusieurs fois à la «Semaine des Goûts de France». Beaucoup de chefs viennent de France pour cette grande fête culinaire. À ces occasions, je joue le rôle d'interprète entre les cuisiniers anglophones et les chefs francophones.

Une fois, à un hôtel où j'étais cuisinier, j'étais la seule personne capable de prendre la réservation d'un ministre du gouvernement français qui téléphonait de Paris. Encore une fois, mon français m'a bien servi.

D'après vous, quel est l'avantage majeur d'une connaissance du français?

Personnellement, j'ai réussi à avancer dans ma profession beaucoup plus vite. Vous savez, plus on parle de langues, plus on a la possibilité d'obtenir un bon travail et aussi de travailler dans d'autres pays. À part tout ça, on peut être fier de soi-même d'avoir réussi à apprendre le français!

Nom :
Peter Oldfield

Profession : Chef de cuisine

*Q*uels conseils avez-vous pour les jeunes qui veulent devenir cuisiniers?

Tout d'abord, pour avoir du succès on doit vraiment aimer le métier. À mon avis, la meilleure façon d'apprendre à bien cuisiner, c'est de commencer comme apprenti dans un hôtel, un restaurant ou un club privé.

Bon appétit!

*L*e Français ou la Française typique passe un total de 12 ans de sa vie à manger, et consomme 50 tonnes de nourriture! Un repas gigantesque composé de 16 848 œufs, 5 bœufs, 15 moutons, 16 porcs, 304 lapins et 1 443 poules, accompagnés de 10 tonnes de légumes, 6 de pommes de terre et 21 340 baguettes, arrosés de 5 929 litres de vin, suivis de 2 tonnes de fromage. Et en dessert : 5,6 tonnes de fruits frais saupoudrés de 901 kilos de sucre!

(Document-ressource : *Les clés de l'actualité*)

Renseignez-vous!

Dubrulle French Culinary School, *Vancouver (Colombie-Britannique)*
Southern Alberta Institute of Technology, *Calgary (Alberta)*
Saskatchewan Institute of Applied Science and Technology, *Saskatoon (Saskatchewan)*
Red River Community College, *Winnipeg (Manitoba)*
George Brown College of Applied Arts and Technology, *Toronto (Ontario)*
Institut de tourisme et d'hôtellerie du Québec, *Montréal (Québec)*
Collège communautaire du Nouveau-Brunswick, *Edmundston (Nouveau-Brunswick)*
Nova Scotia Community College, I.W. Akerley Campus, *Dartmouth (Nouvelle-Écosse)*
Culinary Institute of Canada — Holland College, *Charlottetown (Île-du-Prince-Édouard)*
Western College of Applied Arts, Technology and Continuing Education, *Stephenville (Terre-Neuve)*

Sortir dîner

à Montréal

ALLEMAND

Le Vieux Munich 1170, RUE SAINT-DENIS; TÉL. 288-8011
Unique en Amérique du Nord. Orchestre bavarois. Wienerschnitzel et choucroute dans une ambiance authentique allemande. ($)

ITALIEN

La Campagnola 1229, RUE DE LA MONTAGNE; TÉL. 866-3234
Cuisine italienne servie dans un décor rustique. Pâtes, veau, fruits de mer à la sicilienne. ($$)

MEXICAIN

Fiesta Mexicana 170, RUE PRINCE ARTHUR; TÉL. 843-8838
Ici, on déguste des plats variés de la bonne cuisine mexicaine : guacamole, nachos, burritos, enchiladas, chimichangas. Excellent rapport qualité/prix. ($$)

La Marée
Cuisine française
Spécialités de fruits de mer
404 Place Jacques-Cartier

FRUITS DE MER

Le Pavillon de l'Atlantique 1188, RUE SHERBROOKE OUEST; TÉL. 285-1636
Le grand spécialiste des poissons et fruits de mer. Fraîcheur garantie : De nombreux modes de cuisson : grillé, poché, sauté ou noirci à la mode cajun. ($$)

CHINOIS

L'Orchidée de Chine 2017, RUE PEEL; TÉL. 287-1878
Fine cuisine chinoise servie dans un décor élégant. Bœuf à l'orange, crevettes géantes en sauce épicée. ($$)

VÉGÉTARIEN

Pizza Mella 107, RUE PRINCE ARTHUR; TÉL. 849-4680
Pizza à base de produits naturels préparée dans un four à bois. Ambiance agréable. ($)

FRANÇAIS

La Marguerite 1472, RUE CRESCENT; TÉL. 284-0307
Le rendez-vous des gourmets. Cuisine raffinée et inventive. Feuilleté aux escargots, canard aux bleuets. ($$$)

($)   prix très raisonnables
($$)   prix modérés
($$$)   prix élevés

à vous *la* parole!

- À quel restaurant avez-vous récemment mangé? Comment était la cuisine? l'ambiance? le décor? le service? le rapport qualité / prix?

- Vous êtes à Montréal. À votre avis, d'après toutes les descriptions, quel restaurant a le meilleur choix de plats? la meilleure ambiance? le meilleur rapport qualité / prix?

- À votre avis, pour quelles raisons certains restaurants sont-ils plus chers que d'autres?

- À votre avis, doit-on toujours laisser un pourboire? Pourquoi?

contact *culture*

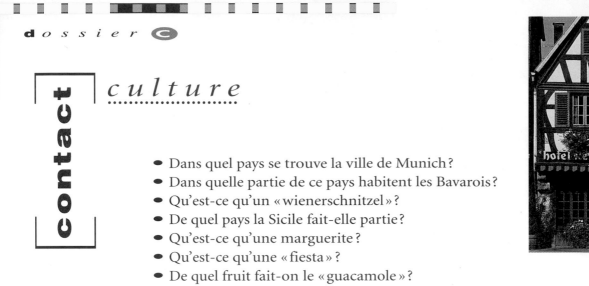

- Dans quel pays se trouve la ville de Munich?
- Dans quelle partie de ce pays habitent les Bavarois?
- Qu'est-ce qu'un «wienerschnitzel»?
- De quel pays la Sicile fait-elle partie?
- Qu'est-ce qu'une marguerite?
- Qu'est-ce qu'une «fiesta»?
- De quel fruit fait-on le «guacamole»?
- Quelle région de la France est célèbre par sa choucroute?

« J'ai parcouru le monde avec, pour seul bagage, mes connaissances culinaires, et j'ai trouvé le même accueil à Tokyo, à Mexico, à Montréal et à Johannesburg. »

— *Raymond Oliver*

Une toque d'or pour les Canadiens

FRANCFORT – Le Canada a encore remporté le premier prix aux Jeux olympiques culinaires.

L'équipe canadienne, composée de sept chefs, était en compétition avec des milliers d'autres cuisiniers représentant 30 pays. Les Suisses ont obtenu la 2e place et les Allemands la 3e.

Le menu des Canadiens était très inspiré par la culture autochtone. Par exemple, le dessert représentait un Autochtone dans un canot en train de récolter du riz sauvage. Le tout était fait en sucre soufflé transparent.

(Document-ressource : *Le journal des jeunes*)

contact *langue*

C omment ces termes français pour le mode de cuisson ont-ils influencé l'anglais?

blanchir
bouillir
frire
griller
pocher
rôtir
sauter

On vous conseille...

Quels sont les éléments essentiels d'une description pour un guide des restaurants?

Vous êtes en excursion à Montréal avec un groupe d'amis. À quel restaurant avez-vous dîné? Comment était la cuisine? le service? l'ambiance? Quel type de décor y avait-il? Le restaurant avait-il un bon rapport qualité / prix?

Rédigez une description du restaurant. Ajoutez à votre description un commentaire de chaque membre du groupe.

La classe va combiner toutes les descriptions pour en faire un guide gastronomique.

langage-ressource
pp. 26, 29, 32

Restau-critique

CA 16

À quel restaurant à Montréal avez-vous dîné? Comment avez-vous trouvé la cuisine? le décor? le service? l'ambiance? le rapport qualité / prix?

Écrivez une critique du restaurant pour le journal de l'école.

langage-ressource
pp. 26, 29, 32

On peut dire que (qu')...

- le choix des plats était adéquat (intéressant, limité, vaste, varié, etc.).
- la cuisine était excellente (exceptionnelle, raffinée, passable, minable, affreuse, horrible, déplorable, etc.).
- les plats étaient cuits à la perfection (souscuits, surcuits, etc.).
- l'ambiance était agréable (décontractée, relaxe, intime, froide, désagréable, bruyante, etc.).
- les prix étaient bas (raisonnables, trop élevés, exorbitants, etc.).
- le service était compétent (courtois, rapide, affreux, incompétent, lent, etc.).
- le restaurant avait un décor charmant (chic, moderne, unique, ordinaire, moche, laid, etc.).
- le repas avait un excellent rapport qualité / prix.
- les plats avaient excellent (très bon, bon, mauvais, etc.) goût.
- il y avait une terrasse (une salle de banquet, un salon privé, un menu à prix fixe, etc.).
- il y avait un orchestre (un pianiste, un accordéoniste, etc.).

Des *insectes* au **menu** ?

Les experts estiment que la population du monde (actuellement 5,5 milliards) va doubler au cours des 80 prochaines années.

Comment tous ces humains vont-ils se nourrir ? Beaucoup de scientifiques proposent d'utiliser une source d'alimentation jusqu'à présent peu exploitée : les insectes et les araignées.

Dégoûté ? Vous avez tort ! La plupart des insectes comestibles sont d'une propreté exemplaire. Et, crus ou cuits, ils sont considérés comme d'excellents goûters dans de nombreux pays du monde.

Mexique	Japon
escamoles	*sauterelles séchées*
Des larves de fourmis noires, frites au beurre et aux oignons.	Un hors-d'œuvre croustillant.

Kenya/Ouganda	Chine	Afrique du sud
purée de mouches	*vers à soie sautés*	*chenilles séchées*
Un goût comme du caviar.	Un excellent exemple de recyclage.	On en trouve, en boîte ou sous cellophane, dans tous les bons supermarchés.

Indonésie	Colombie
mites et mouches grillées	*fourmis grillées*
La friandise préférée des habitants de l'île de Bali.	Une spécialité de la capitale, Bogotà.

quantité de protéines		
Sauterelle	**Araignée**	**Chrysalide de mouche**
50 à 75 %	plus de 60 %	plus de 80 %
Mouton	**Poulet**	**Poisson**
32 %	23 %	20 %

Dans ces pays, les insectes sont d'abord appréciés pour leur bon goût. Au Mexique, par exemple, les larves de fourmis noires sautées sont de la haute cuisine.

Mais, surtout, les insectes fournissent aux humains les protéines et les vitamines nécessaires à la survie. En fait, les insectes comestibles sont plus riches en protéines que n'importe quelle viande animale.

Les insectes constituent une source de nourriture pratiquement inépuisable. Il y a plus d'un million d'espèces différentes et ils se reproduisent en grandes quantités. Un autre avantage des insectes : leur élevage commercial est moins nuisible à l'environnement que l'élevage des animaux comme les vaches et les moutons.

Savoureux, nourrissants, inépuisables, écologiques — les insectes, c'est la nourriture de l'avenir !

CA 17

« À qui

a faim,

tout est

pain. »

(Document-ressource : *Le journal des jeunes*)

— *proverbe suisse*

Existe-t-il d'autres sources alimentaires qui sont, jusqu'à présent, peu exploitées ? Lesquelles ? Sont-elles moins nuisibles à l'environnement que l'élevage des animaux ?

comment faire des descriptions – Partie A

Le Taj

Ces plats tandouri sont **assaisonnés** d'herbes et d'épices spéciales, puis **rôtis** dans notre tandour (un four profond et cylindrique en argile).

MURG TIKKA

Poulet **rôti** avec des tomates, des oignons et des poivrons

BOTI KEBAB

Cubes de filet mignon **cuits** dans notre tandour, **servis** avec poivrons et tomates

CÔTELETTE D'AGNEAU

Côtelette d'agneau **cuite** à votre goût, **servie** avec pommes de terre

CREVETTES TANDOURI

Crevettes succulentes **rôties**, **accompagnées** de légumes et de riz

(Document-ressource : menu du restaurant Le Taj)

fonction

Quand on fait des descriptions, on utilise souvent *le participe passé* du verbe comme adjectif.

Le participe passé, utilisé comme adjectif, s'accorde en genre (masculin ou féminin) et en nombre (singulier ou pluriel) avec le nom.

des précisions, s.v.p. !

Comme serveur ou serveuse,
comment allez-vous décrire ces plats ?

1. une quiche lorraine

   – **Qu'est-ce qu'une quiche lorraine ?**
   – **C'est une tarte faite d'œufs,
     de jambon et de fromage.**

2. une coupe glacée
3. un blintz au fromage
4. la poutine
5. un gumbo
6. une salade César
7. le poulet Cordon Bleu
8. une enchilada végétarienne
9. les fruits de mer à l'indienne
10. les spaghettis carbonara

Descriptions

- Des pommes de terre frites, recouvertes de fromage et de sauce   4.
- De la crème glacée recouverte de sauce   2.
- Une soupe épaisse assaisonnée d'épices créoles   5.
- Des pâtes préparées avec du bacon, du fromage et des œufs   10
- Du fromage, de la laitue, de la tomate, de l'oignon et des fèves au lard enveloppés dans une crêpe mexicaine   8.
- Une poitrine de poulet farcie de jambon et de fromage   7.
- Des crevettes et des huîtres cuites dans un tandour   9
- De la laitue romaine, des croûtons et du fromage râpé, le tout arrosé d'une vinaigrette spéciale   6
- **Une tarte faite d'œufs, de jambon et de fromage**
- Une crêpe farcie de fromage cottage, recouverte d'une sauce aux fruits   no. 3

pratique b

plats à la carte!

Pouvez-vous décrire chaque plat principal?

1

Scampis à l'ail

Frire des crevettes dans du beurre à l'ail.
Les parsemer de persil.
Les servir sur un lit de riz.

2

Poulet «Kiev»

Farcir de beurre aux fines herbes une poitrine de poulet.
La recouvrir de chapelure.
La rôtir au four.
La servir avec des légumes.

– Comment prépare-t-on les scampis à l'ail?
– Des crevettes sont frites dans du beurre à l'ail, parsemées de persil et servies sur un lit de riz.

4

Tarte campagnarde

Mijoter des morceaux de poulet, de dinde, de canard dans une sauce à la crème.
Les cuire dans une pâte.

3

Steak au poivre

Assaisonner de poivre un filet de bœuf.
Le griller.
Le servir avec une sauce au poivre et des frites.

6

Porc Maison

Assaisonner d'épices une côtelette de porc.
La cuire au four.
L'accompagner de pommes de terre et de salade de chou.

5

Œufs à la bénédictine

Pocher deux œufs.
Les servir sur un muffin anglais avec du jambon.
Les recouvrir de sauce hollandaise.

MAISON CAJUN

Si la dernière bouchée **était** aussi bonne que la première, c'**était** du cajun! Si chaque plat **avait** une saveur unique, c'**était** du cajun!

De nos jours, qui dit «cajun» parle non seulement du dialecte parlé par les habitants francophones de la Louisiane, mais aussi de leur musique et de leur cuisine.

Les premiers colons de la Louisiane **étaient** des gens robustes qui **avaient** une grande passion pour la cuisine. Ce sont leurs plats traditionnels que nous vous offrons à Montréal. Notre «nouvelle cuisine» a ses origines dans la cuisine classique de la Normandie, en France. On y a ajouté une cuillerée d'espagnol, une pincée d'italien et quelques gouttes d'amérindien, arrosées d'un léger parfum africain.

À La Maison Cajun nous sommes fiers de vous offrir les recettes authentiques héritées de nos ancêtres.

(Document-ressource : menu du restaurant La Maison Cajun)

fonction

Quand on fait des descriptions au passé, on utilise souvent *l'imparfait*.

comparez

Quand on est en train de manger...

La cuisine **est** superbe.
Je **suis** satisfait du service.
Les crevettes ne **sont** pas fraîches!
Ce café **a** une ambiance agréable.
Il n'y **a** pas de terrasse.

Quand on raconte ses expériences...

La cuisine **était** superbe!
J'**étais** satisfait du service.
Les crevettes n'**étaient** pas fraîches!
Ce café **avait** une ambiance agréable.
Il n'y **avait** pas de terrasse.

l'imparfait

	avoir		être
j'	avais	j'	étais
tu	avais	tu	étais
il	avait	il	était
elle	avait	elle	était
on	avait	on	était
nous	avions	nous	étions
vous	aviez	vous	étiez
ils	avaient	ils	étaient
elles	avaient	elles	étaient

pratique a

parlons cuisine !

Sophie pose des questions à son copain Fabien.

- – Alors, tu es allé à un nouveau restaurant ?
- – Oui. Chez Pedro.
- – Qu'est-ce que tu as commandé ?
- – Les nachos.
- – Ils étaient bons ?
- – Non. À mon avis, ils n'étaient pas assez épicés.

Posez des questions à des amis.

Un plat peut être...

cuit à la perfection	immangeable
délicieux	passable
épicé	piquant
excellent	salé
exceptionnel	savoureux
extraordinaire	souscuit
frais	surcuit
horrible	

N'oubliez pas que vous pouvez
qualifier ces descriptions
(p. ex., **trop** salé, **un peu** piquant,
pas assez épicé, **très** bon,
vraiment délicieux).

les meilleurs !

Vous posez des questions à un critique du Guide Michelin qui vient de visiter votre région. Demandez-lui quel restaurant avait...

1. la meilleure cuisine.

   – **Quel restaurant avait la meilleure cuisine ?**
   – **Le restaurant Chez Pierre.**

2. le meilleur choix de plats.
3. la meilleure ambiance.
4. le meilleur décor.
5. le meilleur service.
6. les meilleurs desserts.
7. la meilleure musique.
8. le meilleur rapport qualité / prix.

Faites un petit rapport à la classe.

à table à Montréal...

Après son dîner au restaurant Chi Fu à Montréal, Micheline demande des détails à Martin...

– **Dis donc, Martin, à quel restaurant es-tu allé ?**
– **Au restaurant Chi Fu.**
– **Ah oui ? Quelles étaient les spécialités ?**
– **Il y avait un grand choix de plats cantonais et széchuanais.**
– **As-tu aimé ça ?**
– **Et comment ! La cuisine était excellente !**
– **Ah bon ! Et comment était l'ambiance ?**
– **Pas mal. Mais, il n'y avait pas de musique.**
– **Est-ce que les prix étaient raisonnables ?**
– **Oui, et le service était très rapide.**
– **Alors, tu as passé une bonne soirée.**
– **Oui, c'était super !**

Relisez les descriptions des restaurants annoncés aux pages 20 et 21. À quel restaurant avez-vous dîné ? Quelles questions est-ce que votre ami ou amie va poser ? Créez des conversations.

c *omment* **faire l'accord du participe passé**

Les Amérindiens ingénieux

Des centaines d'années avant l'invention du réfrigérateur, les Amérindiens cherchaient des façons de conserver des aliments. Et ils **les** ont **trouvées**. On peut imaginer, par exemple, le jour où un Amérindien ingénieux a enfoui des aliments sous la terre pour la première fois. Ou bien le jour où il **les** a **pendus** aux arbres ou **les** a **submergés** sous l'eau glacée. Mais sa grande invention était sans doute le pemmican, une viande à base de bison, de chevreuil, d'orignal, de buffle, etc. Cet Amérindien ingénieux a tout d'abord séché cette viande au feu ou au soleil. Il **l'**a ensuite **moulue** en poudre, puis il **l'**a **assaisonnée** de fruits ou de baies sauvages. Pour lier ensemble le mélange, il y a ajouté du gras. La nourriture conservée sous cette forme était nutritive et facile à transporter.

(Document-ressource : *Nous, les Canadiens*)

comparez

– Où as-tu mis les fleurs ?
– J'ai **mis** les fleurs sur la table.

– Le patron a ouvert la porte ?
– Non, il n'a pas **ouvert** la porte.

– A-t-elle déjà servi ces clients ?
– Oui, elle a souvent **servi** ces clients.

– J'ai **choisi** la pizza. Elle était excellente.

– Où as-tu mis **les fleurs** ?
– Je **les** ai **mises** sur la table.

– Le patron a ouvert **la porte** ?
– Non, il **l'**a pas **ouverte**.

– A-t-elle déjà servi **ces clients** ?
– Oui, elle **les** a souvent **servis**.

– La pizza **que** j'ai **choisie** était excellente.

Quelle boisson a-t-il prise?

Un lait au chocolat.

Où est la salade que j'ai commandée?

Le serveur l'apporte tout de suite.

Le participe passé s'accorde, comme un adjectif, en genre (masculin ou féminin) et en nombre (singulier ou pluriel) avec l'objet direct (nom ou pronom) qui précède le verbe.

• Le participe passé s'accorde avec le pronom relatif que qui représente l'objet direct.
• Il n'y a jamais d'accord avec le pronom en.

Combien de tartes avez-vous faites?

Nous en avons fait quatre.

pratique a

au boulot !

Vous travaillez comme aide de cuisine. Votre partenaire, le chef, vous a donné une liste de choses à faire. D'après la liste, comment allez-vous répondre à ses questions? Créez des conversations.

éplucher les pommes de terre ✔
cuire les carottes
faire la vinaigrette ✔
écrire les spécialités au tableau
mettre les tartes sur le chariot des desserts ✔
faire la sauce pour le poulet ✔
sortir les déchets
remplir les salières ✔
ouvrir les boîtes de tomates
hacher le persil ✔

– Tu as épluché les pommes de terre?
– Oui, je les ai déjà épluchées.
– Bon !
– Tu as cuit les carottes?
– Non, je ne les ai pas encore cuites.
– Alors, fais vite !

vos commentaires, s.v.p.!

Après un dîner récent dans un restaurant local, on vous demande vos commentaires. Votre partenaire, qui joue le rôle du gérant ou de la gérante, vous pose des questions. Créez des conversations.

Il ou elle vous demande si on...

1. a décrit les spécialités du jour.

 – **A-t-on décrit les spécialités du jour ?**
 – **Oui, on les a décrites.**
ou – **Non, on ne les a pas décrites.**

2. a pris votre commande tout de suite.
3. a bien noté votre commande.
4. a préparé les plats à votre goût.
5. a remis l'addition sans délai.
6. a bien calculé l'addition.

Il ou elle vous demande aussi si vous avez trouvé...

1. le choix des plats adéquat.

 – **Avez-vous trouvé le choix des plats adéquat ?**
 – **Oui, je l'ai trouvé adéquat.**
ou – **Non, je ne l'ai pas trouvé adéquat.**
ou – **Non, je l'ai trouvé un peu limité.**

2. les portions suffisantes.
3. les aliments frais.
4. l'ambiance agréable.
5. le service courtois.
6. les prix raisonnables.

vive le cajun!

Vous venez de dîner à La Maison Cajun. Faites des commentaires sur les plats que vous avez pris. Consultez le menu aux pages 12 et 13.

Les écrevisses que j'ai prises étaient délicieuses.
Les écrevisses que j'ai prises n'étaient pas fraîches.

unité 2

souvenirs d'enfance

1 Voulez-vous monter une expo-souvenir de votre enfance ?

Pour rendre votre exposition plus intéressante, vous pouvez…

- présenter un étalage d'objets qui vous étaient chers (jouets, jeux, livres, articles personnels, etc.).
- écrire une légende sur chaque objet présenté.
- présenter les chansons que vous aimiez le plus.
- écrire (ou enregistrer) des anecdotes sur des expériences personnelles.
- présenter des collections personnelles.
- présenter de vieux équipements sportifs (gants de baseball, bâtons de hockey, uniformes, etc.).
- présenter de vieux vêtements (foulards, chapeaux, mitaines, tee-shirts, bottes, etc.).
- rédiger des listes des choses que vous avez le plus aimées ou détestées (mets, vêtements, films, personnages, événements, chansons, émissions de télévision, etc.).

2 Voulez-vous préparer un album-souvenir de votre enfance ?

Pour rendre votre album plus personnel, vous pouvez y mettre…

- des objets qui vous étaient chers (lettres, macarons, autocollants, bulletins de notes, billets de spectacles, autographes, souvenirs de fêtes, etc.).
- des cartes (de sport, de la Saint-Valentin, de vœux, etc.).
- des prix que vous avez gagnés.
- des listes des choses que vous avez le plus aimées ou détestées (mets, vêtements, films, personnages, événements, chansons, émissions de télévision, etc.).
- des photos avec légendes (famille, amis, classes, animaux de compagnie, etc.).
- des « chefs-d'œuvre » personnels (compositions, poèmes, dessins, etc.).
- des anecdotes ou commentaires personnels.

3 **V**oulez-vous filmer un vidéo-rétrospective de votre enfance ?

Pour représenter les divers aspects de votre vie, vous pouvez…

- filmer les maisons ou appartements où vous avez habité.
- interviewer des gens que vous avez connus pendant votre enfance.
- présenter des souvenirs visuels (photos, diapos, vidéos, etc.).

- filmer les endroits que vous fréquentiez (école, piscine, aréna, terrain de jeu, etc.).
- montrer des objets-souvenir qui étaient importants pour vous (jouets, livres, collections, articles personnels, etc.).
- raconter des anecdotes.
- parler des activités auxquelles vous participiez (sports, clubs, passe-temps, leçons, etc.).
- interviewer vos anciens professeurs de français.
- nommer les héros ou héroïnes de votre enfance (musique, sport, cinéma, etc.).
- présenter des chansons que vous aimiez.
- mentionner les choses que vous avez le plus aimées ou détestées (mets, vêtements, films, personnages, événements, chansons, émissions de télévision, etc.).

Préférez-vous proposer un autre projet-cible ? Allez-y !

37

L'ENFANCE AU CANADA

Les années 1920

La publicité reflétait la richesse du pays. Les catalogues Eaton étaient remplis de nouveaux jouets — des automobiles à pédales pour les garçons et des appareils ménagers miniatures pour les petites filles, par exemple.

Dans les cours d'écoles, les enfants jouaient à la marelle.

Les années 1930

La grande sensation a été la naissance des quintuplées Dionne en 1933. Chaque petite fille rêvait d'avoir ses propres poupées modelées sur ces bébés. Les garçons, eux, passaient des heures avec leurs jeux de construction Meccano.

C'était l'âge d'or de la radio. Mais beaucoup d'adultes prédisaient que cette invention allait ruiner la jeune génération.

Les années 1940

Tous les Canadiens ont participé à l'effort de guerre. Même les enfants ont aidé. Ils ont ramassé le papier argent des paquets de cigarettes pour le recycler.

Les jeunes adolescents étaient fous de Deanna Durbin, originaire de Winnipeg, qui était une grande vedette à Hollywood.

Les années 1950

Les jouets traditionnels — les patins à roulettes, les Yo-Yo et les poupées — étaient encore populaires. Mais il y avait aussi des nouveautés : le casque d'astronaute, le chapeau Davy Crockett, le *slinky* et le *hula hoop*.

Les enfants avaient deux grands héros : le joueur de hockey Maurice « Rocket » Richard et la patineuse Barbara Ann Scott.

Mais le public était surtout fasciné par une nouvelle invention — la télévision. Beaucoup d'adultes prédisaient qu'elle allait ruiner la jeune génération.

Les années 1960

La génération du baby-boum rejetait les anciennes valeurs. C'était la décennie de la liberté individuelle et de l'expression personnelle.

Chez les enfants les jouets préférés étaient Barbie et GI Joe.

Les années 1970

C'était la décennie des « piles non incluses » : les jouets entraient dans l'ère de l'électronique. Ce qui faisait sensation, c'étaient les premiers jeux vidéo. Encore une fois, beaucoup d'adultes prédisaient la ruine de la jeune génération !

(Document-ressource : *Le courrier du patrimoine*)

à vous *la* parole!

- Quand vous étiez enfant qui étaient vos meilleurs amis? À quoi jouiez-vous? Où?

- Quels étaient vos jouets préférés?

- Quels objets-souvenir conserve-t-on souvent de son enfance? Pourquoi?

- Avez-vous des photos ou des vidéos de votre enfance? Que faisiez-vous sur ces photos ou dans ces vidéos? Quelle est votre réaction maintenant quand vous les regardez?

- Quand vous étiez petit ou petite, aviez-vous des héros ou des héroïnes? Qui? Pourquoi? Avez-vous des objets-souvenir de ces personnes? Lesquels?

CA 32

Quand les membres de votre groupe avaient l'âge de sept ou huit ans, quels étaient leurs jeux et leurs jouets préférés? Faites une liste des trois jeux et des trois jouets les plus populaires. Partagez vos résultats avec la classe.

Dans la classe, quels étaient les trois jeux et les trois jouets les plus populaires?

Jeux possibles

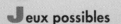

- faire des puzzles ou des casse-tête
- faire des jeux vidéo
- jouer à cache-cache
- jouer à la balle
- jouer à la marelle
- jouer aux billes
- jouer aux cartes
- jouer aux jeux de société (Scrabble, dames, etc.)
- sauter à la corde

Jouets possibles

- les animaux en peluche
- les ensembles à colorier
- les modèles réduits
- les poupées
- les trains électriques
- les Transformers
- les véhicules (camions, autos, etc.)

On dit souvent que certains jouets ne sont pas appropriés aux enfants. Êtes-vous d'accord? Pouvez-vous en donner des exemples?

contact *culture*

Petit monde

Les jeux des enfants se ressemblent partout au monde. En France, les enfants aiment surtout…

jouer à la balle
jouer à cache-cache
jouer aux gendarmes et
   aux voleurs
sauter à la corde

jouer
aux billes

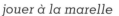

jouer à la marelle

jouer à chat

jouer à la chandelle

Quand vous étiez petit ou petite, à quoi jouiez-vous ? Avec qui ? Où ?

Les enfants prodiges

Saviez-vous que…

- À l'âge de cinq ans, Mozart composait déjà des morceaux de musique classique et, à six ans, il donnait des concerts dans les capitales d'Europe.
- À l'âge de cinq ans, le violoniste canadien, Corey Cerovsek, jouait déjà du violon. À douze ans, il était un grand virtuose.
- À l'âge de six ans, Shirley Temple a gagné un oscar.
- À l'âge de deux ans, l'artiste chinoise, Wang Yani, peignait déjà des tableaux. À onze ans, elle vendait ses peintures — il y en avait plus de 4 000 — à des galeries et à des collectionneurs.
- À l'âge de onze ans, l'Américaine Vicki Van Meter a traversé les États-Unis en vol solo.
- À l'âge de onze ans, l'Anglais Thomas Gregory a traversé la Manche à la nage.

Partout dans le monde, les enfants adorent les rimes. Dans les pays francophones, les comptines, souvent chantées, aident à désigner la personne qui va avoir un certain rôle dans un jeu.

Am, stram, gram
Bour et bour et ratatam
Pic et pic et colégram
Am, stram, gram

1, 2, 3… j'irai dans les bois
4, 5, 6… cueillir des cerises
7, 8, 9… dans un panier neuf
10, 11, 12… elles seront toutes rouges

Un, deux, trois, quatre
Ma petite vache a mal aux pattes
Tirons-la par la queue
Elle ira bien mieux

« L es jeux des enfants ne sont pas des jeux ; il faut les juger comme leurs plus sérieuses actions. »

— *Michel de Montaigne*

uelles autres rimes — dans n'importe quelle langue — connaissez-vous ?

● ***se rappeler* et *se souvenir***

Il **se rappelle** sa grand-mère.   Il **se souvient de** sa grand-mère.

savoir faire

Objets-souvenir

Avez-vous conservé des objets-souvenir de votre enfance? Lesquels? De tous ces objets, lequel est le plus spécial? Pourquoi?

CA 35

Apportez en classe un objet-souvenir de votre enfance. Présentez cet objet à la classe et soyez prêt ou prête à répondre à des questions.

À considérer…

- Comment avez-vous obtenu cet objet?
- Quel âge aviez-vous à cette époque?
- Pourquoi avez-vous conservé cet objet en particulier?
- Où le gardez-vous?
- Quels souvenirs associez-vous avec cet objet?

langage-ressource pp. 62, 66

Les objets-souvenir

- un article de sport
- des bijoux (une bague, un collier, une montre, etc.)
- des cartes (d'anniversaire, de la Saint-Valentin, etc.)
- une collection (de cartes, de timbres, etc.)
- un disque, une cassette
- un jouet
- un livre
- un modèle réduit
- un trophée, un prix, un certificat
- un vêtement

«*Pourquoi Dieu met-il donc le meilleur de la vie tout au commencement?*»

— Victor Hugo

Photos mystère !

À quelles occasions prend-on d'habitude des photos? Pourquoi?

➡ Apportez en classe une photo de vous quand vous étiez enfant. Écrivez un petit paragraphe qui décrit la photo. (Ne révélez pas votre nom!)

- Quel âge aviez-vous?
- Qui est sur la photo avec vous?
- Où étiez-vous?
- Qui a pris la photo?
- Pourquoi a-t-on pris la photo?

Affichez la photo et la description dans la salle de classe. Pouvez-vous nommer vos camarades de classe d'après leur photo?

langage-ressource
p. 62

« **F**ais que

chaque heure

de ta vie soit

belle. Le moindre

geste est un

souvenir

futur. »

— *Claude Aveline*

Les occasions spéciales

- l'Action de grâces
- les anniversaires
- l'entrée à la maternelle
- les événements sportifs
- les excursions
- les festivals

- les fêtes religieuses
- les mariages
- la remise des diplômes
- la remise des trophées
- les réunions de famille
- les vacances, les voyages

LA PHOTO DE LA CLASSE

Ce matin, nous sommes tous arrivés à l'école bien contents, parce qu'on va prendre une photo de la classe qui sera pour nous un souvenir que nous allons chérir toute notre vie, comme nous l'a dit la maîtresse. Elle nous a dit aussi de venir bien propres et bien coiffés.

C'est avec plein de brillantine sur la tête que je suis entré dans la cour de récréation. Tous les copains étaient déjà là et la maîtresse était en train de gronder Geoffroy qui était venu habillé en Martien. Geoffroy a un papa très riche qui lui achète tous les jouets qu'il veut.

Le photographe était là, aussi, avec son appareil et la maîtresse lui a dit qu'il fallait faire vite, sinon, nous allions rater notre cours d'arithmétique. Agnan, qui est le premier de la classe et le chouchou de la maîtresse a dit que ce serait dommage de ne pas avoir arithmétique, parce qu'il aimait ça. Eudes, un copain qui est très fort, voulait donner un coup de poing sur le nez d'Agnan, mais Agnan a des lunettes et on ne peut pas taper sur lui. La maîtresse a crié que nous étions insupportables. Le photographe, alors, a dit : « Allons, allons, allons, du calme, du calme. Je sais comment il faut parler aux enfants. »

Le photographe a décidé que nous devions nous mettre sur trois rangs ; le premier rang assis par terre, le deuxième, debout autour de la maîtresse assise sur une chaise et le troisième, debout sur des caisses.

Nous, on y est allés. Le photographe a expliqué à la maîtresse qu'on obtenait tout des enfants quand on était patient. Mais la maîtresse n'a pas pu l'écouter jusqu'au bout. Elle a dû venir nous séparer, parce que nous voulions être tous sur les caisses.

La maîtresse a dit qu'elle nous donnait un dernier avertissement, après ce serait l'arithmétique. Geoffroy s'est approché du photographe. « C'est quoi, votre appareil ? » il a demandé. Le photographe a souri et il a dit : « C'est une boîte d'où va sortir un petit oiseau, bonhomme. » « Il est vieux votre engin, a dit Geoffroy. Mon papa il m'en a donné un avec parasoleil, objectif à courte focale et téléobjectif... » Le photographe a cessé de sourire et il a dit à Geoffroy de retourner à sa place. « Est-ce que vous avez au moins une cellule photoélectrique ? » a demandé Geoffroy. « Pour la dernière fois, retourne à ta place ! » a crié le photographe qui, tout d'un coup, avait l'air très nerveux.

On s'est installés. Moi, j'étais assis par terre, à côté d'Alceste. Alceste c'est mon copain qui est très gros et qui mange tout le temps. Il était en train de mordre dans une tartine de confiture et le photographe lui a dit de cesser de manger. « Lâche cette tartine ! » a crié la maîtresse qui était assise juste derrière Alceste. Ça l'a tellement surpris, Alceste, qu'il a laissé tomber la tartine sur sa chemise. La maîtresse a dit qu'il n'y avait plus qu'une chose à faire, c'était de mettre Alceste au dernier rang pour qu'on ne voie pas la tache sur sa chemise. « Eudes, a dit la maîtresse, laissez votre place à votre camarade. » « Ce n'est pas mon camarade », a répondu Eudes. La maîtresse s'est fâchée. Elle a donné comme punition à Eudes la conjugaison du verbe : « Je ne dois pas refuser de céder ma place à un camarade qui a renversé sur sa chemise une tartine de confiture. » Eudes est descendu de sa caisse et il est venu vers le premier rang. Alceste allait vers le dernier rang. Eudes a croisé Alceste et lui a donné un coup de poing sur le nez. Alceste a voulu donner un coup de pied à Eudes, mais Eudes est très agile, et c'est Agnan qui a reçu le pied. Agnan a commencé à pleurer et à hurler. La maîtresse l'a consolé et a puni Alceste. Il doit écrire cent fois : « Je ne dois pas battre un camarade qui porte des lunettes. » « C'est bien fait », a dit Agnan. Alors, la maîtresse lui a donné des lignes à faire, à lui aussi. La maîtresse a commencé à les distribuer drôlement, les punitions. On avait tous des tas de lignes à faire. Finalement, la maîtresse nous a dit : « Alors, vous allez bien prendre la pose, faire un joli sourire et le monsieur va nous prendre une belle photographie ! » On a obéi. Nous avons tous souri et on a pris la pose.

Mais, pour le souvenir que nous allions chérir toute notre vie, c'est raté, parce que le photographe n'était plus là. Il était parti, sans rien dire.

(Extrait de Le petit Nicolas, de René Goscinny)

CA 38-39

Apportez de chez vous une de vos photos de classe de l'école élémentaire. Sur cette photo, indiquez l'élève qui, d'après vos souvenirs, était…

- le clown.
- le petit dur ou la petite dure.
- le sérieux ou la sérieuse.
- le premier ou la première.
- le chouchou.
- l'athlète.
- la personne la plus populaire.

Est-ce que vous voyez toujours ces personnes ? Ont-elles changé ? Comment ?

« L'on ne peut gouverner les enfants d'aujourd'hui. »

— *Robert Garnier*

La Gazette

Édition Spéciale

La méteo : Averses toute la journée. Maximum : 21°   **18 septembre 1978**

Sadat, Begin et Carter signent un accord pour la paix au Moyen-Orient

Diefenbaker fête son 83ᵉ anniversaire. Voir page 4.

Tremblement de terre en Iran : plus de 18 000 morts. Voir page 7.

le palmarès

1. *Grease*
   Frankie Valli
2. *Boogie Oogie Oogie*
   A Taste of Honey
3. *Hopelessly Devoted to You*
   Olivia Newton-John
4. *Three Times a Lady*
   Commodores
5. *Summer Night*
   Olivia Newton-John & John Travolta

1978 en revue

- Pierre Trudeau est premier ministre du Canada.
- Jules Léger est gouverneur général du pays.
- Kurt Waldheim est secrétaire général des Nations Unies.
- *The Deer Hunter* gagne l'oscar du meilleur film de l'année.
- Jon Voigt et Jane Fonda gagnent l'oscar du meilleur acteur et de la meilleure actrice pour leurs rôles dans *Coming Home*.
- Les Canadiens de Montréal remportent la Coupe Stanley.
- Les Yankees de New York sont champions de la Série mondiale de baseball.
- Chanson de l'année : *Just the Way You Are,* de Billy Joel.
- Microsillon de l'année : *Saturday Night Fever,* des BeeGees.

JENNIFER STEIN est née !

À 8 h 00 ce matin, à l'hôpital St-Mary's à Kitchener, Ontario, une petite fille est née à M. Paul et Mme Louise Stein.

Elle s'appelle Jennifer Anna. Elle pèse 3,3 kilos. Elle a les cheveux blonds et les yeux bleus.

C'est une petite sœur pour Peter et Robert.

Bienvenue, Jennifer !

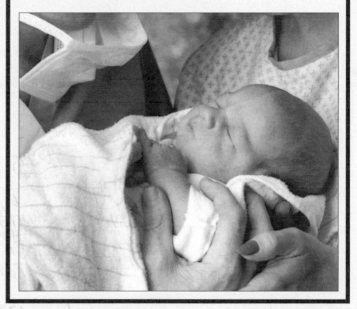

LE JOUR DE VOTRE NAISSANCE

Le jour de votre naissance était, bien sûr, tout à fait spécial ! À part ce grand événement, qu'est-ce qui se passait dans le monde ?

CA 40

Créez une page de journal qui…

- annonce votre naissance.
- reflète les événements de ce jour.
- présente un résumé de l'année.

Vous pouvez présenter…

- la météo
- des actualités (locales, nationales, mondiales, etc.)
- des résultats et des revues (de sports, d'événements culturels, etc.)
- le palmarès (les meilleurs tubes, films, livres, etc.)

Le pronom *où* peut préciser…

- un endroit : La rue **où** j'habitais…
- un temps : Le jour **où** je suis né(e)…

Isabelle Cyr – Souvenirs d'enfance

Avec son petit accent acadien, sa spontanéité et son sens de l'humour, Isabelle Cyr est une jeune actrice très charmante. Elle est née à Moncton, au Nouveau-Brunswick. Elle a eu, dit-elle, une enfance « idéale ». À l'âge de 18 ans, Isabelle est venue à Montréal pour étudier au Conservatoire d'art dramatique.

PREMIERS SOUVENIRS

Isabelle, quels sont tes premiers souvenirs d'enfance ?

Il y en a tellement ! Quand j'étais petite, tout était extraordinaire. J'ai des centaines de souvenirs de la maternelle, de jeux, de poupées, de glissades sur la colline.

Étais-tu une petite fille active ?

Oui, très active ! J'ai été présidente de mon école. Je faisais aussi beaucoup de musique. Je faisais même mes propres compositions.

As-tu commencé jeune à étudier le piano ?

Oui, à l'âge de quatre ans. J'ai étudié le piano pendant quatorze ans. De plus, jusqu'à l'âge de seize ans, j'ai fait beaucoup de danse.

UNE SOLITAIRE

Malgré toutes tes activités, avais-tu aussi un petit côté solitaire ?

J'étais très solitaire. Je n'avais pas vraiment de groupe d'amis. Après l'école, je rentrais sagement à la maison. J'y faisais beaucoup de dessin et des vêtements pour mes poupées. J'étais très contente dans mon petit univers à moi.

Avais-tu des amies spéciales ?

Oui, j'avais une très bonne amie, Lauralie. Il y avait aussi ma cousine, Marie-Jo Thério. Elle habitait à dix maisons de chez moi.

(Document-ressource : *Filles d'aujourd'hui*)

DE MONCTON À MONTRÉAL

Qu'est-ce que tu as trouvé le plus difficile, quand tu as déménagé à Montréal ?

Je n'aimais pas me sentir enfermée dans une ville, entourée de gratte-ciel. Je manquais d'air et d'espace. Mais, après un certain temps, j'ai commencé à apprécier la ville. Elle m'a donné un sentiment de liberté.

De quelle façon ?

Dans une grande ville comme Montréal, je passais incognito. À Moncton, on me considérait comme une «nerd» parce que je faisais de la musique, parce que je voulais faire du théâtre.

UNE FILLE ROMANTIQUE

Isabelle, te souviens-tu de ton premier petit chum ?

Quand j'étais adolescente, les garçons ne s'intéressaient pas à moi. Mais, quand même, j'ai eu beaucoup de chums… dans ma tête ! Malheureusement, j'ai eu mon premier vrai chum trois semaines avant mon départ pour Montréal. Et lui, il partait pour la Nouvelle-Écosse !

De toute évidence, tu es une fille très romantique.

Oui, oui, oui ! Je suis très sentimentale, très romantique. Le romantisme pour moi est une qualité. J'apprécie la vie comme elle est. Et ça, c'est déjà une sorte de romantisme en soi !

à vous *la* parole !

Dans votre famille êtes-vous...

- l'aîné ou l'aînée ? (le plus âgé ou la plus âgée)
- le cadet ou la cadette ? (le ou la plus jeune)
- enfant unique ? (le seul ou la seule enfant)

- Où êtes-vous né ou née ? Où avez-vous grandi ?
- Comme enfant, comment vous entendiez-vous avec les différents membres de votre famille ?
- Avez-vous déjà déménagé ? Combien de fois ? Où ?
- Quels sont vos premiers souvenirs d'enfance ?
- Qui était important pour vous quand vous étiez enfant ? Pourquoi ?
- Aviez-vous un animal de compagnie ? Lequel ? Pourquoi l'aimiez-vous ?
- Preniez-vous des leçons (de natation, de musique, de danse, etc.) ? Lesquelles ?
- Avez-vous des traits de caractère en commun avec Isabelle Cyr ? Lesquels ?

contact *culture*

En France, les prénoms des nouveaux bébés doivent être approuvés par le gouvernement. La majorité des prénoms choisis sont des noms de saints ou de saintes. Voici des prénoms populaires dans les années récentes :

Au calendrier catholique, chaque jour de l'année est associé avec le nom d'un saint ou d'une sainte. Donc, on célèbre souvent non seulement son anniversaire (sa date de naissance), mais aussi la fête du saint ou de la sainte dont on porte le nom.

Pour les filles		Pour les garçons	
Aurélie	Gaëlle	David	Nicolas
Camille	Julie	Guillaume	Sébastien
Céline	Lucie	Julien	Simon
Élise	Hélène	Jérôme	Thomas
Émilie	Stéphanie	Mathieu	Vincent

Quand vous étiez bébé, quels étaient les prénoms les plus populaires pour les garçons et pour les filles ?

contact *langue*

Comme dans toutes les langues, en français on désigne souvent par des diminutifs les enfants et les amis.

filles		garçons	
prénom	**diminutif**	**prénom**	**diminutif**
Antoinette	Toinette	Albert	Bébert
Caroline	Caro	André	Dédé
Catherine	Cathy	Antoine	Tony
Christine	Kiki	Christophe	Totophe
Corinne	Coco	Charles	Charlot
Isabelle	Isa	Émile	Mimil
Louise	Loulou	Gabriel	Gabi
Martine	Titine	Jacques	Jacquot
Pascale	Calou	Philippe	Philou
Sophie	Soso	Pierre	Pierrot
Véronique	Véro	Roger	Gégé

Comme enfant, vous désignait-on par un diminutif ? Lequel ? Avez-vous un diminutif maintenant ? Lequel ?

Racontez-moi...

CA 42-43

➡ Quels souvenirs gardez-vous de votre enfance ?
Rappelez-vous une situation amusante ?
embarrassante ? surprenante ? terrifiante ? Écrivez
une anecdote qui raconte une de ces situations.

Quels souvenirs !

- À l'âge de...
- C'est gravé dans ma mémoire !
- C'était l'expérience la plus...
- C'était le comble !
- C'était une expérience inoubliable !
- Il y a ... ans, ...
- Je me rappelle...
- Je me souviens de ...
- Je n'ai jamais été si...
- Je n'en reviens pas !
- Je ne vais jamais oublier...
- Quand j'avais ... ans, ...

**langage-ressource
pp. 62, 66**

*Je me souviens d'une histoire
amusante. Quand j'avais onze
ans, mon frère et ma sœur se sont
disputés à cause de moi. Tous les
deux voulaient m'emmener avec
eux quelque part. Alors, ils m'ont
tirée de tous bords, tous côtés.
Finalement, ils ont réussi à me
disloquer une épaule !*

Isabelle Cyr

(Document-ressource : *Filles d'aujourd'hui*)

En groupe, racontez vos anecdotes. Ensuite,
choisissez une de ces anecdotes pour jouer aux
« Détecteurs de mensonges » avec
la classe. Changez les détails
importants de l'anecdote pour
créer une histoire fausse.
Choisissez un membre
du groupe pour lire
une des vraies
histoires et un autre
membre pour lire
l'histoire fausse.

CA 44-45

Pour déterminer
quelle est la vraie
histoire, la classe va
poser des questions
aux raconteurs.

51

Le chandail de hockey

Les hivers de mon enfance étaient des saisons longues, longues. Nous vivions en trois lieux : l'école, l'église et la patinoire ; mais la vraie vie était sur la patinoire. Les vrais combats se gagnaient sur la patinoire. La vraie force apparaissait sur la patinoire. Les vrais chefs se manifestaient sur la patinoire.

L'école était une sorte de punition. Les parents ont toujours envie de punir les enfants et l'école était leur façon la plus naturelle de nous punir. De plus, l'école était un endroit tranquille où l'on pouvait préparer les prochaines parties de hockey, dessiner les prochaines stratégies.

Quant à l'église, nous trouvions là le repos de Dieu : on y oubliait l'école et l'on rêvait à la prochaine partie de hockey. À travers nos rêveries, il nous arrivait de réciter une prière : c'était pour demander à Dieu de nous aider à jouer aussi bien que Maurice Richard.

Tous, nous portions le même costume que lui, ce costume rouge, blanc, bleu des Canadiens de Montréal, la meilleure équipe de hockey au monde. Tous, nous peignions nos cheveux à la manière de Maurice Richard. Pour les tenir en place, nous utilisions une sorte de colle, beaucoup de colle. Nous lacions nos patins à la manière de Maurice Richard. Nous mettions le ruban gommé sur nos bâtons à la manière de Maurice Richard. Nous découpions dans les journaux toutes ses photographies. Vraiment nous savions tout à son sujet.

Sur la glace, au coup de sifflet de l'arbitre, les deux équipes s'élançaient sur le disque de caoutchouc. Nous étions cinq Maurice Richard contre cinq autres Maurice Richard à qui nous arrachions le disque ; nous étions dix joueurs qui portions, avec le même brûlant enthousiasme, l'uniforme des Canadiens de Montréal. Tous nous arborions au dos le très célèbre numéro 9.

(Extrait de *Le chandail de hockey*, de Roch Carrier)

Mais, un jour, l'auteur arrive à la patinoire dans l'uniforme de l'ennemi — le chandail bleu et blanc des Maple Leafs de Toronto! Pourquoi? Quelle est la réaction de ses amis? Qu'est-ce qui se passe? Ah! pour ça vous devez lire toute l'histoire! …Bonne lecture!

CA 46

Né au Québec en 1937, à Sainte-Justine, un petit village dans la Beauce, Roch Carrier est un des écrivains les plus originaux et les plus lus de sa génération. Dans les années soixante, il a fait sa réputation avec une trilogie: *La Guerre, Yes Sir!, Floralie, où es-tu?* et *Il est par là, le soleil*. En plus, Roch Carrier est l'auteur de scénarios, de pièces de théâtre et d'histoires pour enfants.

QUAND J'ÉTAIS PETIT, JE LISAIS...

Que lisaient les chanteurs, animateurs et sportifs français quand ils étaient petits ?

Bruno Martini, footballeur :

« Tout petit, je dévorais le *Journal de Mickey* et les albums de *Tintin*. J'aimais bien aussi me plonger dans les œuvres de la « Bibliothèque verte ». Le premier roman que j'ai adoré : *Pinocchio* de Carlo Collodi. »

Stéphane Caron, nageur :

« J'adorais lire les comics américains — les aventures de *Spider Man*, *Silver Surfer*, *Les 4 Fantastiques*, *Daredevil*… Dans les romans, j'aimais aussi *Le Club des 5* d'Enid Blyton. Je conseille aussi *Germinal* de Zola. Un super roman ! »

Jean-Baptiste Lafond, rugbyman :

« Alexandre Dumas, Jules Verne, Saint-Exupéry m'ont passionné. J'ai dévoré *Le livre de la jungle* de Kipling. *Les trois mousquetaires* de Dumas et *Le tour du monde en 80 jours* de Jules Verne sont également formidables. »

Jeannie Longo, cycliste :

« *Les petites filles modèles*, *Les malheurs de Sophie*… j'ai vraiment lu tout ce que la comtesse de Ségur a écrit ! J'aimais beaucoup aussi les aventures du *Club des 5*. Il faut absolument lire tous ces livres et aussi les romans de Jules Verne. »

Mimie Mathy, actrice :

« Je dévorais toutes les aventures du *Club des 5*. Mais le livre qui m'a le plus marquée est *La case de l'oncle Tom*. J'aime la manière dont le livre aborde les problèmes de racisme. J'offre à mes neveux les *Contes de Perrault* ou les collections illustrées tirées des films de Walt Disney. »

Pauline Ester, chanteuse :

« J'adorais tous les livres de la « Bibliothèque verte » et spécialement *Les aventures de Fantômette* — cette petite intrépide qui menait des enquêtes avec ses copains, et qui sauvait des gens. Un livre pour les petites filles d'aujourd'hui ? Toute la « Bibliothèque rose » ! »

Yves Duteil, chanteur :

« J'aimais les récits de voyage, réels ou imaginaires. *Le voyage de Niels Olgerson* a enchanté mon enfance ; *Les voyages de Gulliver* également. »

Éric Galliano, animateur télé :

« J'étais très B.D. Je lisais surtout *Astérix* de la première à la dernière bulle. Il y avait aussi toute la série des *Oui-Oui* et les aventures de *Tom Pouce*. Il faut lire, lire, lire, aussi bien des livres que des journaux. »

(Document-ressource : *Journal de Mickey*)

à vous la parole !

- Qu'est-ce que vous aimiez lire quand vous étiez petit ou petite ? (des B.D. ? des magazines ? des livres d'aventures / de suspense / de voyages ?)

- Quand vous étiez enfant, est-ce que quelqu'un vous lisait des histoires ? Qui ? Quand ?

- Aviez-vous un livre préféré ? Lequel ? Pourquoi ?

- Qui était le personnage principal dans ce livre ? Décrivez ce personnage.

- Quels livres pour enfants recommandez-vous ? Pourquoi ?

On dit que chez les enfants la télévision est plus populaire que la lecture. À votre avis, est-ce que cela est une bonne ou une mauvaise chose ? Pourquoi ?

« Les enfants ont plus besoin de modèles que de critiques. »

— Joseph Joubert

[contact] *c u l t u r e*

La France a une longue tradition de littérature pour enfants. En 1697, par exemple, l'auteur Charles Perrault a publié *Contes de ma mère l'Oye*. Dans cette collection célèbre on trouve des histoires qui sont populaires encore aujourd'hui :

Barbe-Bleue	*Cendrillon*
La belle au bois dormant	*Le petit chaperon rouge*
Le chat botté	*Le petit poucet*

La France nous a donné aussi *La belle et la bête* et, plus récemment, les aventures de *Babar*, le roi éléphant.

Quand vous étiez enfant, quelles étaient vos histoires préférées? Pourquoi?

[contact] *l a n g u e*

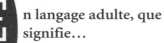

Pour parler aux jeunes enfants, les adultes utilisent souvent un «langage bébé» :

le lolo	*(le lait)*
un dada	*(un cheval)*
une menotte	*(une main)*
un toutou	*(un chien)*
faire panpan	*(frapper)*
faire sisite	*(s'asseoir)*

En langage adulte, que signifie…

- un bobo?
- un nounours?
- un joujou?

- un minou ou un mimi?
- une papatte?
- faire dodo?

une petite douleur
dormir
un chat
un ours en peluche
un jouet
une jambe

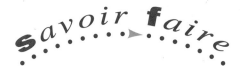
Les meilleurs et les pires

On dit que tous les enfants adorent les bandes dessinées. Mais est-ce vrai? Rédigez une liste «des meilleurs et des pires» qui reflète les goûts des membres de votre groupe quand ils étaient petits.

Vous pouvez, par exemple, examiner les catégories suivantes:

- les bandes dessinées
- les livres
- les magazines
- les chansons
- les émissions de télé
- les films
- les groupes musicaux
- les jeux
- les mets

langage-ressource p. 62

Y a-t-il d'autres catégories?

Présentez votre liste à la classe.

«*C'est les jeunes qui se souviennent. Les vieux, ils oublient tout.*»

Les générations se rencontrent

Vos parents ou vos grands-parents racontent-ils des anecdotes de leur vie quand ils avaient votre âge? De quoi parlent-ils? Pour connaître des détails sur leur enfance (jouets, activités, amis, divertissements, passe-temps, école) quelles questions pouvez-vous poser?

CA 49

Interviewez un ou une adulte (parent, grand-parent, oncle, tante, etc.). Posez-lui des questions sur son enfance. Faites des comparaisons entre son enfance et la vôtre. Dans un petit rapport à la classe, mentionnez trois similarités et trois différences.

langage-ressource pp. 62, 66

— *Boris Vian*

57

ren *contres*

Où avez-vous appris le français?

J'ai commencé à Toronto quand, déjà adulte, j'ai suivi un cours du soir qui m'a amenée à lire, à parler à n'importe qui et à étudier au niveau universitaire. Plus tard, j'ai passé une année en France.

Qu'est-ce qui vous a incitée à apprendre le français?

Tout d'abord, la musique de la langue m'a beaucoup inspirée — le français est si beau! Puis, je voulais apprendre l'autre langue officielle du Canada, mon pays adoptif — je suis anglaise de naissance et j'ai été élevée aux États-Unis.

Marylyn Peringer

Nom :

Marylyn Peringer

Profession :

Conteuse

Quand utilisez-vous le français?

Heureusement, je l'utilise presque tous les jours! Je visite des écoles pour raconter aux élèves les beaux contes et les belles légendes du Canada francophone.

Quand vous racontez des histoires, quelle est la réaction des enfants?

En général, les élèves, petits ou grands, montrent un grand intérêt; tout le monde aime une belle histoire. Au fur et à mesure que le récit se déroule, une sorte de magie s'opère; je me trouve devant un auditoire immobile, silencieux, comme ensorcelé. Le pouvoir d'un conte est étonnant!

Quelles sortes d'histoires les enfants aiment-ils?

Les enfants aiment les histoires où on récompense le bon et punit le méchant. La justice est très importante pour eux. Et, comme tout le monde, ils s'intéressent aux récits merveilleux : la chasse-galerie, le vaisseau fantôme, le loup-garou.

Comment trouvez-vous les enfants d'aujourd'hui?

La simplicité des enfants m'étonne. Certains me demandent mon âge, si je suis mariée, et même combien d'argent je gagne par an! Leur connaissance du monde

D'après vous, quel est l'avantage majeur de la connaissance du français ?

Une langue, c'est plus qu'une collection de mots. C'est une fenêtre sur l'univers, et chaque langue reflète une certaine façon de regarder la vie. La connaissance du français m'a appris surtout à quitter mon cocon « anglo » pour découvrir un monde beaucoup plus vaste.

est beaucoup plus vaste que la mienne quand j'étais petite. Mais quelquefois ils me font rire. Quand je raconte une histoire, certains me corrigent : « Non, c'est pas comme ça, madame. Je le sais, moi, j'ai le vidéo ! »

Pourquoi aimez-vous raconter des histoires ?

J'aime donner des cadeaux. Raconter les contes folkloriques, c'est offrir des objets de valeur à mes auditeurs. Et voilà le plus beau — je leur donne l'occasion de créer eux-mêmes leurs propres images, d'éprouver leurs propres sentiments. La télé nous enlève le droit d'imaginer.

Quelles sont les qualités d'un bon conteur ou d'une bonne conteuse ?

Le bon conteur respecte la langue ; il choisit ses mots avec soin. Mais surtout il sait que l'important, c'est le conte, pas le conteur. Il présente son récit simplement, directement, comme si c'était un épisode de sa vie.

Voulez-vous travailler avec les enfants, comme Marylyn Peringer ?

Vous pouvez travailler comme :

- artiste ou interprète
- bibliothécaire
- conseiller ou conseillère
- employé ou employée de garderie
- entraîneur ou entraîneuse
- gardien ou gardienne
- instituteur ou institutrice
- moniteur ou monitrice
- pédiatre

Carnet de Lecture

Mon enfance au Viêt-nam

Au plus loin que remontent mes souvenirs, deux impressions me restent : une ambiance d'amour et de liberté.

Je me sentais aimée de mes parents, je vivais comme dans un bain d'amour vital pour moi. Dans la plantation d'hévéas, je voyais vivre mon père et ma mère et ils étaient heureux.

Avec mon frère, mes sœurs, nous vivions en liberté. Nous aimions faire des balades à bicyclette à travers la plantation.

C'était pour nous une forêt bienveillante. Nous étions à l'ombre et il y avait plein de chemins inconnus à découvrir.

Après la pluie et les inondations, j'aimais voir les poissons dans les petits canaux, je me demandais comment par enchantement ils pouvaient y arriver; aucune rivière ne passait par là.

Déjà j'étais attirée par les petits poussins ou oisons. Je me souviens qu'avec ma sœur, nous tenions le cou de l'oie pour la soulever et caresser les petits qui n'étaient que boules duveteuses et dorées.

À vivre pieds nus, au milieu des gens simples employés dans la plantation, jouant avec des chèvres, poules ou canards, sans emploi du temps ou plutôt décidant de mon temps, j'ai acquis là le goût de la liberté. Au plus profond de moi le goût de vivre se mêle à la liberté. Chaque fois qu'une situation bloque un être, l'empêche de vivre, bouger, changer, avancer, se réveille en moi ce désir de liberté. Je n'aime pas être enfermée, je n'aime pas aboutir à une impasse, et je cherche sans relâche jusqu'à trouver une sortie : la liberté. Et lorsqu'un être est enfermé et me demande de l'aider à vivre, je fais tout ce que je peux pour l'aider à retrouver sa liberté.

Je me souviens aussi plus tard à Saïgon de ces heures perdues mais merveilleuses que je passais dans les squares à regarder les enfants jouer entre eux.

Ils étaient beaux, mignons, pleins de vitalité, de rires, cris, joie ou pleurs. Les enfants portaient en eux toute l'espérance du monde.

(Extrait de *Les enfants nous disent*, de Yvette Chaux)

CA 50

? Connaissez-vous quelqu'un qui a passé son enfance dans un autre pays? Quels souvenirs en garde cette personne? Racontez-les à la classe.

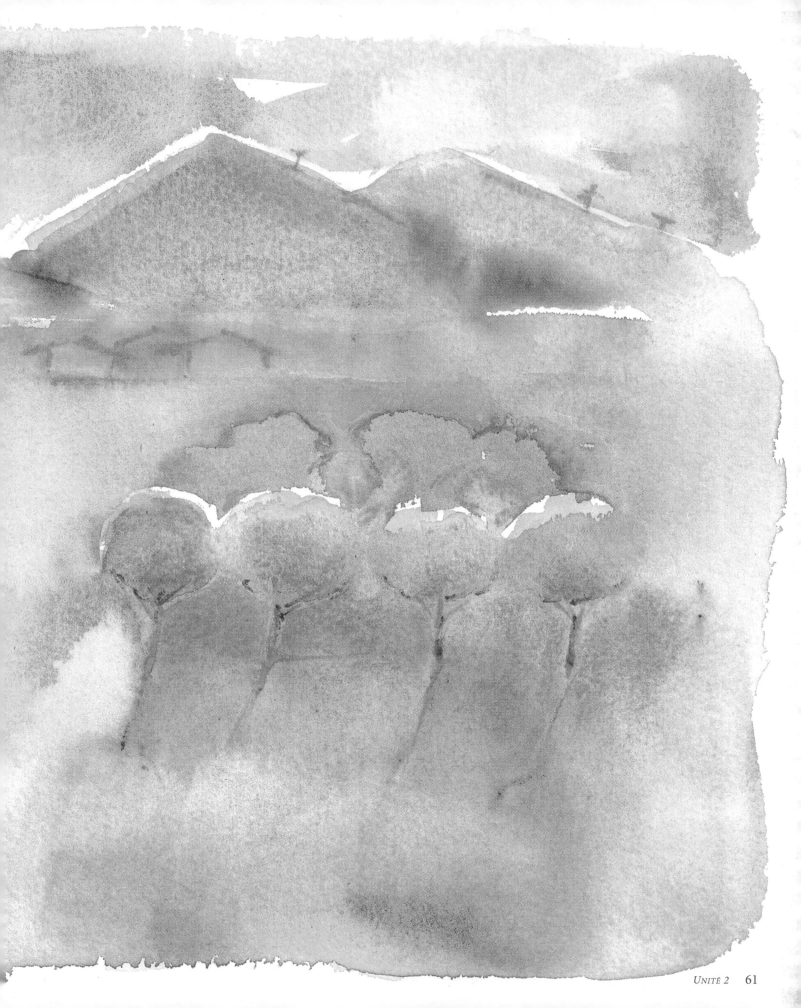

dossier langue

comment *faire des descriptions au passé – Partie A*

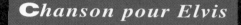

Chanson pour Elvis

Si tu **savais** Elvis,
tout ce que t'**étais** pour moé...

J'**avais** les shakes dans le corps
Quand j'**entendais** Hound Dog
Dans le juke-box du snack-bar
Où je **vendais** des hot-dogs.

Avec ma crinoline
Pis mes cheveux blonds platine
Je me **prenais** pour Marilyn
Quand j'**allais** au drive-in.

Si tu **savais**, Elvis,
tout ce que t'**étais** pour moé.
T'**étais** ma vie, mon vice,
T'**étais** tout ce que j'**aimais**...

(musique : François Cousineau ; paroles : Luc Plamondon ; les Éditions Coudon)

fonction

Au passé, on utilise l'imparfait pour :

- la description des personnes, des choses et des situations
- les actions habituelles, répétées ou continues
- les actions en progrès

Lisais-tu beaucoup quand tu étais petit ?

Ah oui ! surtout des B. D. !

Alors, vous **aimiez** beaucoup l'hiver ?

Mais oui ! Chaque fois qu'il **neigeait**, nous **sortions** nos toboggans.

Tes parents ne **savaient** pas parler anglais ?

Si, mais on **préférait** parler italien à la maison.

Comment **alliez**-vous à l'école ?

Je **marchais**, bien sûr !

formation de l'imparfait

	parler	finir	vendre
présent :	nous **parl**ons	nous **finiss**ons	nous **vend**ons

parler	finir	vendre
je parl**ais**	je finiss**ais**	je vend**ais**
tu parl**ais**	tu finiss**ais**	tu vend**ais**
il parl**ait**	il finiss**ait**	il vend**ait**
elle parl**ait**	elle finiss**ait**	elle vend**ait**
on parl**ait**	on finiss**ait**	on vend**ait**
nous parl**ions**	nous finiss**ions**	nous vend**ions**
vous parl**iez**	vous finiss**iez**	vous vend**iez**
ils parl**aient**	ils finiss**aient**	ils vend**aient**
elles parl**aient**	elles finiss**aient**	elles vend**aient**

Attention !

	présent		imparfait
les verbes comme **manger** :	nous mange**ons**	→	nous mang**ions**
les verbes comme **commencer** :	nous commen**çons**	→	nous commenc**ions**
les verbes comme **étudier** :	nous étudi**ons**	→	nous étudi**ions**

p r a t i q u e   a

je me rappelle …

Quand vous aviez huit ans…

1. quels jouets aimiez-vous le plus ?
2. à quelle heure vous couchiez-vous ?
3. quelles émissions de télévision regardiez-vous ?
4. quels livres lisiez-vous ?
5. quels goûters mangiez-vous ?
6. où alliez-vous en vacances avec votre famille ?
7. qui étaient vos héros et vos héroïnes ?
8. à quels jeux jouiez-vous ?
9. de quoi aviez-vous peur ?
10. que vouliez-vous devenir ?

pratique b

je me souviens …

Dans votre enfance…

1. quelles émissions de télévision regardiez-vous?

   ➤ **Quand j'étais petit, je regardais souvent** *Sesame Street*.
   Je ne regardais jamais *The Polka Dot Door*.

2. avec quels jouets jouiez-vous? *Je jouais avec les petites voitures*
3. quelles bandes dessinées lisiez-vous? *Je lisais beaucoup des bandes*
4. à quels jeux vidéo jouiez-vous? *Je jouais beaucoup des jeux vidéos*
5. à quels casse-croûte alliez-vous? *J'ai oublié quel casse-croûte je allais*
6. quelles personnes visitiez-vous? *Je visitais mon grand-père et grand-mère*
7. quelles céréales mangiez-vous? *Je mangeais le coco pops.*
8. quels vêtements portiez-vous? *Je portais beaucoup des vêtements.*
9. quelles activités d'été faisiez-vous? *Je faisais le tennis*
10. à quels sports participiez-vous? *Je participais à tennis*

pratique c

réactions d'enfant

Comme enfant, que faisiez-vous d'habitude quand on
vous disait de…

1. vous coucher tôt?

   ➤ **Je me disputais.**

2. ranger votre chambre? *Je me refusais*
3. finir votre dîner? *Je me aimais*
4. prendre un bain? *Je me se cachais*
5. vous brosser les dents? *Je me se cachais*
6. mettre un vêtement que
   vous n'aimiez pas? *Je me refusais*
7. partager vos jouets avec
   d'autres enfants? *Je me disputais à la tête*
8. vous laver les cheveux? *Je me se cachais*
9. rester dans votre chambre? *Je me refusais*
10. chanter pour des invités? *Je me se cachais*

Quelques réactions

- se cacher
- se disputer
- se fâcher
- faire la tête
- obéir
- piquer une colère
- pleurer
- refuser

pratique

souvenirs d'école

Quels souvenirs vos camarades de classe ont-ils de leur première année à l'école? Posez des questions à votre partenaire, puis notez ses réponses.

Demandez…

1. comment il ou elle allait à l'école.

   – **Comment allais-tu à l'école?**
   – **Je prenais l'autobus.**
   ou – **Je marchais.**
   ou – **Mes parents me conduisaient.**

2. avec qui il ou elle jouait. *avec Timothy.*
3. à quels jeux il ou elle jouait. *Je jouais avec les petites voitures*

4. quelles activités il ou elle faisait en classe. *Je faisais les croquis*
5. quelle activité il ou elle préférait. *Je préférais le petit somme*
6. quelles chansons il ou elle chantait. *Je chantais 'Mary had a li'l lamb'*
7. s'il ou si elle devait faire la sieste. *Je la devais à la faire de classe.*
8. s'il ou si elle mangeait à l'école à midi. *Je mangeais le sandwich*
9. à quelle heure les classes finissaient. *les classes finissaient à midi*
10. s'il ou si elle aimait aller à l'école. *Je j'aimais aller à l'école*

Maintenant, faites un petit rapport à la classe.

Robert prenait l'autobus à l'école. Il jouait avec…

pratique e

réactions d'adulte

Quand vous étiez enfant, que faisait-on d'habitude quand vous…

1. étiez triste?

   ➤ **On me consolait.**
2. étiez sage? *On me complimentait*
3. finissiez votre dîner? *On me offrait un dessert*
4. vous couchiez à l'heure? *On me envoyait à ma chambre*
5. faisiez des petits travaux ménagers?
6. refusiez d'obéir?
7. cassiez quelque chose?
8. piquiez une colère?
9. oubliiez de ramasser vos jouets? *enlevait les jouets*
10. faisiez des bêtises?

Quelques réactions

- acheter un cadeau
- complimenter
- consoler
- donner une fessée
- enlever mes jouets
- envoyer à ma chambre
- gronder
- lire une histoire
- louer
- offrir un dessert
- punir
- récompenser

Comment **faire des descriptions au passé – Partie B**

(Extrait de *Je m'appelle Masak*, de Alice French)

Je m'appelle Masak

Je m'appelle Masak. Je **suis née** dans l'île Baillie, Territoires du Nord-Ouest, en juin 1930. Il y **avait** là autrefois une importante agglomération : le poste de traite, les missions catholique et anglicane, la hutte de la Gendarmerie royale et les maisons des Inuit.

Mon père Anisalouk **est né** en Alaska, à Unalakeet. Il y **a** aussi **grandi**. Il **parlait** l'anglais et l'inuktitut à la maison. L'instruction **était** obligatoire dans la jeunesse de mon père. Il **a fréquenté** l'école jusqu'en 10ᵉ année.

Ma mère Sanggiak **était** également une Inuk de l'Alaska. Une fois mariés, mes parents **sont allés** s'établir dans l'île Baillie.

Au printemps de 1937, mon père nous **a appris** à mon frère Aynounik et à moi, que ma mère **souffrait** de tuberculose. Nous **devions** donc nous rendre à l'hôpital d'Aklavik dans le bateau de la Compagnie de la baie d'Hudson. Nous **avons** tous **attrapé** la rougeole pendant le voyage. Je ne sais pas combien de temps **a duré** le trajet, mais il m'**a semblé** interminable.

fonction

On utilise l'**imparfait** pour :

- décrire des personnes, des choses et des situations
- les actions habituelles, répétées ou continues
- les actions en progrès

On utilise le **passé composé** pour :

- décrire un événement spécifique
- les actions complétées
- une action qui interrompt une action en progrès

comparez

l'imparfait

Quand Jacqueline **était** petite, elle n'**allait** jamais au parc d'attractions.

le passé composé

L'été passé, elle **est allée** à La Ronde pour la première fois.

Exemples

- Hier, nous **avons assisté** à un concert qui **était** extraordinaire.
- Le jour où je **suis né**, il y **avait** une grosse tempête de neige.
- Que **faisais**-tu quand le téléphone **a sonné** ?
- Il **a écrit** ce poème quand il **avait** neuf ans.

la première fois...

Quelle était votre réaction quand, pour la première fois, vous avez...

1. visité le dentiste ?

   ➤ **Quand j'ai visité le dentiste, j'étais nerveux.**
   ➤ **Quand j'ai visité le dentiste, j'ai pleuré.**

2. passé un test à l'école ?
3. dû faire une présentation à la classe ?
4. visité le médecin ?
5. vu un film d'horreur ?
6. traversé la rue seul ou seule ?
7. commencé la maternelle ?
8. reçu un bulletin de notes ?
9. dû aller chez le directeur ou la directrice de l'école ?
10. dîné dans un vrai restaurant ?

Réactions possibles

- être anxieux ou anxieuse
- être bouleversé ou bouleversée
- être déçu ou déçue
- être embarrassé ou embarrassée
- être excité ou excitée
- être fasciné ou fascinée
- être fier ou fière
- être furieux ou furieuse
- être heureux ou heureuse
- être impressionné ou impressionnée
- être nerveux ou nerveuse
- être terrifié ou terrifiée
- avoir le trac
- piquer une colère
- pleurer
- rester calme
- sauter de joie

à quel âge?

1. lire mon premier livre

   ➤ **J'ai lu mon premier livre quand j'avais quatre ans.**

2. faire mes premiers pas
3. prononcer mes premières paroles
4. perdre ma première dent
5. avoir ma première coupe de cheveux
6. faire ma première promenade à bicyclette
7. faire mon premier voyage
8. téléphoner pour la première fois
9. aller à la piscine pour la première fois
10. aller au cinéma pour la première fois

pratique c

des moments mémorables

Vous rappelez-vous bien certains moments de votre enfance où vous étiez vraiment…

1. désolé ou désolée?

   ➤ **J'étais vraiment désolée quand j'ai cassé mon jouet préféré.**
   ➤ **J'étais vraiment désolé quand j'ai perdu ma première bicyclette.**

2. embarrassé ou embarrassée?
3. surpris ou surprise?
4. désappointé ou désappointée?
5. content ou contente?
6. terrifié ou terrifiée?
7. malade?
8. triste?
9. fâché ou fâchée?
10. excité ou excitée?

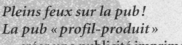

unité 3

paroles et images

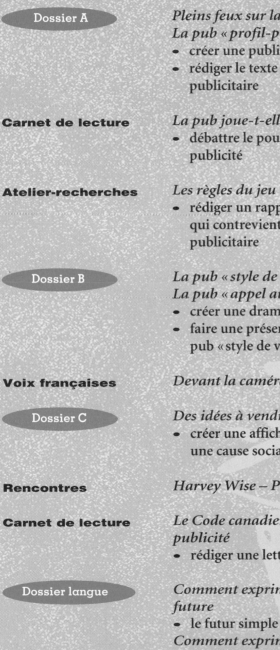

1 **V**oulez-vous animer un atelier interactif sur la publicité?

Pour capter l'intérêt des participants, vous pouvez…

- débattre le pour et le contre de la publicité.
- explorer les différents genres de publicité.
- examiner les techniques de persuasion.
- discuter des techniques verbales.
- poser des questions à des publicitaires.
- examiner l'efficacité de diverses campagnes de publicité.
- monter une présentation visuelle avec texte sur la publicité.
- discuter des publicités qui contreviennent aux normes établies.
- présenter, critiquer et évaluer des publicités.
- présenter des sondages, des statistiques et des articles.
- décerner des prix aux meilleures publicités.

2 **V**oulez-vous publier un magazine consacré à la publicité?

Pour capter l'intérêt des lecteurs, vous pouvez inclure…

- des exemples de bonnes et de mauvaises publicités.
- des critiques et des évaluations.
- des lettres à la rédaction.
- des interviews avec des publicitaires.
- des sondages.
- des articles.
- des statistiques.
- les résultats d'un concours de publicités.
- un rapport sur des pubs qui contreviennent aux normes établies.

3 **V**oulez-vous lancer une campagne de publicité pour un produit, un service ou une cause sociale ?

Pour capter l'intérêt du public, vous pouvez créer…

- une publicité imprimée (affiche, magazine, journal, panneau, etc.).
- une publicité pour la radio.
- une publicité pour la télévision.
- un clip publicitaire musical.
- des témoignages (lettres, interviews, etc.).
- un logo et un slogan.
- une brochure.

Préférez-vous proposer un autre projet-cible ? Allez-y !

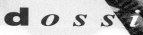
dossier A

Pleins **feux** **sur** *la pub* !

*L*a publicité est partout ! Elle nous bombarde, nous fascine, nous dérange et, bien sûr, influence nos choix comme consommateurs.

Le but de la publicité est de persuader, de capter notre attention pour nous « vendre » — grâce à des paroles et à des images — un produit, un service, une idée.

l'Équation-pub

le poids des paroles + le choc des images = l'impact

les médias et **la pub** !

AFFICHEZ-VOUS

AVEC **tv** HEBDO ®

Renseignez-vous sur notre programme de publicité
en lieu de vente en communiquant
avec votre représentante préférée

**Pour assurer la PUISSANCE
de votre message
à la grandeur du Québec**

GROUPE
Radiomutuel

MANGEZ DONC D'LA PUB

MARTEL
LA PUB QUI FRAPPE

D'après les experts, seulement un produit sur dix réussit. Alors, la concurrence est féroce. Très souvent, le succès d'un produit dépend de la publicité. Au Québec, le total des investissements publicitaires est d'environ un milliard de dollars par an.

3% Affichage
6% Radio
55% Télévision
10% Magazines
26% Quotidiens

La répartition du dollar publicitaire

MusiquePlus L'incontournable

UN PUBLIC INNOVATEUR ET INFLUENT

LA PLUS FORTE CONCENTRATION DE 18-49 (71%) EN TÉLÉVISION.

65% DE L'AUDITOIRE AVEC REVENUS SUPÉRIEURS À 30 000 $.

caveat **emptor** !

En examinant des publicités, vous remarquerez certaines techniques de persuasion employées par les publicitaires. Une exploration de ces techniques vous aidera à mieux évaluer les pubs pour devenir des consommateurs avertis.

à vous la parole !

• D'habitude, dans une publicité, qu'est-ce qui capte le plus votre intérêt : les images, les paroles ou le son ? Donnez un exemple d'une pub courante qui met en valeur un de ces éléments.

VÉHICULE TOUT-TERRAIN TeVa®

Véritable sandale de sport, la Teva est conçue pour nager, grimper, sauter et courir.

Qui n'a pas un jour rêvé d'avoir une chaussure durable, qui tienne bien le pied, sous l'eau comme dans la boue, et qui soit à la fois confortable et légère.

Durable, sa semelle à double densité s'accommode bien de tous les types de surfaces.

Son système de courroies breveté de nylon et Velcro™ assure une bonne tenue du pied même dans les rapides les plus tumultueux.

La couche supérieure de néoprène contribue à rendre la sandale douce et confortable au contact de la peau.

Résistante à l'eau; les matériaux utilisés sèchent rapidement.

Disponibles pour hommes, femmes et enfants.

la Cordée

2159, rue Sainte-Catherine Est, Montréal (Québec) H2K 2H9
EXTÉRIEUR DE MONTRÉAL : 1-800-567-1106 • MONTRÉAL : (514) 524-1106

▲ **technique 1** **Énumérer les éléments distinctifs** (ingrédients, matériaux, fabrication, etc.)

Pour «accrocher» le client, les publicitaires utilisent diverses techniques de présentation et de persuasion. Leurs armes sont les paroles, les images et les sons. Leur approche peut être humoristique ou sérieuse. Mais une grande partie de leurs pubs sont du style «profil-produit». Ce genre de pub vise le côté rationnel ou logique du consommateur. Dans ce cas, le publicitaire vante les avantages et les bienfaits du produit ou du service.

Pour présenter un produit et persuader le public...

Après 75 ans, vous trouvez toujours des moyens de nous faire briller.

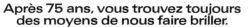

CLEANS FAST AND EASY
S.O.S
NETTOIE VITE ET BIEN

À une époque où les nouveaux produits ne font souvent qu'une brève apparition sur le marché, S.O.S, lui, est toujours là. Après 75 ans, il demeure le tampon savonneux le plus populaire au Canada. Et même après tant d'années, vous lui trouvez toujours de nouveaux usages.

Il nettoie aussi bien les outils que le grille-pain, les bougies et les bâtons de golf. Les usages des tampons S.O.S sont vraiment sans limite : ils polissent, aiguisent et enlèvent la rouille. Il n'est donc pas surprenant que même après 75 ans, S.O.S continue de briller.

75ᵉ anniversaire de S.O.S, le tampon savonneux le plus populaire au Canada.
* Marque déposée de MILES CANADA INC., Etobicoke (Ontario) M9W 1G6.

SI VOUS AVEZ À CŒUR UNE MEILLEURE ALIMENTATION...

PARKAY D'OR

Vous savez probablement déjà qu'un régime riche en gras saturés peut augmenter le taux de cholestérol dans le sang et même conduire aux maladies cardiaques. Voilà pourquoi les autorités médicales vous recommandent de réduire votre consommation de gras saturés.

Mais saviez-vous que la margarine Parkay d'Or est faible en gras saturés et qu'elle ne contient pas de cholestérol?

Avec la margarine Parkay d'Or, vous n'avez pas à sacrifier le bon goût au profit d'une alimentation-santé. Son mélange unique d'huiles de maïs et de canola lui donne un goût crémeux et velouté qui prend vraiment votre santé à cœur.

Pour obtenir plus d'informations sur l'alimentation, appelez sans frais 1 (800) 267-4653.

PARKAY D'OR MARGARINE

MARGARINE PARKAY D'OR
La saine alimentation est la règle d'or

▲ **technique 2** **Mettre en valeur sa fiabilité** (qualité, réputation, etc.)

▲ **technique 3** **En signaler un bienfait spécifique** (santé, sécurité, confort, etc.)

technique 4
Vanter son excellence et sa supériorité

technique 5
En montrer l'usage dans une démonstration ou une dramatisation

technique 6
Faire des comparaisons (produits similaires, avant et après, etc.)

technique 7
Présenter des résultats scientifiques

technique 8
Appuyer le produit ou le service par des endossements et des témoignages (experts, vedettes, consommateurs satisfaits, etc.)

technique 9 ▲

Associer le produit ou le service avec un personnage imaginaire ou une mascotte

- Chaque pub aux pages 75 à 77 cible-t-elle un groupe particulier de consommateurs ? Lequel ? À votre avis, comment chaque pub capte-t-elle l'intérêt de ce groupe ?

- Quelle publicité courante trouvez-vous la plus frappante ? la plus comique ? la plus intelligente ? la plus banale ? la plus exagérée ? la plus idiote ? Quelle technique de persuasion utilise-t-on dans chacune ?

- Quelles vedettes sont les porte-parole pour certains produits et services ? Vous ont-elles persuadé d'essayer un produit ou un service particulier ? Lequel ?

- On dit que les publicitaires créent souvent de faux besoins. Avez-vous déjà acheté un produit dont vous n'aviez pas besoin ? Quel rôle la pub a-t-elle joué dans votre décision d'acheter ce produit ?

CA 63

Dressez une liste, ou apportez en classe, des publicités qui vantent des produits du même genre. (p.ex., dentifrices, shampooings, céréales, chaussures de sport, barres de chocolat, boissons gazeuses)

Comparez ces pubs. Que font les différentes marques pour se différencier ? Quelles techniques de présentation et de persuasion utilise-t-on dans chaque annonce ?

Faites un rapport à la classe.

technique 10 ▲

Souligner son rapport qualité/prix

De l'adjectif au pronom :

chaque → chacun, chacune
quel, quels → lequel, lesquels
quelle, quelles → laquelle, lesquelles

contact *culture*

Le Marché des jeunes

Les jeunes Québécois, âgés de 10 à 20 ans, gagnent annuellement environ 500 millions de dollars. En plus, ils coûtent à leurs parents plus de 5 milliards de dollars en vêtements et en autres biens. C'est une somme déjà astronomique. Mais on peut ajouter à cela plus de 15 millions de dollars en dépenses familiales sous le contrôle ou l'influence des jeunes. Tout ça leur donne un énorme pouvoir économique.

Selon des études récentes, les jeunes Québécois passent en moyenne 26 heures par semaine devant le téléviseur. On calcule donc que, par an, ils sont exposés à plus de 20 000 annonces publicitaires télévisées. Les publicitaires les visent aussi à la radio, ainsi que dans la presse, la rue, les autobus, le métro, les stades et les arénas. C'est un très important groupe de consommateurs. En plus, ces jeunes Québécois ont tendance à garder pour la vie leurs premières habitudes de consommation — par exemple, ils restent fidèles à la première banque fréquentée, au premier dentifrice employé, etc.

(Document-ressource : *Protégez-vous*)

Dans la publicité, on s'adresse souvent directement au consommateur — une façon efficace de capter l'attention et l'intérêt du public. On interpelle les consommateurs-cible. On utilise des phrases impératives. On pose des questions. Et, parfois même, on combine ces techniques.

SUR LA ROUTE

LA SÉCURITÉ
n'a pas d'âge
PIÉTONS AÎNÉS, ATTENTION!

• Chaque année, plus de 150 piétons meurent sur les routes du Québec.

• Près de la moitié ont plus de 55 ans.

Pour votre sécurité

Traversez toujours aux intersections. Portez des vêtements de couleurs vives, surtout en soirée.

SOCIÉTÉ DE L'ASSURANCE AUTOMOBILE DU QUÉBEC

FAITES

RÉGULIÈREMENT

DE L'EXERCICE,

ADOPTEZ UN RÉGIME

ALIMENTAIRE SAIN ET ÉQUILIBRÉ,

Mais d'abord et avant tout, voyez la vie du bon côté

ET VOUS GARDEREZ TOUJOURS

VOTRE CŒUR

JEUNE.

becel MARGARINE

La margarine Becel™ offre un équilibre unique : 40 % de gras polyinsaturés, 40 % de gras monoinsaturés et 20 % de gras saturés. De toutes les margarines au pays, c'est celle qui contient la plus haute teneur en gras polyinsaturés. De plus, Becel est la seule margarine au Canada à ne pas être hydrogénée. Alors, que vous choisissiez la margarine Becel ordinaire ou légère, elle constitue le choix idéal comme composante d'un régime alimentaire sain et équilibré.

INFORMATION NUTRITIONNELLE PAR PORTION DE 10 g

BECEL PREND VOTRE SANTÉ À CŒUR.™

Pas capable de saisir ceci?

Saisissez ceci!

RUB A·535

EXTRA STRENGTH FORMULA
Antiphlogistine

Antiphlogistine extra fort pénètre en profondeur pour soulager rapidement les douleurs arthritiques. **Ça soulage partout partout!**

Quelles techniques verbales utilise-t-on dans les publicités ci-dessous?

Goûtez l'art de vivre

Faites l'expérience d'une visite au Musée des beaux-arts du Canada, établissement de renommée mondiale. Voyez les magnifiques œuvres d'art de sa collection permanente ainsi que ses expositions itinérantes et temporaires. Le Musée envoie aussi ses expositions en tournée pour que tous les Canadiens puissent en bénéficier d'un bout à l'autre du pays.

Musée des beaux-arts du Canada
National Gallery of Canada
380, promenade Sussex, Ottawa (Ontario) K1N 9N4 (613) 990-1985

 **B**ien sûr, il y a beaucoup d'autres techniques verbales pour capter l'intérêt du public.

• l'allitération
• les mots inventés
• la répétition
• les proverbes et citations
• les rimes
• les superlatifs
• les métaphores

Chatisfaction — le goût le plus chat-isfaisant.

Secouez et Servez!

LA FARINE TOUT USAGE, TOUT À VOTRE AVANTAGE!

Dove est le plus doux. Le voir, c'est le croire.

Les poissons les meilleurs sont sous la vague bleue.

savoir **f**aire ▶

L'art de la pub

Est-il possible de vendre aux jeunes un produit dont ils n'ont pas vraiment besoin? Comment? Quelles techniques de persuasion et de présentation auront le plus grand impact?

CA 65

Avez-vous un talent pour la publicité? Créez une pub de magazine pour vanter un produit nouveau (p. ex., un produit de beauté) destiné aux jeunes consommateurs.

Affichez votre pub dans la salle de classe. Expliquez à vos camarades de classe pourquoi, à votre avis, cette pub sera efficace. Soyez prêts à répondre à leurs questions et commentaires.

D'après la classe, quelles techniques utilise-t-on dans chaque publicité? Quelle publicité captera le mieux le marché-cible? Pourquoi?

langage-ressource pp.104,108

Pour présenter votre pub...

- À notre avis, cette pub aura de l'impact grâce à...
- C'était notre intention de...
- En utilisant ... nous voulons...
- Les jeunes aimeront cette pub parce que...
- Nous avons choisi ... parce que...
- Nous avons essayé de...
- Nous espérons attirer les jeunes en présentant...
- Nous pensons que...

Les célébrités parlent !

Pourquoi choisit-on souvent un personnage célèbre pour endosser un produit ou un service? À votre avis, quelle célébrité sera le porte-parole idéal pour chaque service ci-dessous? Pourquoi?

- une compagnie de location de voitures
- une chaîne de salons de beauté
- une agence de voyages
- une chaîne de restaurants
- une banque
- une chaîne d'hôtels
- une ligne aérienne
- une chaîne de studios de santé

Quelles autres associations (services + vedettes) pouvez vous proposer?

R édigez le texte d'une pub de 15 secondes pour la radio ou la télévision dans laquelle une vedette vante les bienfaits d'un service (réel ou inventé).

langage-ressource pp.104,108

En vedette, présentez votre pub à la classe.

D'après la classe, quelle vedette a représenté le mieux le service particulier? Pourquoi?

Une bonne protection fait partie des règles du jeu

Wayne Gretzky connaît la valeur d'une bonne protection. Se sentant protégé, il peut donner le meilleur de lui-même.

Nul besoin d'être un héros pour apprécier l'importance d'une bonne protection. Il suffit de savoir choisir un bon assureur : comme Zurich Canada.

Pour des millions de Canadiens et Canadiennes, Zurich est à l'assurance ce que Gretzky est au hockey. Excellence, professionnalisme et fiabilité sont au cœur des préoccupations de l'un comme de l'autre.

Les assurés apprécient vraiment la qualité du service que Zurich offre en cas de sinistre et que Zurich joue franc jeu.

Les courtiers aiment faire affaire avec Zurich, à la fois pour sa stabilité financière et pour la réputation que la Compagnie s'est acquise à l'échelle internationale.

Qui apprécie la valeur d'une bonne protection, apprécie Zurich Canada.

ZURICH CANADA
Nous serons là en cas de besoin

Croyez-moi, vous verrez des résultats tout de suite!

Pour endosser un produit...

- Après le premier essai, vous serez...
- Croyez-moi! Je/Vous...
- J'ai toujours refusé de faire de la pub, mais...
- Je suis fier/fière de prêter mon nom à...
- Je vous garantis que...
- Vous ne serez pas déçu si vous...
- Vous serez d'accord avec moi que...
- Vous serez entièrement satisfait de...
- Vous verrez la différence tout de suite en...

Carnet de Lecture

La pub joue-t-elle un rôle utile ?

En France, la publicité fait partie de la vie quotidienne. À la télé, surtout, on ne peut pas l'éviter. Mais la pub joue-t-elle un rôle utile ? Voilà la question que nous avons posée à deux jeunes Français.

Olivier, 17 ans

« La publicité est très utile, bien sûr. C'est un moyen d'information. Grâce à elle, on découvre de nouveaux produits. Ça aide beaucoup quand on fait des achats. Si on n'a aucune information sur les différentes marques, comment saura-t-on laquelle choisir ? Et puis, certains clips publicitaires sont de véritables œuvres d'art.

La publicité encourage aussi la concurrence. Et c'est la concurrence qui fait baisser les prix. C'est un grand avantage. La seule chose que je n'aime pas, c'est la pub pour le tabac et l'alcool. »

Nathalie, 18 ans

« Moi, je déteste la publicité. D'abord, les produits sont plus chers à cause de ça. Ce sont les consommateurs qui paient la pub. À la télé, je ne peux pas tolérer ces annonces incessantes. Souvent, le même produit passe dix fois le même jour ! Moi, quand je fais des courses, j'évite ces produits. J'en ai assez !

Ce que je ne supporte pas, c'est de voir des animaux dans les publicités. Savez-vous qu'on ne leur donne pas à manger toute la journée ? Comme ça, ils ont très faim et ils mangent n'importe quoi. En plus, les pubs montrent toujours des gens riches, beaux et heureux. Ce n'est pas la vie réelle, ça ! »

(Document-ressource : *Chez nous*)

CA 66

Êtes-vous pour ou contre la publicité ? Exprimez vos opinions dans un débat.

Les règles du jeu

CODE CONTRÔLE

Genre : publicité télévisée
Annonceur : Lavex, Inc.
Produit ou service : détergent
Lavex Plus
Contrevenance : stéréotype sexiste
Description : Dans cette scène
familiale, c'est la femme qui fait la
vaisselle pendant que son mari
regarde un match de hockey à la télé.
Commentaires : Cette pub, c'est du
sexisme en stéréo! Moi, je déteste ces
vieux clichés!
Recommandations :
• On pourra écrire une lettre à Lavex.
• On pourra organiser un boycott
des produits Lavex.

D'après *Le Code canadien des normes
de la publicité* (pages 102 à 103), la
publicité ne doit pas promouvoir ou
offenser ou exploiter…

• les groupes ethniques
• les groupes religieux
• l'innocence des enfants
• les personnes désavantagées
• les personnes handicapées
• la sexualité
• les stéréotypes racistes
• les stéréotypes sexistes
• les superstitions
• la violence

Trouvez une publicité (radio,
télévision, journal, magazine,
affiche, etc.) qui, à votre avis,
contrevient au Code. Rédigez un
rapport, appuyé d'une publicité
imprimée ou sur (vidéo)cassette,
pour présentation à la classe.

La pub « *style **de** vie* »

Les « messages » publicitaires peuvent être évidents ou cachés. Très souvent, les publicitaires essaient d'associer un produit avec un style de vie enviable. Ils essaient de nous montrer comment l'achat de ce produit pourra transformer notre vie. Ils veulent nous pousser à la consommation en nous rendant insatisfaits de notre vie actuelle.

« Réalisez vos fantaisies et vos rêves. »

Le soleil, Lancaster, et rien d'autre.

LANCASTER
Sun Cosmetics

« Adoptez une nouvelle image. »
(beauté, jeunesse, prestige, etc.)

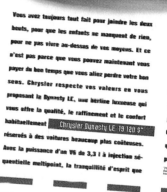

Vous vous êtes
bien conduit
toute votre vie.

C'est maintenant le temps
de vous laisser conduire.

Vous avez toujours tout fait pour joindre les deux bouts, pour que les enfants ne manquent de rien, pour ne pas vivre au-dessus de vos moyens. Et ce n'est pas parce que vous pouvez maintenant vous payer du bon temps que vous allez perdre votre bon sens. Chrysler respecte vos valeurs en vous proposant la Dynasty LE, une berline luxueuse qui vous offre la qualité, le raffinement et le confort habituellement réservés à des voitures beaucoup plus coûteuses. Avec la puissance d'un V6 de 3,3 l à injection séquentielle multipoint, la tranquillité d'esprit que

Chrysler Dynasty LE 19 120 $*

procure le coussin de sécurité pour le conducteur, l'atmosphère accueillante créée par la climatisation, le volant réglable, le régulateur de vitesse, le verrouillage et les vitres à commande électrique. Le tout habillé d'une carrosserie élégante, classique, indémodable. Sans oublier le Plan de protection au choix du client, exclusif à Chrysler : 7 ans/115 000 km sur le groupe motopropulseur, ou 3 ans/60 000 km pare-chocs à pare-chocs‡. La Chrysler Dynasty LE. Vous saviez que vous pourriez un jour tout vous permettre, sans faire de compromis.

CHRYSLER

Juste un essai et vous serez convaincu.

à vous la parole !

- Quelles pubs courantes présentent des styles de vie enviables? Quels styles de vie?

- D'après certains experts, la publicité « style de vie » est capable de changer les valeurs du public de façon négative. Êtes-vous d'accord? Pourquoi? Pouvez-vous en signaler quelques exemples?

- On dit que la publicité « style de vie » est un miroir de la société. À votre avis, la publicité reflète-t-elle la vie contemporaine? Comment?

Le son de l'été vient de chez Radio Shack!

La musique fait partie des vacances et personne ne vous offre un aussi grand choix en stéréo portative : des puissants portatifs avec accentuation des graves aux lecteurs personnels de cassette ou de disque compact. La qualité insurpassable à des prix abordables que vous ne pouvez pas laisser passer. La musique comme vous l'avez toujours aimée.

Des souvenirs qui seront renouvelés à chaque fois que vous entendrez les succès de cet été. Le vrai son de l'été vient de chez Radio Shack.

Radio Shack

« Faites partie du groupe. »

La pub « *appel* **aux** *émotions* »

Les experts de la pub visent souvent nos émotions. Ils font appel à nos besoins, nos désirs, nos espoirs et nos craintes. Après tout, nous avons tous notre côté émotif et vulnérable.

Pour ces moments précieux, il ne vous faut rien de moins qu'un Nikon.

Débutant ou pro, il y a un appareil Nikon pour vous. De 99 $ à 3 000 $.*

La marque Nikon est un gage de qualité et de fiabilité légendaires. Et vous pouvez désormais en profiter tout en faisant des économies formidables. En effet, les prix exemptés de douane sont maintenant en vigueur au Canada. De plus, les achats canadiens sont seuls à bénéficier de la garantie exclusive de deux ans de Nikon Canada. Mais pour obtenir tout cela, vous devez faire affaire avec un revendeur autorisé Nikon Canada *seulement*. Passez en voir un très bientôt.

Nous prenons les plus belles photos du monde®

Zoom-Touch 800

*Prix conseillé – le prix du revendeur peut être plus bas.

Montréal (514) 332-5681 Fax (514) 332-3305   Nikon Canada Inc., 1366 Aerowood Drive, Mississauga, Ontario, Canada L4W 1C1
(416) 625-9910 Fax (416) 625-0103   Vancouver (604) 276-0531 Fax (604) 276-0873

la sensibilité (envers les enfants, les personnes âgées, les animaux)

Comment être chanceux dans sa malchance…

Assurance-achats

Portez l'achat à votre carte Visa Or et protégez-le contre le vol et les dommages pendant 90 jours.
Pour connaître d'autres bonnes raisons de posséder une carte Visa Or, adressez-vous à une des institutions financières membres de Visa. Ce sera votre jour de chance!

VISA OR

Une carte. Une seule.

la crainte

Quand j'étais petite
on savait s'amuser
avec presque rien…
De tous les petits trésors
qu'on m'a donnés,
c'est ceux de mon père
que j'ai le plus aimés.
Quand j'y pense,
Canadian Tire fait partie
de notre famille depuis…
tellement longtemps!

CANADIAN TIRE

Canadian Tire,
c'est beaucoup plus
pour beaucoup moins.

le sens de la famille

Achetons canadien

le patriotisme

à vous la parole !

- Quelles pubs courantes font appel aux émotions? À quelles émotions?

- De toutes les publicités aux pages 84 à 87, laquelle est la plus efficace? Pourquoi?

CA 68

Dressez une liste de six publicités courantes genre « style de vie » ou « appel aux émotions » (télévisées, radiodiffusées, imprimées).

Pour chaque annonce, indiquez…
- le produit ou le service
- le « message »

Évaluez l'efficacité de chaque message publicitaire. Faites un rapport à la classe.

contact *culture*

....

L'Association marketing de Montréal
section de l'American Marketing Association

CINÉPLEX ODÉON

**L'Association Marketing de Montréal,
avec la collaboration de Cinéplex Odéon
présente**

Le Festival
International
des Films
Publicitaires
de Cannes

LIONS 93

Le mercredi 27 octobre au cinéma Égyptien (cours Mont-Royal).
17 h: Inscriptions
18 h: Courte présentation suivie de la projection .
Durée du film: 1 heure.
Coût: Membres de l'AMM, du PCM et étudiants: **10$** -
non-membres: 15$.
Des rafraîchissements et du maïs soufflé seront servis gratuitement.

Réservation: (514) 499-1391

La Presse   LAROUSSE   **évian**   SCRIBEC
IMPRIMERIE

Fous de la pub !

Les festivals du film publicitaire sont très populaires en
France. Souvent, les messages publicitaires qu'on voit au
cinéma et à la télévision sont de petits chefs-d'œuvre
visuels.

Au festival du film publicitaire, à Cannes, on décerne
chaque année le Lion d'or à la meilleure publicité filmée.

À votre avis, quelles sont les trois meilleures pubs à la
télévision ? Laquelle mérite le Lion d'or ? Pourquoi ?

Pour vanter un produit, les
publicitaires utilisent un
langage aussi expressif et
attirant que possible.
Leurs jeux de mots
reflètent non seulement
un esprit créateur mais,
en plus, une imagination
fertile et un excellent sens
de l'humour. Les
publicités pour le lait
illustrent bien leur talent.

Vitamine
A!

MANQUEZ PAS
LE MEILLEUR !
LE LAIT

Beaux
os!

QUEZ PAS
ILLEUR !
LAIT

Alimentation
équilibrée!

MANQUEZ PAS
LE MEILLEUR !
LE LAIT

.........................➤

Pouvez-vous expliquer
les jeux de mots dans ces
publicités ?

◀ Ici les publicitaires font un jeu de mots sur le titre d'une histoire bien connue.

*s*avoir ▸ *f*aire

Chacun son style !

Pour les jeunes, quels sont les éléments d'un style de vie enviable ? Quelles émotions chez les jeunes sont les plus faciles à exploiter ?

CA 70-71

Quand on cible les jeunes dans une pub, quelle approche (style de vie, appel aux émotions) est la plus efficace ? En utilisant cette approche, créez une pub télévisée qui vise les jeunes.

- Quelle information présenterez-vous ?
- Quel sera votre message ?
- Aurez-vous un slogan ? de la musique ?
- Quel format et quel cadre choisirez-vous ?

Présentez votre pub. D'après la classe, quelle publicité est la plus convaincante ? Pourquoi ?

langage-ressource
pp.104,108

Formats possibles

- un dessin animé
- un dialogue
- un monologue
- une narration
- une parodie
- un reportage
- un rêve
- une scène comique
- un spectacle musical

Devant le miroir

À votre avis, quelles publicités reflètent le mieux le style de vie contemporain? Pourquoi?

 Avec votre partenaire, discutez des pubs les plus représentatives de la vie actuelle. Choisissez-en dix pour créer une présentation visuelle avec commentaires. Essayez de montrer des aspects différents de la vie.

Faites votre présentation à la classe. D'après la classe, quelle présentation capte le mieux l'esprit contemporain?

Quelles conclusions pouvez vous en tirer?

langage-ressource
p.108

Pour commenter votre présentation…

- Cette pub capte le mieux l'esprit/le style de vie de nos jours parce que…
- Cette publicité est un bon exemple de…
- Dans cette pub, on peut voir comment…
- Dans cette pub, les publicitaires ciblent…
- Les publicitaires essaient de…
- En choisissant cette pub, nous voulions…
- L'ensemble de toutes ces publicités reflète…
- En examinant cette pub, il est clair que…
- Voici une publicité qui représente très bien…

Tout allait mal sur le plateau numéro 5 des studios Francœur. La crinière noire et la barbe jupitérienne de Mario le chanteur ne rayonnaient plus d'optimisme royal.

La sueur luisait sur son torse. Sa bedaine pendait tristement sur sa jupe de palmes de papier.

Mage lui faisait face en grimaçant.

C'était dans cette atmosphère lourde qu'Achille Mage révélait le plus pleinement son génie.

On était parvenu au moment critique d'une séance de tournage où le réalisateur désespéré ne voit plus qu'une solution : assumer les rôles de tous les acteurs, après s'être également chargé des fonctions de caméraman, d'éclairagiste et de preneur de son.

– Pal, pal, pal, palmeraie ! chantait Mage en se contorsionnant sous l'œil médusé du chanteur. Regarde, je suis fort, je suis gai, je m'éclate. Et pourquoi, je te prie ? Parce que je bois : pal, pal, palmeraie…

– ...On reprend tout, les enfants. Tout le monde en place. Clapman, s'il te plaît! Moteur!

Le clapman se précipita devant la caméra avec son ardoise en criant : «Palmeraie, 14e prise!»

Dans un Sahara de carton, on voit deux «explorateurs» — vêtements kaki, casque colonial — se traîner en gémissant. Un chameau squelettique les suit.

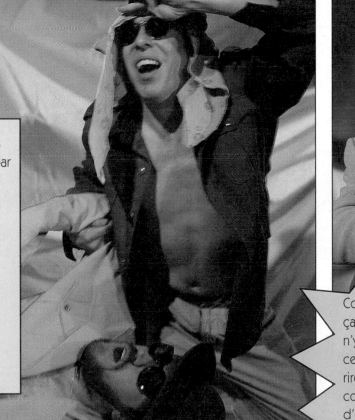

L'un des deux explorateurs s'effondre. Il est soutenu par son compagnon. Il gémit : «À boire! À boire!» L'autre l'interroge : «À boire? À boire quoi?» Le premier explorateur se redresse soudain, le visage radieux, et montre l'horizon : «Palmeraie! — Palmeraie? — Mais oui, une palmeraie. On est sauvé!»

Coupez! crie Mage. Ce n'est pas ça du tout! Tu comprends, si tu n'y mets pas plus de conviction, ce n'est pas drôle. Tu dois faire rire, d'accord. Mais à force de conviction! C'est tout le secret d'une bonne pub.

Extrait de *La goutte d'or*, de Michel Tournier

Michel Tournier *est né à Paris en 1924. Il a longtemps étudié la philosophie avant de se consacrer à l'écriture. Tournier a écrit des essais, des récits, des contes et des romans.*

dossier C

Des **idées à** *vendre !*

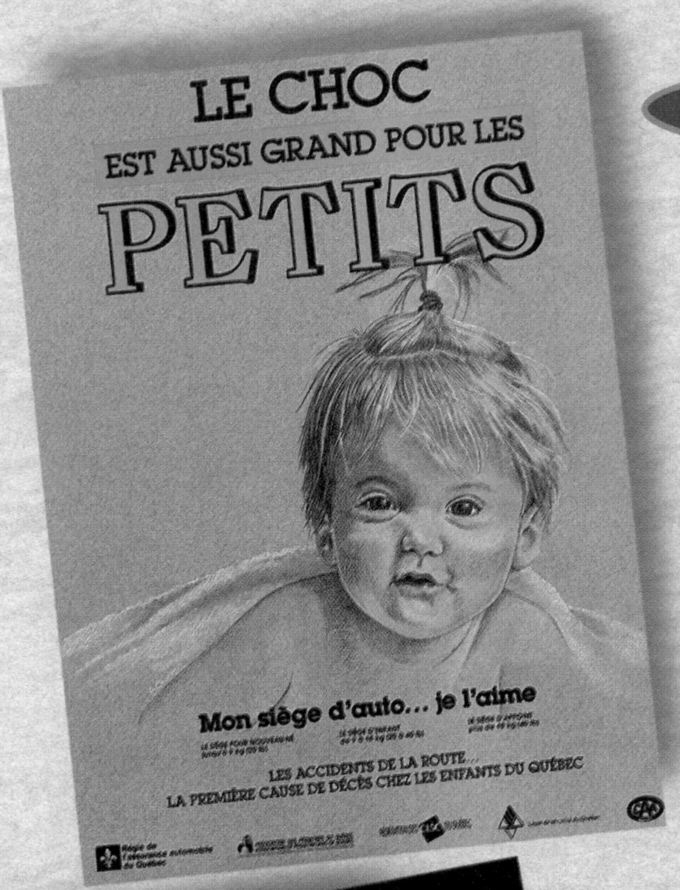
LE CHOC
EST AUSSI GRAND POUR LES
PETITS
Mon siège d'auto... je l'aime
LES ACCIDENTS DE LA ROUTE...
LA PREMIÈRE CAUSE DE DÉCÈS CHEZ LES ENFANTS DU QUÉBEC

Les messages publicitaires à caractère social jouent un rôle important dans les médias. En utilisant cette approche, les entreprises commerciales, les gouvernements et les organismes à but non lucratif font de la publicité pour vendre des idées. Dans ces publicités, on encourage souvent le public à rejeter un style de vie nuisible (pubs anti-tabac, anti-alcool, anti-drogue, etc.).

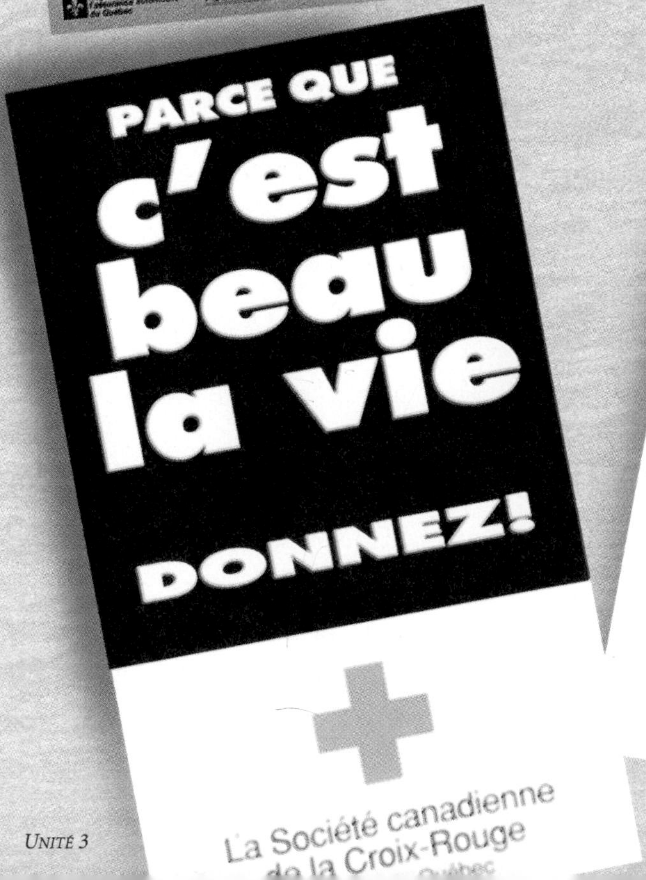
PARCE QUE
c'est
beau
la vie
DONNEZ!
La Société canadienne
de la Croix-Rouge

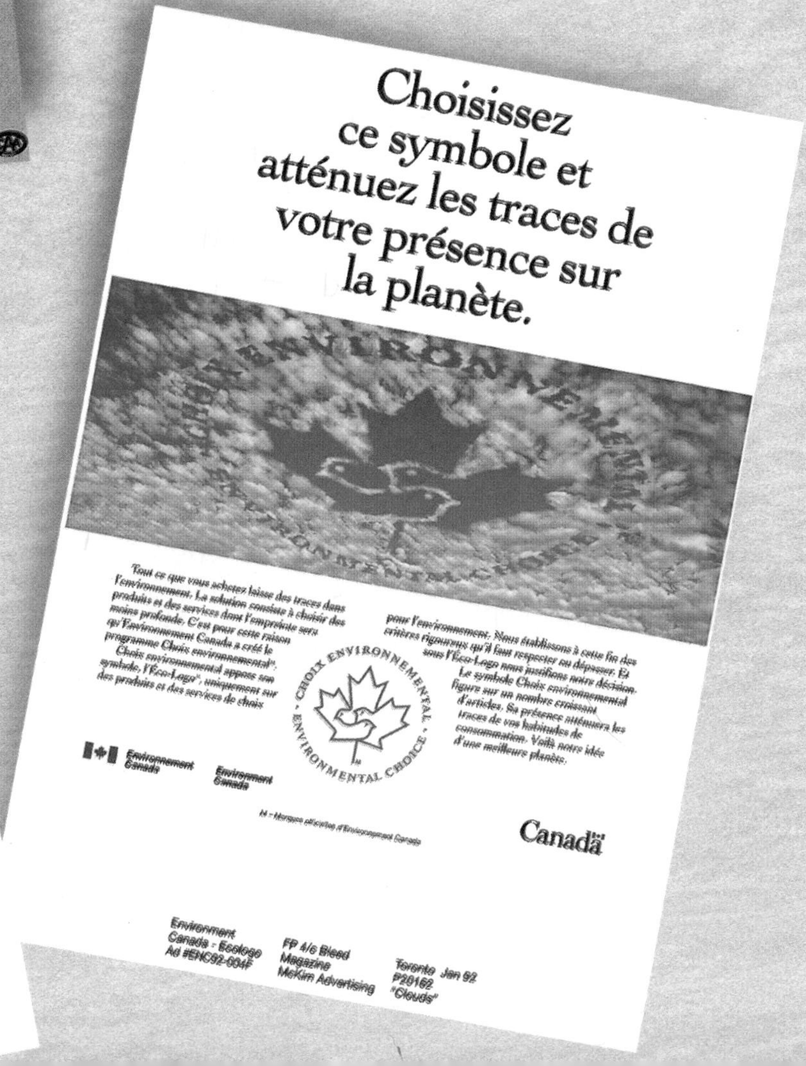
Choisissez
ce symbole et
atténuez les traces de
votre présence sur
la planète.
CHOIX ENVIRONNEMENTAL
ENVIRONMENTAL CHOICE
Environnement Canada
Environment Canada
Canadä

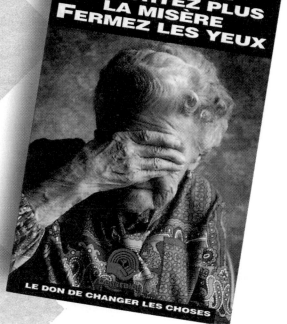

On discute également des questions qui affectent la société en général (sécurité routière, santé, environnement, etc.). Certaines campagnes aident à formuler ou à modifier des lois (droits des femmes, droits des enfants, etc.). Les sociétés charitables (Croix-Rouge, Centraide, Société canadienne du cancer, etc.) font aussi de la publicité pour nous inviter à faire des dons à leur cause. Les grandes compagnies commerciales utilisent aussi ce genre de publicité pour signaler leurs contributions à la société.

D'après les experts, les messages destinés à éduquer et à informer le public réussissent bien à changer les mauvaises habitudes et les attitudes. On cite, par exemple, l'impact positif de PARTICIPACTION, la campagne d'activité physique.

...PERSONNES JOUENT AU TENNIS EN FAUTEUIL ROULANT AU CANADA

267

Pour tout l'monde... pour la vie!

M. FOG

PARTICIPACTION MD

Une simple marche vers l'épicerie....

petit train va loin

PARTICIPACTION MD

...un peu d'activité physique régulière fait une Saine différence !

PARTICIPACTION MD

petit train va loin

À vous de jouer.

PARTICIPACTION MD

M FOG

à vous la parole!

- À votre avis, quel sujet en particulier mérite une publicité à caractère social? Pourquoi? Quelles informations doit-on donner au public?

- Examinez les annonces aux pages 94 à 96. Quel est le message dans chaque annonce?

- Quelle publicité à caractère social trouvez-vous très efficace? peu efficace? Pourquoi?

- Quelle campagne de publicité à caractère social a eu un grand impact sur le public? Pourquoi cette campagne était-elle si efficace?

CA 74

Faites un rapport sur une publicité à caractère social. Dans votre rapport, indiquez…

- l'organisme
- le message principal
- l'information donnée
- l'approche
- l'efficacité

Présentez votre rapport à la classe.

contact culture

DANS 45 JOURS
IL PARLERA
FRANÇAIS

Grâce à la nouvelle Loi sur le cinéma, la
version française d'un film étranger
sera accessible aux cinéphiles québécois
en 45 jours ou moins.

Québec

**Coq d'or :
Magazine**

Les meilleures des meilleures

Chaque année, le Publicité-Club de Montréal décerne
des Coqs d'or, d'argent et de bronze pour les meilleures
campagnes de publicité. À une soirée-gala, on
récompense dans deux catégories — produits et services
— les agences de publicité pour leurs créations à la
télévision, à la radio, au cinéma, sur les affiches, dans
les journaux et dans les magazines.

FAITES
UNE PHRASE
AVEC COURAGE

Coq d'or : Journal

Les publicitaires créent
souvent un slogan
pour un produit ou un
service. Ces slogans,
faciles à retenir, nous
rappellent le produit
d'une façon agréable.
Un slogan peut devenir
si populaire qu'il fait
bientôt partie du
langage courant. Selon
les experts, un bon
slogan vaut « son pesant
d'or ».

Coq d'or : Affiche

À votre avis, quelle
publicité (produit
ou service) courante
mérite le Coq d'or
pour chacun des
médias mentionnés
ci-dessus ? Pourquoi ?

«Il *ne faut*

pas compter

les paroles,

il faut les

peser.»

— *proverbe juif*

«Pour les gens qui ont soif de vivre»	*Boost (boisson de vitamines)*
«Sécurité avant tout»	*Volvo*
«Chez nous, c'est chez vous»	*Nouveau-Brunswick*
«La ligne de confiance»	*KLM (ligne aérienne)*
«Au service des gens d'ici»	*Petro-Canada*
«On en parle!»	*Radio-Canada*
«Il brille pour tout le monde!»	*Le Soleil (journal)*

Pouvez-vous deviner la compagnie qu'on associe avec chaque slogan ci-dessous?

«Des gens de parole»

«Le plaisir de conduire»

«Les plus belles photos du monde»

«On cultive la qualité»

«Y a pas plus Bar-B-Q»

«Allez-y en train, c'est sans pareil»

«Pour les petites mains et les grandes imaginations»

«Le grand magasin des achats avantageux»

«La rage de l'été»

«Au-delà de l'argent, il y a les gens»

Banque de Montréal
Chalet Suisse
La Ronde
LEGO
Bell Canada
VIA
BMW
Nikon
Eaton
Del Monte

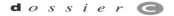

savoir faire

Pour la bonne cause...

De nos jours, quels problèmes sociaux (p. ex., la pollution, la famine, la violence familiale) considérez-vous les plus sérieux ? Quelles causes sociales (p.ex., la protection des animaux, la protection de l'environnement) méritent le plus notre appui ?

CA 76-77

Faites une affiche publicitaire qui visera un de ces problèmes ou qui appuiera une de ces causes. À votre avis, quelle approche (humoristique, sérieuse, informative, etc.) sera la plus appropriée ? Affichez votre publicité dans la salle de classe.

D'après la classe, quelle affiche sera la plus efficace pour changer les attitudes du public ? Pourquoi ?

langage-ressource pp.104,108

De la drogue?

Santé et Bien-être social Canada   Health and Welfare Canada   Gouvernement du Québec Ministère de la Santé et des Services sociaux

pas besoin! DROGUES

stratégie canadienne antidrogue

ren contres

Où *avez-vous appris le français ?*

Au début, à l'école primaire au Québec. Plus tard, au niveau secondaire, j'ai été dans une classe d'immersion française pendant un an. Mes parents m'ont toujours souligné l'importance du français si un jour je comptais travailler au Québec.

Avez-vous *l'occasion de pratiquer votre français ?*

Depuis mon déménagement en Ontario, j'ai moins souvent l'occasion de pratiquer mon français. Cependant, quand je voyage, mon français est un vrai atout. En plus, je parle français avec des clients montréalais.

Remarquez-vous *des différences entre les pubs en anglais et les pubs en français ?*

Pas vraiment. La seule différence, c'est que, parfois, les pubs en français reflètent une créativité sans contraintes — une plus libre expression d'idées.

Harvey Wise

Comment *le français joue-t-il un rôle important dans votre vie ?*

C'est au travail que j'utilise le français le plus parce qu'on doit adapter les publicités anglaises pour notre clientèle francophone.

D'*après-vous, quel est l'avantage majeur de savoir parler français ?*

Pour moi, c'est de pouvoir parler français au travail et quand je voyage. À mon avis, si on habite au Canada, il est très important de connaître les deux langues officielles du pays.

À *votre avis, est-ce que les jeunes peuvent influencer les publicitaires ?*

Oui, certainement. Avant de créer une publicité, nous faisons des recherches pour apprendre les tendances du marché. Fréquemment, ce sont les jeunes qui donnent le ton.

Avez-vous *des conseils pour les jeunes qui veulent travailler dans la publicité ?*

Tout d'abord, il faut réaliser que c'est très exigeant. On travaille de longues heures et, au début, on n'est pas très bien payé. Mais, avec de l'expérience, on trouve que c'est une profession qui vaut vraiment le coup !

Nom :
Harvey Wise

Profession :
Directeur des comptes dans une agence de publicité

Le Code canadien des normes de la publicité

Le *Code canadien des normes de la publicité* est approuvé et endossé par tous les organismes qui participent à la production et à la diffusion de la publicité. Son but est de maintenir les normes suivantes dans la publicité : l'honnêteté, la véracité, l'exactitude, l'équité, la clarté. En voici les points saillants…

1 **Véracité, clarté, exactitude**
Les publicités ne doivent pas comporter de déclarations inexactes ou mensongères quant au prix, à la disponibilité ou à l'efficacité d'un produit ou d'un service.
   Une publicité ne doit pas omettre une information pertinente.

2 **Techniques publicitaires déguisées**
Aucune publicité ne doit être présentée dans un format ou un style qui masque son but commercial.

3 **Appât et substitution**
Les publicités ne doivent pas donner l'impression aux consommateurs qu'ils ont la possibilité de se procurer les marchandises ou services annoncés aux conditions indiquées, si ce n'est pas le cas.

4 **Indications de prix**
Aucune publicité ne doit comporter d'indication de prix, de rabais ou de valeur mensongère, irréaliste ou exagérée.

5 **Garanties**
Aucune publicité ne doit offrir une garantie à un produit ou un service sans clairement indiquer ses conditions, ses limites et le nom du garant.

6 **Publicité comparative**
La publicité ne doit ni discréditer ni attaquer injustement les autres produits, services, publicités ou compagnies.

7 **Témoignages**
Les témoignages, endossements et représentations d'opinions ou de préférences doivent refléter l'opinion véritable de celui ou de celle qui les donne.

8 Déclarations de professionnels et de scientifiques

Une publicité ne doit pas altérer les énoncés faits par les experts. On ne doit pas intimer qu'un énoncé a été prouvé scientifiquement quand il ne l'est pas.

9 Imitation

Aucune publicité ne doit imiter les textes, slogans ou illustrations d'une autre de manière à induire le public en erreur.

10 Sécurité

Les publicitaires ne doivent pas encourager de pratiques inappropriées, imprudentes ou dangereuses.

11 Exploitation des personnes handicapées

Les publicités ne doivent pas offrir de faux espoirs de guérison ou de soulagement pour les personnes handicapées.

12 Superstitions ou frayeurs

Les publicités ne doivent pas exploiter les superstitions ou jouer sur les frayeurs pour tromper les consommateurs.

13 Publicité destinée aux enfants

La publicité qui est destinée aux enfants ne doit pas exploiter leur crédulité, leur inexpérience ou leur esprit d'acceptation.

14 Publicité destinée aux mineurs

Les produits dont la vente aux mineurs est interdite ne doivent pas être annoncés de manière particulièrement attrayante aux personnes qui n'ont pas l'âge adulte légal.

15 Matière de goût, d'opinion et de convenances

La publicité ne doit ni dénigrer ni déprécier des individus ou des groupes. Elle ne doit pas exploiter la violence, la sexualité, les enfants, etc.

CA 78

Comment se plaindre

Si vous remarquez une publicité qui, à votre avis, contrevient au *Code canadien des normes de la publicité*, écrivez au :

Conseil des Normes de la Publicité
4823, rue Sherbrooke Ouest
Bureau 130
Montréal (Québec)
H3Z 1G7

Il est bon d'inclure un exemple ou une photocopie de la publicité. Pour une publicité radio ou télédiffusée, indiquez la station, l'heure approximative, le nom du produit, etc.

Expliquez pourquoi vous estimez que la publicité en question ne respecte pas le Code.

Avez-vous déjà remarqué une publicité qui contrevient au Code? Alors, rédigez une lettre au Conseil!

comment **exprimer une action future**

le futur simple

formation régulière

	parler		**finir**		**vendre**
je	parler**ai**	je	finir**ai**	je	vendr**ai**
tu	parler**as**	tu	finir**as**	tu	vendr**as**
il	parler**a**	il	finir**a**	il	vendr**a**
elle	parler**a**	elle	finir**a**	elle	vendr**a**
on	parler**a**	on	finir**a**	on	vendr**a**
nous	parler**ons**	nous	finir**ons**	nous	vendr**ons**
vous	parler**ez**	vous	finir**ez**	vous	vendr**ez**
ils	parler**ont**	ils	finir**ont**	ils	vendr**ont**
elles	parler**ont**	elles	finir**ont**	elles	vendr**ont**

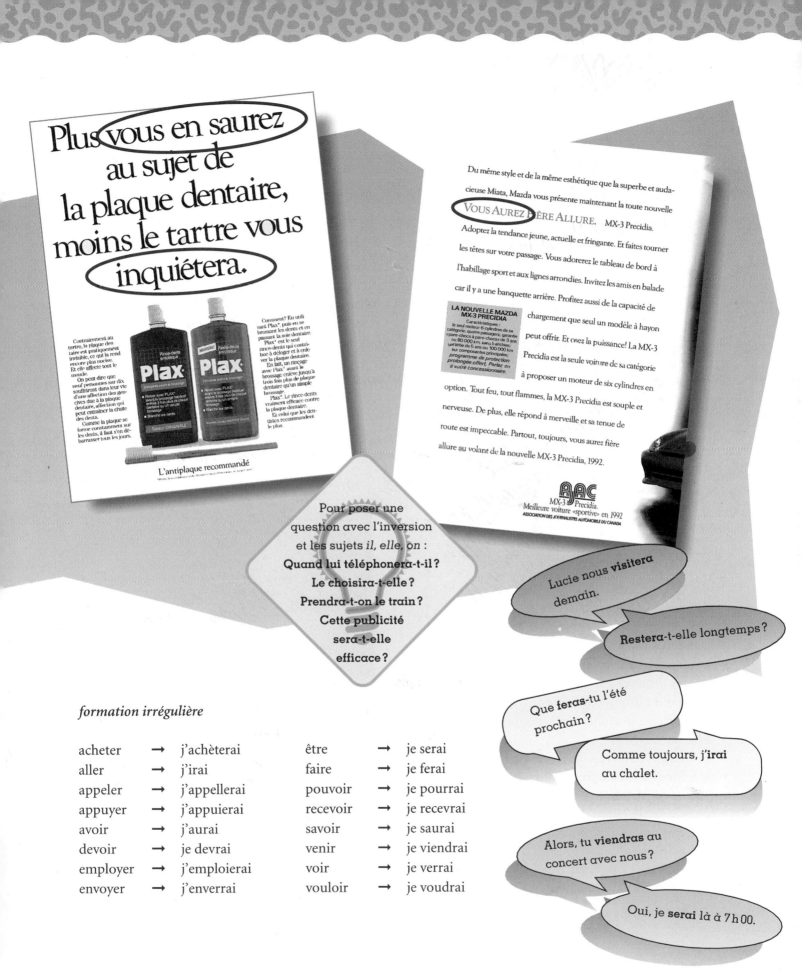

Pour poser une question avec l'inversion et les sujets *il, elle, on* :

Quand lui téléphonera-t-il?

Le choisira-t-elle?

Prendra-t-on le train?

Cette publicité sera-t-elle efficace?

formation irrégulière

acheter	→	j'achèterai	être	→ je serai
aller	→	j'irai	faire	→ je ferai
appeler	→	j'appellerai	pouvoir	→ je pourrai
appuyer	→	j'appuierai	recevoir	→ je recevrai
avoir	→	j'aurai	savoir	→ je saurai
devoir	→	je devrai	venir	→ je viendrai
employer	→	j'emploierai	voir	→ je verrai
envoyer	→	j'enverrai	vouloir	→ je voudrai

Lucie nous **visitera** demain.

Restera-t-elle longtemps?

Que **feras**-tu l'été prochain?

Comme toujours, j'**irai** au chalet.

Alors, tu **viendras** au concert avec nous?

Oui, je **serai** là à 7 h 00.

Pratique a

parlons persuasion !

Que pensez-vous de l'usage des techniques suivantes ?

1. une image frappante

> **Une image frappante pourra capter l'intérêt.**

ou > **Une image frappante aura un grand impact.**

2. l'opinion d'un expert
3. un porte-parole imaginaire
4. des informations détaillées
5. des statistiques
6. des comparaisons (avec un autre produit)
7. l'endossement d'une vedette
8. un slogan
9. des témoignages personnels
10. un texte imaginatif
11. des résultats scientifiques
12. des jeux de mots

Buts publicitaires...

- ajouter un aspect amusant
- associer le produit avec une personne bien connue
- avoir un grand impact
- capter l'intérêt
- donner un appui convaincant
- encourager le client à acheter le produit
- être mémorable
- faire appel au sens de l'humour
- fournir des renseignements essentiels
- mettre en valeur la fiabilité du produit
- persuader le client d'essayer le produit
- pouvoir capter l'attention
- pouvoir être efficace
- présenter les bienfaits
- vanter la supériorité du produit

le vrai message !

Quelle est la promesse de chaque slogan ?

1. **Dentex** (dentifrice) : « Illuminez votre sourire ! »
   Si vous vous brossez les dents avec Dentex,…

   > ➤ **vos dents seront plus blanches.**
   ou ➤ **vous aurez un plus beau sourire.**

2. **Volvo** (voiture) : « Sécurité avant tout ! »
   Si vous conduisez une Volvo,…

3. **Nabisco** (céréales 100 % bran) : « Garder la santé demande du 100 % ! »
   Si vous mangez des céréales Nabisco,…

4. **KLM** (ligne aérienne) : « La ligne de confiance. »
   Si vous voyagez avec KLM,…

5. **Dove** (savon de beauté) :
   « Dove est le plus doux. »
   Si vous vous lavez avec Dove,…

6. **Cover Girl** (maquillage) :
   « La beauté réinventée. »
   Si vous vous maquillez avec Cover Girl,…

7. **Sierra Designs** (vêtements de plein air) :
   « Protection contre les éléments. »
   Si vous portez des vêtements Sierra Designs,…

8. **Boost** (boisson nutritive) :
   « Pour les gens qui ont soif de vivre. »
   Si vous buvez Boost,…

9. **Nikon** (appareil-photo) :
   « Les plus belles photos du monde. »
   Si vous utilisez un appareil-photo Nikon,…

10. **American Express** (chèques de voyage) :
    « Prenez des risques ou prenez American Express ! »
    Si vous prenez des chèques American Express,…

Comment *exprimer des circonstances et des causes*

« Nul ! »   « Génial ! »   « C'est une honte ! »   « Superbe ! »   « Cette fois il est allé trop loin ! »

« C'est la pub de l'année ! »   « Scandaleux ! »   « Audacieux ! »

La pub provocatrice de Luciano Benetton

Comment un fabricant italien de vêtements peut-il provoquer des débats internationaux **en faisant** de la publicité ? Mais, **en présentant** des images fortes et frappantes, bien sûr !

En commençant par sa devise, « Toutes couleurs unies », Benetton a réussi dans les affaires **en associant** ses produits avec une cause sociale : l'anti-racisme. D'après le fabricant, **en choisissant** de telles images il invite le public à réfléchir. Message : « Aujourd'hui, vous avez pensé. Une commandite de Benetton. »

UNITED COLORS OF BENETTON.

(Document-ressource : *Info-Presse*)

le participe présent

formation régulière

parler	nous parlons	→	parlant
finir	nous finissons	→	finissant
vendre	nous vendons	→	vendant

formation irrégulière

avoir	nous avons	→	ayant
être	nous sommes	→	étant
savoir	nous savons	→	sachant

exemples

Beaucoup de téléspectateurs évitent la pub **en changeant** de canal.

En servant le client, la vendeuse a souligné la qualité du produit.

En lisant des magazines, on voit beaucoup de publicités.

En faisant des comparaisons, on deviendra de meilleurs consommateurs.

On attirera l'attention du public **en plaçant** des panneaux dans la rue.

Pratique a

à la campagne !

Vous travaillez sur les campagnes de publicité pour les nouveaux produits et services ci-dessous. On vous demande comment on va accrocher la clientèle. Comment allez-vous répondre ?

1. **Animots** (céréales pour enfants)

   – **Comment va-t-on accrocher la clientèle ?**
   – **En mettant des animaux en plastique dans les boîtes.**

2. **Chez Grand-Maman** (chaîne de restaurants)
3. **Macho** (après-rasage)
4. **Arpeggio** (produits de beauté)
5. **AdoChic** (jeans pour jeunes)
6. **CrocMignon** (dentifrice pour chiens)
7. **Mercure** (chaussures de sport)
8. **Petits Soins** (couches pour bébés)
9. **Rigolo** (jouets pour enfants)
10. **Chatisfaction** (nourriture pour chats)

Suggestions

- commanditer un concert rock ou un événement sportif
- créer des dessins animés
- créer un clip publicitaire
- créer une mascotte
- distribuer des tee-shirts promotionnels
- envoyer un échantillon gratuit chez les clients
- mettre des échantillons dans des magazines
- monter une émission infopublicitaire
- offrir un emballage écolo
- organiser un concours promotionnel
- présenter des témoignages
- présenter l'endossement d'une célébrité
- signaler l'offre spéciale
- utiliser des ballons à air chaud
- utiliser un message tracé par avion

pratique b

options publicitaires

Pouvez-vous exprimer les messages ci-dessous d'une autre façon? Par exemple :

- Si vous faites ces exercices, vous serez plus en forme.
- Voulez-vous être plus en forme? Faites ces exercices !
- Faites ces exercices pour être plus en forme.

En faisant ces exercices, vous serez plus en forme.

1 Lavez-vous avec Cygnet pour avoir une peau plus douce.

2 Protégez l'environnement — vous aiderez à sauver la planète.

3 Voulez-vous être en meilleure santé ? Suivez le Guide alimentaire canadien.

4 Si vous l'essayez, vous serez convaincu.

5 Voulez-vous avoir des cheveux lisses? Alors, coiffez-vous avec Gelée d'or!

6 Si vous choisissez notre produit, votre satisfaction sera garantie.

7 Respectez la limitation de vitesse pour éviter les accidents de la route.

8 Mettez du Solécran pour vous bronzer sans peur.

9 VOULEZ-VOUS FAIRE SENSATION ? ALORS, PORTEZ LES JEANS FARWEST !

10 Achetez le ventilateur Tornade pour être dans le vent !

unité 4

face aux défis

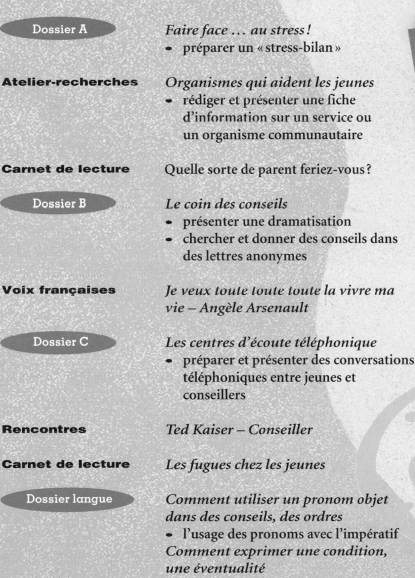

Projets-cible

1 **V**oulez-vous préparer une émission de radio qui offre aux jeunes un service d'écoute téléphonique?

2 **V**oulez-vous animer un atelier interactif sur les problèmes des jeunes?

Pour capter l'intérêt des auditeurs, vous pouvez…

- inviter des experts (psychologues, conseillers, assistants du service social, etc.) à répondre aux appels.
- inviter les auditeurs à évaluer les conseils des experts.
- faire des interviews.
- préparer de la publicité pour l'émission.
- présenter des dramatisations.
- fournir de l'information sur les services sociaux.
- faire des sondages auprès des auditeurs.
- présenter des conversations enregistrées sur le vif (conseillers, professeurs, parents, jeunes, etc.).
- présenter une table ronde sur le stress chez les jeunes.
- présenter des témoignages personnels.

Pour aider les jeunes à faire face à leurs problèmes, vous pouvez…

- mener une discussion sur le stress et ses symptômes.
- examiner des cas spécifiques et les conseils offerts aux jeunes.
- présenter des jeux de rôles et des dramatisations (étudiant–professeur, enfant–parent, ami–ami, jeune–conseiller, etc.).
- examiner de la documentation sur les services sociaux.
- inviter les participants à partager leurs expériences.
- impliquer les participants dans l'évaluation des conseils.
- inviter la participation d'experts (psychologues, conseillers, assistants du service social, etc.)
- présenter des témoignages personnels.

3 **V**oulez-vous publier un bulletin qui traite des problèmes des jeunes de votre école ?

Pour capter l'intérêt des lecteurs et rendre service, vous pouvez…

- créer des publicités pour annoncer votre bulletin.
- inviter des élèves à soumettre des problèmes par écrit.
- offrir des conseils dans des lettres de réponse.
- inviter des organismes communautaires à soumettre de la publicité.
- faire des sondages auprès des lecteurs.
- solliciter des articles et des opinions.
- publier des articles sur un sujet particulier (le stress, les conflits, les divertissements, etc.).

Préférez-vous proposer un autre projet-cible ? Allez-y !

Faire face... au stress!

Dans la vie nous devons tous faire face à certains problèmes ou à certaines situations difficiles. Cela cause du stress. C'est normal. Et souvent, c'est utile. Imaginez, par exemple, que vous avez un examen demain. Ça pourrait vous rendre anxieux. Mais ça pourrait aussi vous inciter à travailler plus fort pour réussir votre examen.

Donc, nous avons besoin de stress jusqu'à un certain point. Mais quand le stress devient trop fort pour nous, il peut provoquer de la tension, de la nervosité et de la dépression. Nous connaissons tous les effets les plus communs du stress : transpiration de la paume des mains, estomac noué, sommeil agité, appétit médiocre.

Poussé à la limite, le stress peut causer une crise émotionnelle ou même une grave maladie physique.

Le stress est inévitable. Il fait partie de la vie. Mais comment pouvez-vous y faire face ? Voici quelques stratégies.

1 ESSAYEZ D'ÊTRE OBJECTIF.
Considérez votre problème comme si c'était le problème d'une autre personne. Que pourrait faire cette personne pour résoudre son problème ?

2 CONNAISSEZ VOS RESSOURCES INTÉRIEURES.
Évaluez vos forces et vos faiblesses. Soyez honnête !

3 NE FAITES PAS FACE À VOS PROBLÈMES TOUT SEUL.
Parlez de vos difficultés avec votre famille, avec vos amis ou avec un conseiller professionnel. Écoutez-les. Demandez-leur de l'aide. C'est un signe de force et non de faiblesse.

4 ASSUMEZ VOS RESPONSABILITÉS.
Les autres peuvent vous aider, mais vous devez prendre l'initiative.

Les dix plus grands « stresseurs » chez les jeunes

1 la mort d'un membre de la famille ou d'un ami
2 le divorce des parents
3 une grave maladie
4 le déménagement
5 des conflits avec les parents
6 des problèmes de drogue ou d'alcool
7 la rupture avec un petit ami ou une petite amie
8 le sentiment d'être rejeté
9 des problèmes et des tensions à l'école : examens, conflits avec les professeurs, etc.
10 l'anxiété à propos de son apparence ou de son identité

C'est à vous de faire face au stress.
Jouez gagnant! Dirigez votre vie!

5 ADOPTEZ UNE ATTITUDE POSITIVE.
Exprimez-vous! Affirmez-vous! Les solutions ne sont peut-être pas faciles, mais il est toujours possible de faire *quelque chose*.

6 SOYEZ RÉALISTE.
Acceptez ce que vous ne pouvez pas changer. Fixez-vous des buts que vous pouvez atteindre.

7 CONSIDÉREZ LES OPTIONS.
Si la première solution ne donne pas de résultats, essayez de nouveau. Les erreurs sont une source d'expérience.

8 PROCÉDEZ PAR ÉTAPES.
Vous pouvez être débordé par plusieurs problèmes. Essayez de résoudre un seul problème à la fois.

9 RESTEZ EN BONNE SANTÉ PHYSIQUE.
Faites beaucoup d'exercice! Déchargez votre tension et votre mauvaise énergie!

10 APPRENEZ À VOUS DÉTENDRE.
Cherchez des distractions dans votre vie! Faites une pause! Riez! Décompressez!

(Document-ressource : *Faire face aux problèmes de la vie quotidienne*, L'Association canadienne pour la santé mentale)

à vous *la* parole!

- Qu'est-ce qui cause du stress dans votre vie? Comment ce stress vous affecte-t-il?
- Êtes-vous d'accord avec la liste des plus grands stresseurs? Que pourrait-on y ajouter? Pourquoi?
- Que faites-vous pour faire face au stress dans votre vie?

CA 92

 D'après votre groupe, quels sont les trois plus grands stresseurs à l'école? Faites un petit rapport à la classe.

Selon la classe, quels sont les trois plus grands stresseurs à l'école?

Quelques stresseurs

- les amitiés
- les bulletins de notes
- la compétition
- les devoirs
- les examens
- les pressions du temps
- les pressions sociales
- les rapports avec les profs
- les règlements

Le stress en perspective

« *Un monde sans incertitudes serait bien ennuyeux.* »

« *Le stress n'est pas toujours négatif. Il peut être le sel même de la vie!* »

Qu'en pensez-vous?

contact *culture*

Le Stress du Bac

En France, le baccalauréat, ou le « bac », est le diplôme conféré après les examens qui terminent les études secondaires.

Pour un élève en classe de Terminale, c'est souvent une année incroyablement stressante. Ses profs et ses parents lui répètent sans cesse : « Il faut réussir le baccalauréat ! »

En fait, le bac est la clef unique pour ouvrir les portes de l'université. Il représente la réussite (ou l'échec) de douze années d'étude. C'est là où tout l'avenir d'un élève est décidé.

En une semaine, le candidat doit subir une série d'examens — deux par jour — dans une dizaine de matières. S'il rate le bac, il doit répéter la classe de Terminale et repasser tous les examens l'année d'après.

De tous les élèves qui se présentent chaque année au bac, seulement les deux tiers reçoivent le diplôme. Le stress est donc énorme et peut faire de la classe de Terminale un cauchemar quotidien.

« **Il faut** réussir le baccalauréat. » = « **Il est nécessaire de** réussir le baccalauréat. »

« **Il ne faut pas** tricher aux examens. » = « **Il est interdit** de tricher aux examens. »

Quels métiers sont les plus stressants ?

Dans chaque travail, plusieurs facteurs contribuent au niveau de stress, par exemple : les exigences physiques et mentales, les risques et les dangers, les pressions du temps et des responsabilités, etc.

Selon une étude récente, voici les 10 métiers les plus stressants :

1. pompier/pompière
2. coureur/coureuse automobile
3. astronaute
4. chirurgien/chirurgienne
5. joueur de football professionnel
6. policier/policière
7. aiguilleur/aiguilleuse du ciel
8. maire
9. jockey
10. agent/agente de relations publiques

Pourquoi ces métiers sont-ils stressants ? À votre avis, quels autres métiers devraient figurer sur la liste ? Pourquoi ?

stress-o-mètre

À quel point êtes-vous déjà arrivé ou arrivée sur le stress-o-mètre?

la désintégration émotionnelle
être sur le point de craquer
être traumatisé ou traumatisée
avoir les nerfs en boule
avoir les jetons
avoir le trac
être agité ou agitée
être tendu ou tendue
être troublé ou troublée
être anxieux ou anxieuse
être inquiet ou inquiète
le calme, la paix, la tranquillité, la sérénité

«Admettez que la perfection n'existe pas, mais que dans tous les domaines il y a des sommets; soyez satisfait si vous les atteignez.»

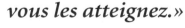
— Hans Selye

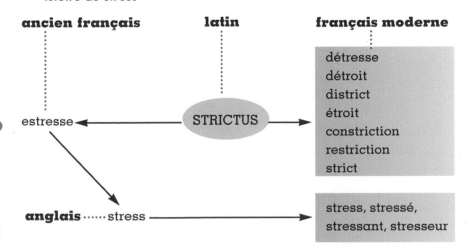

Histoire de stress

ancien français	latin	français moderne
estresse	STRICTUS	détresse détroit district étroit constriction restriction strict
anglais ⋯ stress		stress, stressé, stressant, stresseur

savoir faire

Votre stress-bilan

✦ Comment les trois plus grands stresseurs à l'école affectent-ils les membres de votre groupe ? Quels symptômes ces stresseurs causent-ils ?

CA 93

Selon votre groupe, quel est le plus grand stresseur ? Quel est le symptôme le plus fréquent ?

Partagez vos résultats avec la classe. D'après tous les résultats, quel est le plus grand stresseur ? Quel est le symptôme le plus fréquent ?

Reconnaissez-vous ces symptômes ?

- l'accélération du pouls
- l'appétit médiocre ou insatiable
- la chair de poule
- la dépression
- l'estomac noué
- les jambes molles
- le manque de concentration
- les maux de tête
- les palpitations
- les problèmes de sommeil *sleeping prob.*
- la respiration rapide
- la transpiration
- le tremblement des mains
- l'humeur changeante

Perspectives pour les moments difficiles...

En ce moment, quel est votre plus grand problème ?

- Sur une échelle de 1 à 10 (10 = catastrophe planétaire), où placeriez-vous ce problème ?
- Dans un mois, aurez-vous toujours ce même problème ?
- Pour vous, quels sont les éléments les plus importants de la vie ? La famille ? Les amitiés ? La santé ? Votre problème y pose-t-il un vrai danger ?
- Supposez que ce problème représente le plus mauvais moment que vous vivrez cette année. Cela changerait-il votre perspective ?

Organismes qui aident les jeunes

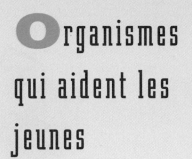

CA 95

L'ASSOCIATION DES GRANDS FRÈRES ET GRANDES SŒURS DU QUÉBEC

Adresse : 420 est, rue St-Paul, Montréal (Québec) H2Y 1H4

Numéro de téléphone : (514) 884-4252

Services : C'est un organisme qui trouve des adultes bénévoles prêts à partager quelques heures chaque semaine avec des enfants de familles monoparentales.

Commentaires : Actuellement, au Canada, plus de 700 000 garçons et filles vivent avec un seul parent. Ces enfants, qui ont entre 6 et 16 ans, peuvent souvent bénéficier de l'amitié d'un ou d'une adulte.

En passant du temps ensemble — en causant, en lisant, en jouant au baseball, en faisant de la bicyclette, etc. — l'adulte contribue au bien-être émotionnel de son Petit Frère ou de sa Petite Sœur. En plus, l'adulte sert d'exemple positif pour l'enfant. En fait, c'est une expérience enrichissante pour tous les deux.

« Tout le monde a besoin d'un ami. »

Il est normal dans la vie de chaque personne de rencontrer des difficultés de temps en temps. Heureusement, des services et organismes communautaires sont là pour venir en aide.

- la Société d'assistance pour enfants
- les organismes ou services bénévoles
- les organismes religieux
- les aides aux foyers
- les centres d'accueil
- les centres d'écoute téléphonique
- les centres d'entraide
- les centres d'orientation
- les centres de consultation en maternité
- les centres de crise
- les centres de réadaptation
- les dépôts alimentaires
- les hospices
- les missions
- les programmes d'alphabétisation
- les refuges

Choisissez **un** de ces organismes ou un autre de votre choix. Prenez contact avec l'organisme par téléphone ou par écrit et préparez une fiche d'information pour présentation à la classe.

Quelle sorte de parent feriez-vous ?

Les enfants critiquent souvent les parents. Ils disent qu'ils sont trop sévères. Mais, si vous étiez à leur place, que feriez-vous ?

1. Vos enfants ont la permission de sortir jusqu'à dix heures. Ils rentrent à minuit…

a Vous ne dites rien. ·······························*(1 point)*

b Vous êtes furieux / furieuse. Ils ne sortiront plus le soir, ce mois-ci. ·······*(3 points)*

c Vous leur demandez de ne plus recommencer. ·······························*(2 points)*

2. Votre fils met toujours le volume de sa chaîne stéréo au maximum.

a Vous allez dans votre chambre quand il écoute la musique. ·················*(1)*

b La musique est interdite quand vous êtes là ! ·······························*(3)*

c Vous lui demandez de baisser le volume. ·······························*(2)*

3. Votre fille a de mauvaises notes. Vous lui dites :

a « Ce n'est pas grave. J'étais comme toi à ton âge. » ·······························*(1)*

b « Si le mois prochain tu as encore de mauvaises notes… » ·······················*(2)*

c « Pas de sorties ni de télé pendant une semaine ! » ·······························*(3)*

4. On a vu votre fils au cinéma pendant les heures de cours.

a Vous le punissez. L'école, c'est sacré ! ···········*(3)*

b C'est la première fois. Vous lui donnez un avertissement. ·······················*(2)*

c Bof, tout le monde fait ça de temps en temps. ·······························*(1)*

5. Votre fille s'est battue avec une camarade de classe.

a Vous lui interdisez de se battre ! ·················(3)

b Vous l'excusez si on l'a provoquée. ···········(2)

c C'est bien. Elle a du courage ! ···············(1)

6. Vos enfants vous demandent toujours plus d'argent de poche.

a Vous leur donnez ce qu'ils veulent. La vie est chère.·······························(1)

b Vous leur donnez le strict minimum. ·········(3)

c Vous leur en donnez en échange de petits travaux à faire. ·················(2)

Résultats et commentaires

Entre 6 et 9 points : Vos enfants auraient la belle vie ! Ils ne vous écouteraient pas beaucoup. Attention !

Entre 10 et 14 : Vous feriez un bon parent. Ni trop strict ni trop gentil.

Plus de 14 : Vous seriez parfois trop sévère. Il est bon d'être strict dans certains cas, mais il faut aussi comprendre les jeunes.

(Document-ressource : Chez nous)

dossier B

Le coin des conseils

(Documents-ressources : *Vidéo-Presse* et *Filles d'aujourd'hui*)

Amoureuse d'un prof

Salut, Mimi,
J'ai un petit problème. Je suis amoureuse d'un prof. Il est beau, gentil et il a 23 ans. Moi, j'en ai 16. J'ai une classe avec lui tous les jours.
Pourrais-tu me donner des conseils pour le chasser de ma tête ? Je pense à lui 24 heures sur 24 !

Désespérée

*Chère Désespérée,
Il n'est pas facile de chasser quelqu'un de nos pensées. Cela est doublement difficile quand on voit cette personne tous les jours.
Je te conseille de sortir et de t'amuser avec des gens de ton âge. Tu vas peut-être rencontrer un gars avec qui tu peux combler ton besoin d'aimer et d'être aimée. Bonne chance !*

Mimi

Rejeté par tous

Cher Manuel,
J'ai une vie complètement misérable ! Je me sens rejeté. À l'école, on dit que je suis snob. On me critique tout le temps. Je ne sais vraiment pas pourquoi les gens me détestent. Pourrais-tu m'aider ?

Déprimé

*Cher Déprimé,
Je crois que tu es en train de te convaincre que tout le monde te déteste. Je suis certain que tu as un problème d'attitude. Dans la vie, on doit foncer et être confiant. Ne fais pas attention à ce que les gens disent ou pensent de toi. Sois toi-même ! Voilà l'essentiel.*

Manuel

Je ne réussis pas en classe

Chère Lise,
Pourriez-vous résoudre mon problème ? Je vais dans une polyvalente et je suis en secondaire II. J'ai beaucoup de difficulté en maths parce qu'il y a des gens qui me dérangent en classe. Voilà pourquoi j'ai de très basses notes. Mes parents et moi sommes toujours en chicane pour mes notes. J'ai peur d'échouer. J'étudie beaucoup, mais je suis toujours tracassé en classe. J'aimerais avoir des conseils.

Tracassé

*Cher Tracassé,
Que peux-tu faire pour éviter les gens qui te dérangent en classe ? Faut-il changer de place ? Changer d'école ? Faut-il en parler à tes professeurs ? au directeur ? au conseiller ? Pourrais-tu faire plus de travail à la maison ?
Au lieu de te chicaner avec tes parents, tente de leur expliquer ton vrai problème. Demande-leur de t'aider à trouver des solutions.
Tu vis une période de changements importants : passage du primaire au secondaire, passage de l'enfance à l'adolescence. Ces transitions demandent beaucoup d'énergie. Cela peut aussi te déstabiliser et affecter tes notes.
Un petit conseil : dans la vie tout le monde est responsable de son propre succès. Bonne chance pour les prochains mois !*

Lise

à vous *la* parole!

- À votre avis, quel correspondant ou quelle correspondante a le problème le plus sérieux? Qu'est-ce que c'est?

- À votre avis, qui a donné les conseils les plus utiles? Pourquoi?

- Y a-t-il des conseils avec lesquels vous n'êtes pas d'accord? Lesquels? Quels conseils donneriez-vous?

- Avec qui parlez-vous de vos problèmes? Suivez-vous toujours les conseils donnés? Pourquoi?

- Avez-vous quelquefois des problèmes à la maison? à l'école? Lesquels? Comment essayez-vous de les résoudre?

Mes parents m'engueulent

Chère Lise,
Mes parents n'arrêtent pas de m'engueuler pour rien. Ma mère garde des enfants pour gagner de l'argent. L'autre jour, ces petits monstres m'ont vraiment irrité et je les ai disciplinés. J'ai expliqué le problème à mon père, mais il m'a crié «ta gueule» et m'a donné une claque dans le visage. J'ai essayé de discuter de la situation avec mes parents, mais ils ne veulent pas m'écouter. S'il vous plaît, dites-moi ce que je peux faire.

Maltraité

Cher Maltraité,
Il y a une grande différence entre la colère d'un instant et la violence habituelle. Une situation régulière de violence physique ou psychologique est intolérable. Dans ce cas, tu as besoin de l'aide d'un adulte pour résoudre le problème.

Qui peut t'aider? Il y a peut-être des personnes dans ton école et il y a certainement des travailleurs sociaux dans ta communauté. Au Québec, il y a un secours pour des cas de violence contre les enfants : la Direction de la protection de la jeunesse.

Il faut du courage pour demander de l'aide. Mais, je suis certaine que tu en as. J'espère que tes parents vont apprendre à régler les problèmes dans le dialogue et la tolérance, plutôt que dans la violence physique.

Lise

contact *culture*

La vie de famille en France

(Document-ressource : *Ça va*)

La famille : un refuge

Les jeunes Français habitent de plus en plus longtemps avec leurs parents (95 % jusqu'à 16 ans, 60 % jusqu'à 22 ans). La grande majorité des jeunes mariés vivent à moins de 20 km de leurs parents.

Enfants plus stricts que les parents

Ce qui est assez surprenant, c'est que 34 % des jeunes trouvent que leurs parents ne sont pas assez sévères avec eux. Par contre, 17 % pensent que les parents sont trop sévères et 45 % qu'ils sont juste bien.

Fini le conflit des générations

Parmi les jeunes, 94 % disent qu'ils s'entendent bien avec leurs parents, 4 % pas très bien et seulement 1 % pas bien du tout ; 41 % des garçons et 34 % des filles disent qu'ils s'entendent aussi bien avec leur mère qu'avec leur père. S'ils se disputent, c'est à propos des résultats scolaires (39 %), de l'argent de poche (10 %) ou bien du choix des amis (8 %).

On utilise *ce qui* et *ce que* pour annoncer ou reprendre une phrase ou une idée.

- **Ce qui** m'énerve, c'est son insensibilité.
- Elle est très sympa, **ce que** tout le monde admire chez elle.
- Dis-moi **ce que** tu en penses !
- Je ne comprends pas **ce qui** se passe !

D'après les sondages, les jeunes Canadiens aimeraient avoir des parents qui...

- s'intéressent à leur vie (amis, goûts, école, etc.).
- sont présents pour eux.
- savent écouter leurs problèmes.
- respectent leurs opinions.
- sont justes.
- sont ouverts et tolérants.
- admettent qu'ils ont aussi des défauts.

A. Pour parler de sa
famille, on utilise
souvent des termes
« familiers ».

terme courant	*terme familier*
mon père	mon paternel / mon vieux
mon fils	mon fiston
mon frère	mon frangin
mon oncle	mon tonton
mon grand-père	mon pépé / mon pépère

B. Entre amis, on utilise souvent
aussi un langage familier.

terme courant	*terme familier*
Ça m'énerve !	Ça me casse les pieds !
Ça m'embête !	Ça me gonfle !
	Ça me prend la tête !
	Ça me tape sur les nerfs !

P ouvez-vous donner
l'équivalent de ces
termes ?

ma maternelle / ma vieille
ma frangine
ma tata
ma mémé / ma mémère

C. En France, les adolescents
utilisent souvent un
langage bien particulier.

terme courant	*terme « ado »*
C'est agréable ici !	C'est délice comme endroit !
Il est malade.	Il a la crève.
C'est une excellente idée !	C'est une idée béton !
Ça m'agace !	J'ai la haine ! / C'est la cata !

savoir faire

Scènes et scénarios

Si vous étiez un des correspondants aux pages 124 ou
125, quelle réaction auriez-vous aux conseils donnés?
Que feriez-vous pour mettre en pratique ces conseils?

Choisissez le cas d'un correspondant ou d'une
correspondante. Qu'est-ce qui pourrait arriver si
ce jeune suivait les conseils donnés? Dramatisez
une conversation entre le correspondant ou la
correspondante et une autre personne (jeune ou adulte).

Présentez vos scénarios à la classe.

Selon la classe, quel est le meilleur scénario
du point de vue...

- réalisme?
- imagination?
- présentation?

*langage-ressource
pp. 140, 142*

« Chacun de nous doit trouver une façon de décharger son énergie refoulée. »

— *Hans Selye*

Cherchez-vous un
pseudonyme? Êtes-vous
peut-être...

accablé ou accablée
anxieux ou anxieuse
confus ou confuse
découragé ou découragée
déprimé ou déprimée
désespéré ou désespérée
embêté ou embêtée
exaspéré ou exaspérée
fâché ou fâchée
frustré ou frustrée
gêné ou gênée
inquiet ou inquiète
malheureux ou malheureuse
misérable
perdu ou perdue
perplexe
stressé ou stressée
troublé ou troublée

Échange-conseils

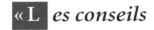

CA 100

 Feriez-vous de bons conseillers ? Tout d'abord, rédigez une lettre qui décrit un problème personnel. Signez-la d'un pseudonyme convenable.

Faites un échange de lettres avec un autre groupe.

Quels conseils pourrait-on donner pour résoudre le problème décrit dans la lettre ?

Déterminez les conseils les plus appropriés et proposez-les dans une lettre de réponse. Affichez les lettres dans la salle de classe.

Selon la classe, quelle lettre de réponse offre les meilleurs conseils ? Pourquoi ?

« **L** es conseils sont des cadeaux gratuits qui coûtent très cher à leurs bénéficiaires. »

—*proverbe arménien*

Voulez-vous écrire pour *Le coin des conseils* ? Il faut…

- avoir un bon jugement
- avoir du bon sens
- être compréhensif ou compréhensive
- être diplomate
- être encourageant ou encourageante

- être logique
- être perspicace
- être raisonnable
- être tolérant ou tolérante
- être sensible

Je veux toute toute toute la vivre ma vie

musique et paroles : Angèle Arsenault

Refrain :
Je veux toute toute toute la <u>vivre</u> ma vie   *to live*
Je ne veux pas l'emprisonner
J'la veux toute toute toute
Pas juste des <u>p'tits boutes</u> → *little pieces*
Je veux toute toute toute la vivre ma vie

Laissez-moi donc faire si je saute en l'air
Laissez-moi exagérer
Laissez-moi rire si j'ai envie de rire
Mais laissez-moi me <u>tromper</u>   *make mistakes*

Laissez-moi pleurer si j'ai du <u>chagrin</u> *regret*
Laissez-moi me relever
Laissez-moi vous quitter au <u>petit matin</u> *early morning*
Mais laissez-moi vous aimer

Laissez-moi visiter tous les pays
Laissez-moi me promener
Laissez-moi choisir ma sorte de vie
Mais laissez-moi la trouver

Laissez-moi le droit de changer ma vie
Laissez-moi recommencer
Laissez-moi aller au bout de ma <u>folie</u> *madness*
Mais laissez-moi m'arrêter

Laissez-moi partir si je veux m'en aller *to go away*
Laissez-moi couper tous <u>les liens</u> *the ties*
Laissez-moi même vous abandonner
Mais laissez-moi trouver mon <u>chemin</u> *road*

Laissez-moi crier si j'ai envie de crier
Laissez-moi <u>me défouler</u> → *to unwind*
Laissez-moi tranquille
Laissez-moi laissez-moi
Mais laissez-moi exister

Artiste célèbre, Angèle Arsenault est née en 1943 à l'Île-du-Prince-Édouard. D'abord, elle collectionne et chante le folklore acadien. Plus tard, elle commence à écrire ses propres chansons. Dans les années soixante, installée au Québec, elle devient très populaire et passe souvent à la radio et à la télévision. Dans ses chansons, elle aborde des thèmes sérieux — par exemple, la condition de la femme, la liberté — mais toujours avec optimisme et humour.

CA 101

Les centres d'écoute téléphonique

TEL-JEUNES, c'est pour toi !

As-tu quelquefois en tête des questions si embarrassantes que tu n'oses pas les poser ? Même pas à tes parents ou à tes amis ? As-tu quelquefois peur ou de la peine ? Te trouves-tu quelquefois dans une situation difficile, mais tu ne trouves personne avec qui tu peux parler ?

TEL-JEUNES est un centre d'écoute téléphonique spécialement pour toi. Maintenant tu peux partager tes problèmes avec des personnes qui vont t'écouter sans te juger. Elles vont essayer de trouver des réponses à tes questions, des solutions à tes problèmes.

C'est ouvert entre 14 heures et 2 heures du matin et c'est gratuit.

Montréal : 288-2266
Extérieur : 1-800-263-2266

HÉ ! LES JEUNES ! ON VOUS ÉCOUTE !

As-tu des problèmes dont tu ne peux parler ni à tes parents, ni à tes amis ? Oui ? Alors, c'est pour toi que nous avons créé JEUNESSE, J'ÉCOUTE. Tu peux nous appeler à n'importe quelle heure du jour ou de la nuit. C'est gratuit et tu n'as pas à donner ton nom.

La Société de l'enfance canadienne offre ce service qui prête aux adolescents une oreille attentive à leurs problèmes et leur donne des conseils.

JEUNESSE, J'ÉCOUTE
1-800-668-6868

Témoignage

Salut ! Je m'appelle Caroline. J'ai 18 ans et, il y a deux ans, j'avais de gros problèmes. J'étais très seule et je n'avais pas d'amis. J'ai même contemplé le suicide.

Heureusement, j'avais le numéro de Tel-Jeunes (1-800-263-2266). J'ai téléphoné et la personne qui m'a parlé m'a vraiment aidée. Elle n'était pas là pour juger mais pour donner de bons conseils.

Alors, si tu as des problèmes, appelle Tel-Jeunes. Ce numéro de téléphone, ce ne sont pas juste des chiffres, mais une porte de sortie à tes problèmes.

(Documents-ressources : *Vidéo-Presse, Filles d'aujourd'hui*, publicité la Société canadienne de l'enfance)

(514) 935-4555

Nom de la ligne	AMI-À-L'ÉCOUTE « Car tu sais que tu peux tout dire à un ami ».
Quand appeler ?	Sept jours par semaine de 15 h à 23 h
Pourquoi appeler ?	Nous recevons des appels de garçons ou filles qui : • ont des difficultés à se faire des amis • ont des problèmes à l'école • ont des problèmes personnels • sont victimes de violence • contemplent le suicide • se disputent souvent avec leurs parents
Slogan	« En parler, ça fait du bien ! »

à vous la parole !

- Parlez-vous souvent au téléphone ? Avec qui parlez-vous ? De quoi parlez-vous ?

- Si vous discutez des problèmes avec un ami ou une amie, préférez-vous en parler au téléphone ou face à face ? Pourquoi ?

- Quelles qualités faut-il avoir pour donner de bons conseils à un ami ou une amie ?

- Les centres d'écoute sont-ils une bonne idée ? Pourquoi ?

« Rien ne me décourage, pas même le découragement. »

— *Eugène Ionesco*

LE MINITEL À VOTRE SERVICE

En France, le Minitel est un terminal mis à disposition des abonnés au téléphone. Avec le Minitel, vous avez accès à plus de 10 000 services et, pour chaque appel, vous payez un tarif modique. Parmi les catégories de services les plus consultés…

Presse, Radio, TV, Météo
L'actualité des médias, les programmes TV, la météo et les annonces d'emploi.

Sports
Le Minitel vous dit tout sur le sport de votre choix : comment et où le pratiquer, les calendriers, les résultats…

Spectacles, Loisirs
Informez-vous sur les programmes de spectacles et réservez vos places.

Santé
Le Minitel ne remplace pas le médecin, mais vous pouvez lui faire confiance pour les petits bobos, les régimes ou les cures sur mesure.

Énergie, Environnement
Comment lutter contre la pollution et réduire vos dépenses d'énergie.

Emploi, Travail
Le Minitel vous aide à rédiger un curriculum vitæ. Il facilite la rencontre entre les employeurs et les demandeurs d'emploi.

Services en Langues Étrangères
Le Minitel sait même s'exprimer en anglais, en allemand… et vous faire la traduction en français ou en espagnol.

FRANCE TELECOM

Au bout du fil…

En français, comme en anglais, on utilise plusieurs formules conventionnelles dans les conversations téléphoniques.

entre amis…

– **Allô!**
– **Allô**, Denis. **Ici** Suzanne.
– Salut, Suzanne!
– **Je peux parler** à Julien?
– Bien sûr! **Garde la ligne, s'il te plaît.**

au bureau…

– Allô! Bureau des plaintes. **Puis-je vous aider?**
– …**Je voudrais parler** au directeur, s'il vous plaît.
– **Un instant**, monsieur. **Ne quittez pas**.
– …Je regrette, mais le directeur est en conférence en ce moment. **Voulez-vous laisser un message?**
– **Non, ce n'est pas urgent. Je vais rappeler plus tard.**
– Très bien, monsieur. **Au revoir.**

s avoir faire

Tél-amis

À quels problèmes les jeunes doivent-ils souvent faire face à l'école? à la maison? dans leur vie personnelle? À votre avis, quels conseils pourraient aider les jeunes à résoudre ces problèmes?

 Feriez-vous un bon conseiller ou une bonne conseillère au centre d'écoute Tél-Amis? Si on vous appelait avec un problème personnel, sauriez-vous proposer des conseils appropriés?

Votre partenaire décrit un problème personnel. Donnez-lui des conseils pour l'aider à y faire face.

CA 103

Dramatisez la conversation devant la classe.

langage-ressource pp. 140, 142

A ppelant/Appelante

J'ai un problème.

Je suis très stressé(e).

Personne ne me comprend.

D'habitude, je ne parle pas de mes problèmes, mais…

Pourrais-tu m'aider?

Je n'ose pas en discuter avec mes parents.

Je suis à bout!

Je n'en peux plus!

Je suis désespéré(e).

J'en ai ras le bol!

Cela a commencé…

Qu'est-ce qu'il faut faire?

J'ai déjà tout essayé!

Non, non! Tu ne comprends pas!

Ça, je l'ai déjà essayé.

Je ne pourrais jamais faire ça!

Je n'y ai jamais pensé.

Merci, tu m'as beaucoup aidé(e).

Merci de ta compréhension.

C onseiller/Conseillère

Puis-je t'aider?

Quel est ton problème?

As-tu ce problème depuis longtemps?

C'est tout à fait normal.

As-tu essayé…?

Il me semble que…

Je te comprends.

Qu'est-ce que tu as déjà essayé?

Continue. Je t'écoute.

Comment te sens-tu quand…

…et quelle a été ta réaction?

Je te propose de …

Tu devrais contacter…

Y a-t-il quelqu'un à qui tu peux faire confiance?

Ne te décourage pas!

Tiens-moi au courant!

Bonne chance, et bon courage!

Carnet de Lecture

LES FUGUES CHEZ LES JEUNES

Douze mille jeunes hantent les rues de Toronto chaque année. Souvent des fugueurs, ils affrontent les tentations de la rue : drogue, alcool, prostitution.

Toronto est particulièrement attirante pour ces jeunes. Environ 30 % des personnes dans la rue sont de l'extérieur de la région métropolitaine.

Parmi les groupes qui essaient d'aider ces jeunes, il y a Covenant House, au centre-ville. « Les fugueurs sont fréquemment sans aide et sans abri, à la rue. Là, ils sont en proie à une vie brutale », souligne Mary McConville, directrice de Covenant House.

La plupart des jeunes qui vivent dans la rue sont des fugueurs, explique-t-elle. Ce qui les pousse à quitter la maison est d'habitude un conflit avec la famille. « Il y a d'autres solutions que la fuite quand quelque chose va mal. Un départ peut être nécessaire, mais pas à l'aveuglette », affirme Mary McConville.

Parce que trop de jeunes continuent à fuguer sans penser ou savoir ce qui les attend, les bénévoles du centre ont préparé le programme *Avant de partir, demandez conseil*. Dans le cadre de ce programme, des bénévoles visitent les écoles secondaires de la région de Toronto et s'adressent aux élèves à l'aide d'affiches, de dépliants et d'un vidéo.

« Ce vidéo remplace les fugueurs qui ne peuvent venir eux-mêmes dans les écoles. C'est leur histoire, une histoire vécue, qui est racontée dans le vidéo. Des jeunes qui parlent à des jeunes, ça fait toute la différence. » souligne Mme McConville.

> **Douze mille jeunes hantent les rues de Toronto chaque année. Souvent des fugueurs, ils affrontent les tentations de la rue : drogue, alcool, prostitution.**

(Document-ressource : *L'Express de Toronto*)

CA 105

La société devrait-elle aider les jeunes qui « vivent dans la rue » ? Pourquoi ? Comment peut-on aider ces jeunes ?

ren contres

Où avez-vous appris le français?

D'abord, j'ai suivi des cours de français à l'école secondaire. Ensuite, j'ai continué l'étude de français au Collège militaire royal à Kingston. J'ai aussi passé neuf mois avec quelques amis français — ce qui a beaucoup amélioré mes connaissances de la langue.

Qu'est-ce qui vous a incité à l'apprendre?

J'ai toujours eu envie de comprendre la vie des gens d'autres cultures — leurs expériences, leurs valeurs, leurs points de vue. Savoir parler d'autres langues enlève les obstacles à la communication.

Ted Kaiser

Avez-vous l'occasion de pratiquer le français?

Nom : Ted Kaiser

Profession : Conseiller pour JEUNESSE, J'ÉCOUTE

Dans mon travail, je parle français chaque jour quand je conseille des jeunes francophones. De plus, je parle français avec les autres conseillers bilingues. À part ça, je regarde des émissions françaises à la télévision et je vais voir des films français.

Pouvez-vous nous raconter une anecdote où votre connaissance du français a joué un rôle important?

Récemment, j'ai participé à une conférence au sujet du décrochage scolaire. À mon avis, à cette conférence,

les francophones ont mieux accepté mes opinions et mes idées parce que j'ai pu les exprimer en français. J'ai aussi fait plusieurs interviews en français à Radio-Canada pour JEUNESSE, J'ÉCOUTE. Comme ça, j'ai pu informer le public francophone sur notre important travail.

C'est très souvent avec un ami qu'on parle de ses problèmes. Dans un tel cas, que doit-on faire ou ne pas faire?

Il est très facile de faire mal à une personne vulnérable qui a besoin d'aide. Il faut toujours être sensible et honnête avec les gens. Un ami doit se sentir respecté.

Quels conseils avez-vous pour les jeunes qui veulent devenir conseillers?

Être conseiller, c'est passer sa vie à aider les autres. C'est un métier qui demande beaucoup d'énergie et de force de caractère. Donc, un conseiller doit être en bonne santé physique, mentale et émotionnelle. Il est important pour le conseiller de se respecter et de connaître ses propres limites.

D'après vous, quel est l'avantage majeur de la connaissance du français?

Le Canada est un pays bilingue. Si je ne parlais pas français, je me sentirais moins à l'aise et moins libre dans ce pays. Je ne comprendrais pas la vie économique, sociale, politique et artistique des Canadiens francophones. Grâce à mes connaissances du français, je peux vivre dans un plus grand monde où il y a plus d'options.

JEUNESSE, J'ÉCOUTE

Le premier service national de conseil gratuit et bilingue

- **Heures de service :** 24 heures sur 24
- **Âge des appelants :** de 4 à 18 ans. La plupart d'entre eux ont de 10 à 18 ans.
- **Nombre d'appels :** plus de 1000 par jour
- **Problèmes typiques des appelants :**

  – violence, agression, mauvais traitement
  – grossesse non-désirée
  – solitude et dépression
  – dislocation de la famille
  – abus de drogue ou d'alcool

comment utiliser un pronom objet dans des conseils, des ordres

Planifiez votre temps pour diminuer le stress !

Organisez-vous ! La planification du temps est une excellente façon de réduire le stress de la vie quotidienne. Ordonnez vos activités selon un horaire précis. Vous pouvez tout planifier : vos heures d'étude, votre budget, même un loisir !

ÉTAPES
1. Faites une liste de tout ce que vous avez à faire.
2. **Affichez-la** au mur de votre chambre. **Consultez-la** régulièrement.
3. Évaluez le temps nécessaire pour accomplir vos tâches.
4. Faites un emploi du temps pour toutes vos tâches. **Ne l'abandonnez pas.**
5. Soyez conscient de l'heure et **faites-y** bien attention.
6. Le travail vous attend. **Allez-y !**

(Document-ressource : *Économie familiale*)

comparez

objet direct	à l'affirmative	à la négative
Peux-tu **m**'aider ?	Aide-**moi** !	Ne **m**'aide pas !
Faites **votre travail** !	Faites-**le** !	Ne **le** faites pas !
Écoute **la conseillère** !	Écoute-**la** !	Ne **l**'écoute pas !
Attendez **Pierre et moi** !	Attendez-**nous** !	Ne **nous** attendez pas !
Suivons **ses conseils** !	Suivons-**les** !	Ne **les** suivons pas !

objet indirect		
Veux-tu **me** téléphoner ?	Téléphone-**moi** !	Ne **me** téléphone pas !
Dis bonjour **au prof** !	Dis-**lui** bonjour !	Ne **lui** dis pas bonjour !
Écris la lettre **à Lise** !	Écris-**lui** la lettre !	Ne **lui** écris pas la lettre !
Donnez le sondage **à moi et à Marie**.	Donnez-**nous** le sondage !	Ne **nous** donnez pas le sondage !
Posons la question **à nos parents** !	Posons-**leur** la question !	Ne **leur** posons pas la question !

pronom adverbial		
Pense **à ce problème** !	Penses-**y** !	N'**y** pense pas !
Parlons **de tes notes** !	Parlons-**en** !	N'**en** parlons pas !

les verbes réfléchis
Calme-**toi** !   Dépêchons-**nous** !   Arrêtez-**vous** !   Ne **te** décourage pas !

À l'affirmative, le pronom **suit** le verbe. À la négative, il **précède** le verbe. Avec le verbe *aller* et les verbes en -er, on ajoute un «s» devant une voyelle : *Vas-y ! Profites-en !*

alors, si j'ai bien compris… ?

1. Alors, tu me conseilles de téléphoner à Robert ?

> ➤ **Mais oui ! Téléphone-lui !**

2. Alors, à ton avis, je dois parler à Laurent et Sylvie ?

3. Alors, à ton avis, je dois visiter ma grand-mère ?

4. Alors, dois-je vraiment aider Manon ?

5. Alors, tu penses que je dois parler de mes problèmes ?

6. Alors, tu me dis que je dois me calmer ?

7. Alors, tu penses que je dois écrire à Louise ?

8. Alors, tu me conseilles de penser à mes responsabilités ?

9. Alors, tu dis que je dois t'attendre ?

10. Alors, tu penses que je dois consulter le médecin ?

11. Alors, tu me dis de suivre ces conseils ?

12. Alors, tu dis que je dois te rappeler ?

avez-vous un conseil à donner ?

1. « Pierre me tracasse toujours en classe. »

> ➤ **Dites-lui de vous laisser en paix !**

2. « Mon père m'engueule tout le temps. »

3. « Ma copine a révélé mon secret à tout le monde. »

4. « J'ai des difficultés en sciences. »

5. « Je ne veux plus sortir avec mon petit ami. »

6. « En classe, il y a un garçon qui essaie toujours de copier sur moi ! »

7. « Pour nous, les examens sont très stressants. »

8. « Jacques ne paie jamais ses dettes. »

9. « Ma sœur emprunte toujours mes vêtements sans permission. Alors, c'est la bagarre ! »

10. « En semaine, nous travaillons trop ! Nous sommes vraiment stressés ! »

Conseils possibles

- Ne lui faites plus confiance !
- Dites-lui de faire son propre travail !
- **Dites-lui de vous laisser en paix !**
- Discutez-en avec le conseiller !
- Ne vous disputez pas pour rien !
- Demandez-lui d'être moins agressif !
- Parlez-en au professeur.
- Ne lui prêtez pas d'argent !
- Détendez-vous ! Faites des pauses pour décharger votre tension !
- Expliquez-lui vos sentiments !

Avez-vous d'autres conseils à proposer ?

comment **exprimer une condition, une éventualité**

(Document-ressource : publicité de la Société de l'enfance canadienne)

Si le monde était parfait... Les enfants pourraient goûter librement à toutes les joies de la vie.

.... Grâce à notre campagne de financement et à nos commanditaires, nous continuerons d'offrir nos services. C'est-à-dire, cette année, nous donnerons des conseils à 370 000 jeunes.

Avec votre aide, JEUNESSE, J'ÉCOUTE **pourrait** même faire davantage. Nous **pourrions** augmenter le nombre de conseillers, ce qui nous **permettrait** de répondre à des milliers d'appels de plus. Imaginez… votre contribution **pourrait** aider un enfant comme Gisèle, Daniel ou Jean-Marc.

Et, avec votre aide, nous **pourrions** nous attaquer aux situations qui poussent ces jeunes en détresse à nous appeler.

fonction

On utilise le conditionnel pour exprimer un événement, un état ou une action qui dépendra de certains facteurs.

comparez

Je rédige le rapport. J'ai le temps.	Je **rédigerais** le rapport, si j'avais le temps.
Téléphones-tu au centre d'écoute? Veux-tu parler de tes problèmes?	**Téléphonerais**-tu au centre d'écoute, si tu voulais parler de tes problèmes?
Il sait le numéro de téléphone. Il prend rendez-vous avec l'agence.	S'il savait le numéro de téléphone, il **prendrait** rendez-vous avec l'agence.
Tu as un problème. Vas-tu chez la conseillère?	Si tu avais un problème, **irais**-tu chez la conseillère?

formation régulière

	imparfait	futur simple	conditionnel
parl**er**	je parl**ais**	je *parler*ai	je *parler***ais**
	tu parl**ais**	tu *parler*as	tu *parler***ais**
	il parl**ait**	il *parler*a	il *parler***ait**
	elle parl**ait**	elle *parler*a	elle *parler***ait**
	on parl**ait**	on *parler*a	on *parler***ait**
	nous parl**ions**	nous *parler*ons	nous *parler***ions**
	vous parl**iez**	vous *parler*ez	vous *parler***iez**
	ils parl**aient**	ils *parler*ont	ils *parler***aient**
	elles parl**aient**	elles *parler*ont	elles *parler***aient**
fin**ir**	je finiss**ais**	je *finir*ai	je *finir***ais**
vend**re**	je vend**ais**	je *vendr*ai	je *vendr***ais**

formation irrégulière

	imparfait	futur simple	conditionnel
acheter	j' achet**ais**	j' *achèter*ai	j' *achèter***ais**
aller	j' all**ais**	j' *ir*ai	j' *ir***ais**
appeler	j' appel**ais**	j' *appeller*ai	j' *appeller***ais**
appuyer	j' appuy**ais**	j' *appuier*ai	j' *appuier***ais**
avoir	j' av**ais**	j' *aur*ai	j' *aur***ais**
devoir	je dev**ais**	je *devr*ai	je *devr***ais**
employer	j' employ**ais**	j' *emploier*ai	j' *emploier***ais**
envoyer	j' envoy**ais**	j' *enverr*ai	j' *enverr***ais**
être	j' ét**ais**	je *ser*ai	je *ser***ais**
faire	je fais**ais**	je *fer*ai	je *fer***ais**
pouvoir	je pouv**ais**	je *pourr*ai	je *pourr***ais**
recevoir	je recev**ais**	je *recevr*ai	je *recevr***ais**
savoir	je sav**ais**	je *saur*ai	je *saur***ais**
venir	je ven**ais**	je *viendr*ai	je *viendr***ais**
voir	je voy**ais**	je *verr*ai	je *verr***ais**
vouloir	je voul**ais**	je *voudr*ai	je *voudr***ais**

Le conditionnel est souvent une marque de politesse.

- Je **voudrais** le numéro de JEUNESSE, J'ÉCOUTE, s'il vous plaît.
- **Aimeriez**-vous discuter du problème ?
- **Pourriez**-vous m'accorder une entrevue ?

Dans une phrase au conditionnel présent, «si» est suivi d'un verbe à l'imparfait :
*Si j'***avais** *le temps, je le ferais.*

pratique a

à toi de décider !

1. Si tu avais un gros problème, parlerais-tu à un conseiller ?

➤ **Oui, je parlerais à un conseiller.**

ou ➤ **Non, je ne parlerais pas à un conseiller.**

2. Si tu allais faire un discours, serais-tu nerveux / nerveuse ?

3. Si un copain te demandait de l'aider, le ferais-tu ?

4. Si tu étais en difficulté, téléphonerais-tu à un centre d'écoute ?

5. Si un ami te demandait de mentir, le ferais-tu ?

6. Si tes copains étaient occupés, irais-tu seul / seule au cinéma ?

7. Si tu étais stressé / stressée, saurais-tu y faire face ?

8. Si tu pouvais changer ton horaire, choisirais-tu les mêmes cours ?

9. Si tes parents te donnaient un mauvais conseil, le suivrais-tu ?

pratique b

pensez-y !

1. S'il n'y avait pas de règlements à l'école,
- je… *sairais tout ce que je veux.*
- les étudiants…
- les parents…
- les profs…
- le sous-directeur / la sous-directrice…

2. Si je gagnais à la loterie,
- je… *acheterais mes voitures favori*
- ma famille…
- mes copains…
- mon petit ami / ma petite amie…

3. Si le stress n'existait pas,
- nous… *seraions insoucieux*
- la vie…
- les relations…
- les conseillers…
- les médecins…

4. Si les filles n'existaient pas,
- le monde… *mourirait*
- les garçons…

5. Si les garçons n'existaient pas,
- le monde… *mourirait*
- les filles…

pratique c

et vous ?

Qu'est-ce que vous feriez si…

1. vous étiez stressé / stressée à cause des examens ?

2. votre prof ne vous aimait pas ?

3. vos deux meilleurs amis / meilleures amies se disputaient ?

4. vous oubliiez l'anniversaire de votre petit ami / petite amie ?

5. vos parents ne vous permettaient pas de sortir avec vos amis ?

6. votre frère / sœur perdait votre disque compact préféré ?

7. votre meilleur ami / meilleure amie révélait vos secrets ?

8. vous voyiez quelqu'un copier sur vous en classe ?

9. votre ami / amie avait un problème de drogue ou d'alcool ?

10. vous aviez besoin de conseils ?

unité 5

c'est tout un Canada

Projets-cible

1 **V**oulez-vous participer à une foire de voyages canadiens pour les jeunes ?

Pour capter l'intérêt des participants, vous pouvez…

- présenter des recherches sur des endroits intéressants.
- proposer des itinéraires de voyage.
- offrir des posters et des dépliants.
- préciser les frais de transport, les tarifs d'hôtels, etc.
- mentionner quelques sites historiques ou touristiques.
- recommander des guides touristiques.
- présenter les mets typiques de différentes régions.
- annoncer quelques festivals régionaux.
- présenter un vidéo.

2 **V**oulez-vous participer à un échange de vidéos avec une classe d'une autre région du Canada ?

Pour capter l'intérêt de vos vidéo-partenaires, vous pouvez…

- souligner les différences et les similarités entre votre région et leur région.
- présenter quelques loisirs typiques de votre région.
- montrer différents aspects de la vie dans votre école.
- proposer des itinéraires et un budget pour une visite dans votre région.
- présenter la culture de votre région.
- présenter des artistes de votre région.
- décrire un festival régional.
- tracer un profil de votre communauté.

3 **V**oulez-vous préparer une capsule témoin de la vie dans votre communauté ?

Pour aider les gens qui ouvrent la capsule à comprendre votre vie, vous pouvez…

- faire un résumé des intérêts des jeunes dans votre communauté.
- inclure des articles de journaux sur la vie dans votre région.
- inclure des objets qui reflètent ou symbolisent la communauté.
- signaler la diversité culturelle dans votre communauté.
- décrire des festivals, des attractions, des activités spéciales, etc.
- mentionner quelques sites historiques ou touristiques.
- présenter des œuvres d'artistes de votre région.
- inclure des exemples du commerce et de l'industrie de votre région.
- inclure un profil de votre communauté.
- inclure un vidéo.

Préférez-vous proposer un autre projet-cible ? Allez-y !

dossier A

Le Canada en fête !

à vous *la* **parole !**

- Quels différents aspects de la vie les festivals reflètent-ils ?
- Quelles villes ou régions du Canada voudriez-vous visiter ? Pourquoi ?
- Y a-t-il un festival auquel vous voudriez assister ? Lequel ? Pourquoi ?

1. le Festival international du théâtre *(Gander)*
2. le Festival du saumon *(Grand Falls-Windsor)*
3. le Festival d'été *(Charlottetown)*
4. les Jeux écossais *(Antigonish)*
5. le Festival des fleurs *(Vallée d'Annapolis)*
6. le Festival du homard *(Shédiac)*
7. le Festival acadien *(Caraquet)*
8. Festi-Jazz *(Rimouski)*
9. le Festival du bleuet du Lac-Saint-Jean *(Mistassini)*
10. le Festival Juste pour Rire *(Montréal)*
11. le Festival le bal de neige *(Ottawa)*
12. Caribana *(Toronto)*
13. la Parade des Six-Nations *(Brantford)*
14. Oktoberfest *(Kitchener-Waterloo)*
15. le Festival du Voyageur *(Saint-Boniface)*
16. le Festival Folklorama *(Winnipeg)*
17. l'Exposition agricole de l'Ouest canadien *(Regina)*
18. les Journées pionnières *(Saskatoon)*
19. le Calgary Stampede
20. le Festival des arts *(Banff)*
21. le Festival des pêches *(Penticton)*
22. le Festival de la mer *(Vancouver)*
23. le Rendez-vous des « sourdoughs » *(Whitehorse)*
24. le Carnaval du caribou *(Yellowknife)*

LE FESTIVAL du VOYAGEUR

Le Festival du Voyageur, qui date de 1970, célèbre l'époque de la traite des fourrures dans le grand Nord-Ouest. Il met en vedette le rôle du voyageur dans la découverte et le développement du Canada.

Le Festival se déroule chaque année en février, à Saint-Boniface, au Manitoba. Il attire un quart de million de visiteurs. Pendant dix jours, on imite le style de vie du voyageur — on s'habille comme lui, on mange comme lui et, bien sûr, on s'amuse comme lui ! Les rues de la ville sont pleines de musique, de lumière et de cris de joie — c'est la fête en plein hiver !

Le Grand Rendez-vous

Dans le boulevard Provencher, la plus grande fête de rue hivernale du Manitoba marque officiellement le début du Festival.

Le Bal du Gouverneur

La soirée de gala du Festival a lieu au Fort Garry Place. Après, c'est la soirée dansante. Jouez le jeu, venez en costume d'époque !

Le défilé

Tout le monde est invité à prendre part au défilé qui va de La Fourche jusqu'au parc du Voyageur. Après, c'est la grande fête !

SPECTACLES

Le Relais Métis

C'est ici que la gigue, la danse carrée, le violon et le chant sont en vedette! Venez goûter au bannock, au ragoût métis et au pouding de riz. Bon appétit!

Le Relais des Pionniers (veillées canadiennes)

Venez revivre une authentique veillée à l'ancienne! Venez danser, chanter et raconter des histoires… comme dans le bon vieux temps!

Pleine Lune

C'est le rendez-vous des jeunes de 13 à 17 ans. Pleine lune présente un spectacle d'improvisation et de la musique contemporaine interprétée par des jeunes de chez nous.

CONCOURS AMICAUX

Concours de violon et de gigue

Venez apprécier le grand talent des violoneux et des danseurs de gigue.

Concours des barbus

À ne pas manquer! C'est le plus grand concours de ce genre du monde! Il y a différentes catégories :

- La barbe Festival (rasée 10 semaines avant)
- La moustache « club »
- La barbe soignée traditionnelle
- La barbe de style voyageur

SPORTS

- Courses internationales de chiens en traîneau Voyageur
- Football Voyageur dans la neige
- Hockey éponge
- Ski de fond sur la rivière Rouge
- Tournoi de ringuette
- Course d'orientation
- Coureur de bois

à vous la parole!

- Avez-vous déjà participé à une fête communautaire? Où? Quand? Avec qui? Quelles activités y avait-il?

- À quelles activités voudriez-vous participer au Festival du Voyageur à Winnipeg? Pourquoi?

- Pourquoi les communautés organisent-elles des fêtes?

contact | *culture*

La France en fête

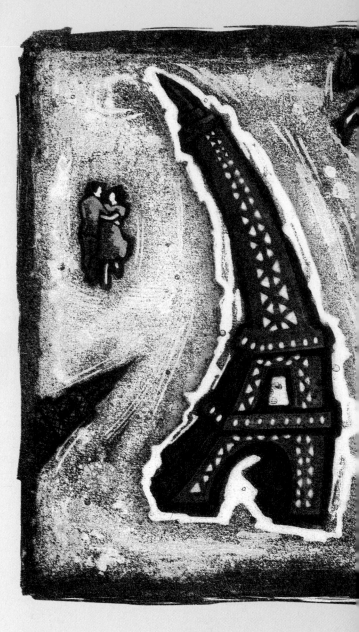

Que font les jeunes Français qui restent à la maison pendant les vacances ? Mathieu et Emmanuelle nous l'expliquent.

« L'été, il y a des festivals dans toutes les régions de France. Il y en a beaucoup dans le Sud. Il y a le festival de théâtre à Avignon, de nombreux concerts en plein air dans le théâtre antique d'Orange, le Festival de jazz à Vienne, etc.

De nombreux jeunes passent leurs vacances dans les festivals. On essaie d'avoir les programmes le plus tôt possible. Et si ce n'est pas trop loin de chez nous, on fait tout pour y aller. L'ambiance des festivals, c'est quelque chose ! »

Un des festivals les plus populaires chez les jeunes, c'est les EUROCKÉENNES. C'est un festival rock qui a lieu au mois de juin, en plein air, à Belfort en Alsace. Vous avez des chanteurs et groupes préférés ? Eh bien… ils vont peut-être participer aux EUROCKÉENNES…

contact

Bon voyage!

Dans le domaine du transport, on utilise souvent des termes différents en France et au Canada.

un autocar	un autobus
un bac, un ferry-boat	un traversier
un conducteur d'autobus	un chauffeur d'autobus
descendre d'un train	débarquer d'un train
faire de l'autostop	faire du pouce
monter dans un train	embarquer dans un train
un train omnibus	un train local

Connaissez-vous les équivalents canadiens des expressions suivantes?

une auto-école
une station de taxis
un charter
un ticket
une correspondance
un voyageur

un billet (autobus, train)
un stand de taxis
une école de conduite
un passager (autobus, train)
un transfert
un vol nolisé

savoir faire ▶

Un festival chez nous !

Quel nouveau festival pourrait-on organiser dans votre région ? Quand ? Où ? Quel en serait le thème ? Quelles activités pourrait-on y offrir ?

CA 124

En tant que comité organisateur du nouveau festival, établissez un programme (nom, thème, lieu, date, activités, spectacles, invités, concours, etc.).

Présentez votre programme. Ensuite, affichez-le dans la salle de classe. D'après la classe, quel festival attirerait le plus grand nombre de visiteurs ? Pourquoi ?

À considérer...

- des compétitions sportives
- des concours
- des défilés
- des expositions
- des feux d'artifice
- des films
- des invités d'honneur
- des jeux d'adresse
- un logo ou une devise
- des manèges
- une mascotte
- de la musique
- de la nourriture
- des pièces de théâtre
- un slogan
- des soirées dansantes
- des spectacles

Souvenirs de festivals

Avez-vous déjà participé à un festival dans votre région? Lequel? Quelles activités y avait-il au programme? Qu'est-ce que vous y avez fait?

CA 126

Vous êtes reporter pour le journal de votre école. Interviewez quelqu'un sur sa visite à un nouveau festival dans votre région. Quelles questions lui poseriez-vous?

Faites votre interview. Prenez des notes pour vous aider à écrire votre article de journal.

Lisez votre article à la classe. La classe peut publier les articles dans un album intitulé *Souvenirs de festivals.*

langage-ressource
pp. 174, 177

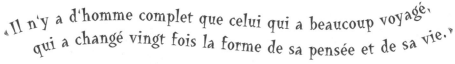

«Il n'y a d'homme complet que celui qui a beaucoup voyagé, qui a changé vingt fois la forme de sa pensée et de sa vie.»

— *Alphonse de Lamartine*

Atelier-

Tour du Canada

Au Canada, il y a beaucoup de régions différentes à visiter. Elles offrent des attractions fort intéressantes ! Avez-vous entendu parler…

- des chutes du Niagara ?
- de la citadelle d'Halifax ?
- de la côte magnétique, près de Moncton ?
- des quartiers de la Gendarmerie royale à Regina ?
- de la maison Riel à Saint-Boniface ?
- du parc provincial « Dinosaur » en Alberta ?
- du musée Alexander Graham Bell à Baddeck ?
- du Signal Hill à Saint-Jean ?
- du monstre Ogopogo du lac Okanagan ?
- de la maison aux pignons verts dans l'Île-du-Prince-Édouard ?
- de la chaîne des glaciers dans le Parc National Kluane, au Yukon ?
- des chutes Virginia dans les Territoires du Nord-Ouest ?

LES BÉLUGAS DU SAINT-LAURENT

Région : la Gaspésie

Description : Pour observer les bélugas, on peut faire une excursion sur le Saint-Laurent. De mai à octobre, les bateaux partent de Baie-Sainte-Catherine, de Tadoussac et de Rivière-du-Loup.

Des biologistes vous accompagnent pour expliquer les habitudes des baleines. Quelques petits conseils :

- Réservez tôt !
- Portez des vêtements chauds !
- N'oubliez pas vos jumelles ni votre appareil-photo !

Autres activités

- Concours de châteaux de sable
- Excursions en zodiac sur le Saint-Laurent
- Festi-jazz d'été à Rimouski
- Vol libre au mont Saint-Pierre
- Promenades sur la plage
- Randonnées pour observer les caribous, les cerfs et les orignaux
- Visite à l'observatoire à Saint-Louis-du-Ha! Ha!
- Visite au parc national Forillon

CA 128

Choisissez **une** de ces attractions ou une autre attraction que vous connaissez déjà. Faites des recherches et rédigez un rapport pour présentation à la classe.

Jours de plaine

musique et paroles :
Daniel Lavoie

Y'a des jours de plaine on voit jusqu'à la mer
Y'a des jours de plaine on voit plus loin que la terre
Y'a des jours de plaine où l'on entend parler
      nos grands-pères dans le vent

Y'a des jours de plaine où j'ai vu des Métis en peinture de guerre
Y'a des jours de plaine où j'entends
      gémir la langue de ma mère
Y'a des jours de plaine où l'on n'entend
      plus rien à cause du vent

J'ai grandi sur la plaine, je connais ses rengaines et ses vents
J'ai les racines dans la plaine ; j'ai toutes ses rengaines
      dans le sang

J'ai des racines en France aussi longues que la terre
J'ai une langue qui danse aussi bien que ma mère
Une grande famille des milliers de
      frères et sœurs dans le temps

J'ai des racines en France aussi fortes que la mer
Une langue qui pense une langue belle et fière
Et des milliers de mots pour le dire comment
      je vis qui je suis.

J'ai grandi...

Y'a des jours de plaine où dans les nuages on voit la mer
Y'a des soirs de plaine où on se sent seul sur la terre
Y'a des nuits de plaine où y'a trop d'étoiles, y'a trop de
      lune, le ciel est trop clair

Y'a des jours de plaine où on voit plus loin que la terre
Y'a des jours de plaine où je n'entends plus la langue
      de ma mère
Y'a des jours de plaine où même mes grands-pères
      ne sont plus dans le vent

J'ai grandi...

CA 129

DANIEL LAVOIE

Auteur-compositeur-interprète, Daniel Lavoie est originaire du Manitoba. Sa carrière a débuté en 1967 quand, à l'âge de 17 ans, il a gagné au concours « Jeunesse oblige », à Radio-Canada. Lauréat du prix Félix en 1980, il a été nommé « interprète de l'année ». Depuis ce temps, ses chansons, en anglais et en français, ont assuré sa popularité tant au Canada qu'à l'étranger. Parmi ses albums se trouvent *Nirvana bleu, Tension attention, Long courrier* et *Here in the Heart.*

dossier B

VOYAGES ET ÉCHANGES

Échange de cultures... Échange de cœurs

Sara Gougeon, qui habite à L'Orignal, une ville d'Ontario, et Michelle Noort de New Westminster, en Colombie-Britannique, ont eu la chance de participer à un programme d'échange d'étudiants. Elles nous racontent leurs expériences et donnent leurs impressions.

Sara Gougeon

Grâce à cette expérience enrichissante, j'ai découvert la grande diversité culturelle et linguistique du Canada. En plus, j'ai réalisé à quel point c'est un atout de parler les deux langues officielles du pays.

Michelle m'a visitée en octobre dernier. Quand je l'ai rencontrée à l'aéroport d'Ottawa, elle avait l'air timide et un peu craintive. Elle ne parlait que l'anglais et le hollandais. Et elle croyait que je ne parlais que le français. À son arrivée, elle a constaté avec soulagement que je parlais aussi l'anglais. J'ai présenté Michelle à mes amis qui l'ont acceptée tout de suite.

Quand je suis allée à Vancouver, la famille Noort m'a accordé un accueil très chaleureux. Les parents de Michelle étaient, eux aussi, surpris et ravis de voir que je parlais anglais.

« Les voyages forment la jeunesse. »

— *proverbe français*

Michelle Noort

Avant le départ pour L'Orignal, j'étais bien anxieuse. J'avais l'impression que la famille Gougeon parlait seulement le français. Mais, ils parlaient aussi l'anglais et, dès mon arrivée, ils ont été très amicaux. Je me sentais vraiment chez moi. Ils ont su créer une atmosphère chaleureuse et confortable — « gezilling » comme diraient les Canadiens hollandais.

J'ai été surprise de voir qu'on parlait français dans cette ville située en Ontario. Mon français est très limité et j'admire beaucoup ceux qui ont appris les deux langues officielles du pays.

J'ai apprécié toutes mes expériences pendant cet échange. Les Canadiens français sont merveilleux, amicaux et j'ai appris à les aimer. J'ai appris aussi que, malgré les frontières, la distance, la culture ou la langue, les Canadiens peuvent être unis.

Vive le Canada !

à vous *la* parole !

Avez-vous déjà remarqué ces expressions négatives?

- Elle **ne** parlait **que** l'anglais.
- Ils **ne** connaissent **personne** dans cette ville.
- Je **n'**ai **rien** vu pendant l'échange.
- Nous **n'**allons **plus** voyager en autocar.
- Elles **ne** comprennent **ni** l'anglais **ni** le français.
- Je **n'**ai **aucun** problème à communiquer avec mon partenaire.

- Avez-vous déjà visité d'autres régions du Canada? Lesquelles? Quelles ont été vos impressions?

- Si vous participiez à un échange, où voudriez-vous aller? Pourquoi?

- Quelle sorte de personnalité devrait avoir l'étudiant ou l'étudiante avec qui vous feriez un échange?

- À quelles activités pourriez-vous participer avec cette personne pendant sa visite chez vous?

- À votre avis, pourquoi les échanges sont-ils populaires chez les jeunes?

- Pourquoi certains étudiants hésitent-ils à participer à un échange?

- Pendant un échange, qu'est-ce qui vous manquerait le plus?

contact *culture*

Au Canada, 62 % de la population parlent anglais comme langue maternelle et 25 % parlent français. Alors, 13 % des Canadiens, comme Michelle Noort, ne parlent ni le français ni l'anglais chez eux. Parmi ces gens, voici les langues maternelles les plus courantes :

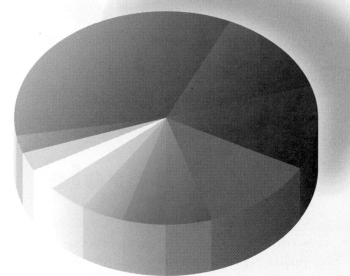

- ■ l'italien 13,2 %
- ■ le chinois 12,7 %
- ■ l'allemand 12,3 %
- ■ le portugais 5,0 %
- ■ le polonais 4,6 %
- ■ l'ukrainien 4,5 %
- ■ l'espagnol 4,3 %
- □ le hollandais 3,3 %
- ■ le grec 2,8 %
- ■ le pendjabi 2,6 %
- ■ autres 34,7 %

Ce n'est pas seulement au Québec qu'on trouve des Canadiens francophones. Sara Gougeon, par exemple, est Ontarienne. Il y a beaucoup de Canadiens, partout dans le pays, dont le français est la langue maternelle…

	population	français comme langue maternelle
l'Alberta	2 521 600	64 650
la Colombie-Britannique	3 212 100	58 680
l'Île-du-Prince-Édouard	131 200	6 290
le Manitoba	1 094 400	55 300
le Nouveau-Brunswick	727 600	250 180
la Nouvelle-Écosse	901 000	39 430
l'Ontario	9 917 300	487 310
la Saskatchewan	994 200	24 300
Terre-Neuve	575 700	3 240
les Territoires du Nord-Ouest	55 200	1 550
le Yukon	26 700	950

Les gens de mon pays

Les gens de mon pays

Ce sont gens de paroles

Et gens de causerie

Qui parlent pour s'entendre

Et parlent pour parler

Il faut les écouter

C'est parfois vérité

Et c'est parfois mensonge…

— Gilles Vigneault

Sauriez-vous saluer un jeune visiteur d'un autre pays?

allemand	*Guten Tag! Wie geht's?*
arabe	*(Assalám aleíki! Káyf hálak?)*
chinois	*(Nihou Mah!)*
espagnol	*¡Buenos días! ¿Cómo estás?*
finnois	*Hyvää päivää! Miten voit?*
français	*Bonjour! Comment ça va?*
grec	*(Ya sou! Ti kanis?)*
hébreu	*(Shalom! Mah shlomchah?)*
hindi	*(Kahiye! Aap ka kya haal hai?)*
hollandais	*Dag! Hoe gaat het?*
italien	*Buon giorno! Come stai?*
japonais	*(Konichiwa! O genki desu ka.)*
ourdou	*(Assalam-o-alaikum! Ki ya haal hay?)*
pendjabi	*(Suna! Tuhadda ki haal hai?)*
polonais	*Czesć! Jak się masz?*
portugais	*Bom dia! Como estas?*
russe	*(Preevet! Kak della?)*
somali	*Nabad! Iska waran?*
suédois	*Hej! Hur mår du?*
swahili	*Jambo! Msuri?*
tagal	*Hello! Kumusta ka?*
tamoul	*(Vanakkam! Eppadi sugam?)*
ukrainien	*(Dobryjden'! Yak sia mayesh?)*
vietnamien	*Chào ban! Ban khoe' không?*

«On s'instruit en voyageant.»

— Alain

savoir faire

Une semaine chez vous !

Si un groupe d'étudiants d'une autre province venaient passer une semaine en échange chez vous, que pourriez-vous leur proposer de voir et de faire ?

CA 131

Établissez le programme d'une journée d'activités dans votre région ou votre communauté. Rédigez votre programme, puis affichez-le dans la classe. D'après la classe, quel programme les visiteurs préféreraient-ils ? Pourquoi ?

**Fort St. James, Colombie-Britannique
Pierrefonds, Québec**

Programme du 15 avril

8 h 30	Rendez-vous à l'école St. James.
8 h 45	Départ en autocar pour visiter la papeterie B.C. Forest Products.
10 h 30	Visite de la première église de la région, Our Lady of Good Hope, site national historique.
12 h 00	Retour à l'école pour le déjeuner.
13 h 30	Randonnée au lac Stewart. Tour de la forteresse et des reconstructions des vieux batîments au parc national historique Fort St. James.
15 h 30	Présentation d'un film documentaire sur la région, au musée du fort.
15 h 45	Discussion sur la protection de l'environnement. Invité d'honneur, le chef de la bande Necoslie.
17 h 00	Retour à l'école.
19 h 00	Grand feu de camp sur la plage du lac Stewart. On chante! On raconte! On s'amuse!

Quelle journée !

CA 132

Votre journée s'est bien passée. Rédigez un petit rapport, pour présentation à la classe, qui décrit les activités que vous avez faites avec vos visiteurs.

**langage-ressource
pp.174, 177**

Carnet de Lecture

LES ENFANTS DU CHANTIER

CA 133

(Document-ressource : *Vidéo-Presse*)

À environ 1000 kilomètres au nord de Montréal, Hydro-Québec est en train de construire la centrale hydro-électrique de Laforge I. Plus de 1000 personnes travaillent sur ce chantier isolé. Certains employés ont même amené leur femme et leurs enfants à Laforge, ce petit village perdu au milieu des plaines enneigées. Les quatre-vingts jeunes de Laforge vivent sans cinéma, sans rues commerciales et animées, et sans salles de jeux. Pour ces jeunes, c'est une vie bien différente de celle des grandes villes.

Heureusement, le village est équipé d'une aréna, d'une piscine, d'un centre sportif et d'une salle de billard. Mais si on n'aime ni le sport ni le billard, la vie peut être très monotone à Laforge.

Pour passer le temps, la plupart des jeunes ont donc trouvé un moyen de travailler. Ceux qui ont une douzaine d'années vendent les billets pour les fêtes. Ceux qui ont 13 ou 14 ans font du baby-sitting. Il y a même des garçons et des filles — certains âgés de 10 ans seulement — qui sont animateurs et animatrices à la station de radio communautaire CHOC FM !

Pendant leurs heures libres, les jeunes de Laforge se retrouvent au centre de loisirs pour faire un jeu vidéo ou regarder la télévision. Ou bien, ils vont chez l'un ou chez l'autre pour discuter ou écouter de la musique. Dans ce village perdu, les jeunes forment un cercle de bons amis.

Ces jeunes ne sont pas toujours impatients de quitter le chantier. Comme dit Geneviève Charron, «les gens de la ville sont trop énervés, trop stressés. En ville, il y a les voitures et le bruit. Ici, on est habitués au silence.»

Mais, quand la construction de la centrale électrique sera terminée, tout le monde devra quitter Laforge. Déjà, Geneviève sait qu'elle retournera à Val-d'Or, la ville où elle a grandi. Quant aux autres jeunes, qui sait? Ils se retrouveront peut-être dans un autre chantier hydro-électrique. Mais ils savent très bien que, isolés ou non, ils ne seront jamais sans amis. Ça, c'est une certitude.

? Voudriez-vous habiter un petit village comme Laforge? Pourquoi?

Où avez-vous appris le français?

À l'école secondaire et à l'université. Après mes études, j'ai aussi vécu en France. J'ai très vite réalisé les avantages qu'il y a à savoir parler français.

Avez-vous l'occasion de pratiquer le français?

Dans mon emploi, je parle souvent le français. Chaque été, par exemple, je travaille comme guide touristique pour une compagnie qui organise des voyages éducatifs en Europe.

Anita Pauwels

Nom : Anita Pauwels

Profession : Agente de voyages

Pouvez-vous nous raconter une anecdote où votre connaissance du français a joué un rôle important?

Quand je voyage en Europe avec des groupes canadiens, il y a toujours des problèmes : par exemple, la perte d'un passeport ou d'un portefeuille. Dans ces cas, pour communiquer avec la police, le français est essentiel.

Une fois, un membre de mon groupe s'est cassé une dent en mangeant une baguette! Alors, j'ai dû appeler un dentiste (qui ne parlait pas anglais) pour lui expliquer le problème. Là, j'étais bien contente d'avoir appris le français!

D'après vous, quel est l'avantage majeur de la connaissance du français?

À mon avis, il y a deux grands avantages. Le premier, c'est la satisfaction de communiquer dans une autre langue. Le second, c'est l'avantage qu'on a en cherchant un emploi dans un monde de plus en plus compétitif.

Remarquez-vous un changement d'attitude chez les jeunes avant et après un voyage dans un pays francophone?

Bien sûr! En utilisant le français dans un milieu francophone, les jeunes réalisent que c'est une vraie langue de communication. Ils commencent à en reconnaître la valeur et les avantages qu'il y a à l'étudier.

Comment les voyages ont-ils enrichi votre vie?

Les voyages m'ont offert la possibilité de connaître beaucoup de gens intéressants et sympathiques. Et, ce qui est peut-être plus important, mes voyages m'ont donné l'occasion de mieux me connaître moi-même.

Avez-vous des conseils pour ceux qui veulent travailler dans le domaine du tourisme?

Si vous avez le temps et les moyens, voyagez autant que possible avant de vous lancer dans le monde du tourisme. Et le conseil le plus important : apprenez au moins une langue étrangère. Bonne chance et bon voyage!

Renseignez-vous !

- Vancouver Community College, Vancouver (Colombie-Britannique)
- University of Calgary, Calgary (Alberta)
- Saskatchewan Institute of Applied Science and Technology – Kelsey Institute, Saskatoon, (Saskatchewan)
- Assiniboine Community College, Brandon (Manitoba)
- Seneca College of Applied Arts and Technology, Toronto (Ontario)
- Institut de tourisme et d'hôtellerie du Québec, Montréal (Québec)
- Collège communautaire du Nouveau-Brunswick, St. Andrew, (Nouveau-Brunswick)
- Mount Saint Vincent University, Halifax (Nouvelle-Écosse)
- Holland College, Charlottetown (Île-du-Prince-Édouard)
- Western College of Applied Arts, Technology and Continuing Education, Stephenville (Terre-Neuve)

Le tourisme... une carrière de rêve

Tourisme... un mot qui fait rêver. Il évoque les vacances, les voyages... Mais le tourisme, c'est aussi une industrie qui crée, au Québec seulement, plus de 60 000 emplois. C'est une industrie qui représente, chaque année, des centaines de millions de dollars de revenus.

As-tu déjà considéré une carrière dans le tourisme? Il faut dire qu'une bonne formation de base est essentielle pour y travailler. À cette fin, des collèges et des universités offrent des cours spécialisés : planification et développement touristiques, management et marketing, gestion hôtelière et restauration.

Quelles sont les qualités nécessaires pour faire carrière dans le tourisme? Eh bien, il faut tout d'abord aimer travailler avec le public. Il faut avoir un sens de l'organisation et des responsabilités. En plus, le dynamisme et la curiosité sont essentiels.

C'est beaucoup demander, n'est-ce pas? Bien sûr! Mais, considère les récompenses... Tu vas t'ouvrir sur le monde et rencontrer des gens des quatre coins de la planète. Et ça, c'est un rêve!

(Document-ressource : *Filles d'aujourd'hui*)

dossier **C**

CULTURES ET COMMUNAUTÉS

Quand on participe à un échange, qu'est-ce qu'on apprend au sujet d'autres cultures et de sa propre culture? Voici les impressions de deux jeunes qui ont vécu de telles expériences. Suzanne Anctil, du Québec, a visité la Colombie-Britannique pendant une semaine et Emily Yri, de la Nouvelle-Zélande, a passé un an au Québec.

UNE QUÉBÉCOISE EN COLOMBIE-BRITANNIQUE

par Suzanne Anctil, Roberval

Pour célébrer l'anniversaire de la Confédération canadienne, le gouvernement a financé un programme d'échanges pour des jeunes âgés de 16 à 21 ans. Moi, j'habite au Québec et, grâce à ce programme, j'ai pu faire un voyage d'une semaine à Quesnel, en Colombie-Britannique.

Quesnel est une petite ville perdue dans les montagnes, à environ huit heures d'automobile au nord de Vancouver. La semaine que j'y ai passée m'a aidée à observer les différences entre les francophones et les anglophones du Canada.

D'abord, bien sûr, la langue. Sur ce point, je n'ai pas eu beaucoup de difficultés, car mon anglais est assez bon. La différence est dans la mentalité des gens. Là-bas, en Colombie-Britannique, on est plus « Roger-Bon-Temps ». On ne prend pas la vie trop au sérieux. Par contre, nous, les Québécois, nous sommes quelquefois trop préoccupés par nos problèmes, trop maniaques de la perfection.

Mais, à mon avis, l'essentiel dans la vie, c'est d'accepter les gens comme ils sont. C'est de découvrir les différences des cultures et d'en apprécier les points communs. Voilà ce que j'ai appris en une semaine en Colombie-Britannique. Je suis allée loin, direz-vous, pour tirer une si petite leçon. Ah! certaines personnes devraient faire le voyage…

UNE NÉO-ZÉLANDAISE AU QUÉBEC

par Emily Yri

Chers amis québécois,
Avant de quitter la Nouvelle-Zélande pour passer un an au Québec, je n'avais aucune idée de ce qui m'y attendait. Bien sûr, je savais que je devais apprendre à parler français. Et je savais aussi qu'il ferait très froid en hiver. C'est presque tout!

Et maintenant que j'ai passé des mois ici, quelles différences ai-je remarquées entre la Nouvelle-Zélande et le Québec? Tout d'abord, je dois dire que j'aime beaucoup les Québécois. Ils ont une certaine joie de vivre qui est évidente.

Chez les jeunes Québécois, j'ai été surprise par l'importance du groupe. Pour une étrangère qui a des difficultés avec la langue, ce n'est pas toujours facile d'entrer dans un groupe. Ça me frustre de temps en temps, mais je comprends que « l'esprit de gang » est très important pour les jeunes ici.

Mais la chose qui m'a le plus frappée ici, c'est la liberté personnelle des jeunes Québécois. Vous avez le droit de vous habiller comme vous voulez pour aller à l'école. Vous avez le droit de fumer à l'école — à l'extérieur, bien sûr! Vous avez le droit de vous maquiller comme des mannequins, si vous le désirez! Et pourtant, vous dites que vous n'avez pas assez de liberté! Chez moi, en Nouvelle-Zélande, on est beaucoup plus strict! À mon avis, la liberté de prendre ses propres décisions, de faire ses choix est précieuse. Vous êtes chanceux de l'avoir.

En résumé, j'adore la vie québécoise! Naturellement, j'ai hâte de revoir ma famille en Nouvelle-Zélande. Mais je suis certaine que je vais m'ennuyer du Québec et de tous mes amis québécois!

(Document-ressource : *Magazine Jeunesse*)

à vous la parole!

- Quelle différence Suzanne Anctil a-t-elle remarquée entre la mentalité des gens de la Colombie-Britannique et du Québec?

- Pour Suzanne, quel est l'essentiel dans la vie?

- Qu'est-ce qui a le plus frappé Emily Yri chez les Québécois?

- Est-ce que « l'esprit de gang » est important pour vous et vos amis? Pourquoi?

- À l'école, quels droits avez-vous en comparaison avec les jeunes Québécois?

- Pour vous, quelles « libertés personnelles » sont les plus importantes?

- Voudriez-vous visiter un autre pays? Lequel? Pourquoi?

contact *culture*

Les noms de famille ont des origines diverses. Ils décrivent souvent un trait physique, un métier ou un lieu. Par exemple, si vous vous appelez *Lebrun*, un de vos ancêtres avait sans doute les cheveux bruns. Si vous vous appelez *Larivière*, vos ancêtres habitaient près d'une rivière. Et si votre nom de famille est *Marchand*, un de vos ancêtres était probablement dans le commerce.

D'après vous, quelle est l'origine de ces noms?

Legrand
Legros
Chevalier
Boulanger
Boucher
Delisle
Dubois
Delafontaine

Quel métier est à l'origine de tous ces noms?

arabe	*Haddad*
italien	*Ferraio*
allemand	*Schmidt*
espagnol	*Herrero*
portugais	*Ferreira*
polonais	*Kowalski*

Pouvez-vous trouver l'origine de votre nom?

Selon la loi...

Au Québec, les femmes gardent leur nom de famille pour la vie. Quand elles se marient, elles peuvent utiliser seulement le nom de leur mari, ou les deux, mais leur nom de fille reste leur nom légal. Et les enfants? Ils ont le choix! Nom de leur père, nom de leur mère, ou les deux!

(Archives nationales du Québec)

Les langues romanes — le français, l'italien, l'espagnol, par exemple — ont une influence internationale. Beaucoup d'autres langues ont adopté des mots d'origine romane.

FRANÇAIS	ALLEMAND
trottoir	Trottoir
logis	Logis
billet	Billett
téléphone	Telefon

FRANÇAIS	JAPONAIS	
jupon	ズボン	(zoo-bon)
omelette	オムレツ	(oh-moor-ets-oo)
mayonnaise	マヨネーズ	(may-oh-neez-oo)
rendez-vous	ランデブー	(ron-day-boo)

FRANÇAIS	CHINOIS	
salade	色拉	(seh-lah)
soufflé	蘇夫厘	(soo-foo-li)
jaquette	茄克	(jah-keh)

FRANÇAIS	ARABE	
gant	جوانتي	(guan-tee)
poste	بوسطة	(boh-stah)
savon	صابون	(sa-boon)
table	طاولة	(taw-lah)

FRANÇAIS	GREC	
collier	κολιε	(col-yeh)
salon	σαλονι	(sa-loh-nee)
portefeuille	πορτοφολι	(por-toh-foh-lee)
dentelle	δαντελα	(dan-tel-la)

savoir faire

Jeunes voyageurs

Avez-vous déjà visité d'autres communautés du Canada ? Lesquelles ?

Rédigez une description de votre visite, pour le magazine *Jeunes voyageurs.*

- Qui a organisé la visite ?
- Qu'est-ce qui vous a motivé(e) à visiter cette communauté ?
- Comment vous y êtes-vous rendu(e) ?
- Qu'est-ce que vous y avez fait ?
- Par comparaison avec votre communauté, quelles similarités et quelles différences avez-vous remarquées ? (géographie, climat, mentalité des gens, culture, coutumes, mode de vie, etc.)
- Qu'est-ce qui vous a le plus frappé ?
- Quel souvenir gardez-vous de cette visite ?

langage-ressource
pp.174, 177

« Le plus grand plaisir de voyager est celui de raconter. »

— *Alexandre Dumas (Fils)*

Guide-communauté

Que mettriez-vous dans un guide de votre communauté?
Choisissez un des sujets suivants, ou un autre sujet, et
préparez cette section du guide. (Chaque groupe doit être
responsable d'une section différente.)

- origines et histoire (nom, fondateur, premiers
  habitants, population, etc.)
- site et environs (aspects géographiques)
- industrie et commerce (usines, fermes, pêcheries, etc.)
- attractions (festivals, carnavals, monuments et sites
  historiques, universités, musées, stades, etc.)
- cuisine (spécialités, restaurants, cafés, etc.)
- arts et artisanat (danse, théâtre, musique, peinture,
  sculpture, etc.)
- célébrités (artistes, écrivains, politiciens, etc.)
- divertissements et loisirs (sports, théâtre, parcs, salles
  de concerts, etc.)

**Avez-vous des idées pour illustrer votre
section du guide?**

Présentez votre travail à la classe. La classe
peut combiner les sections pour en faire
un guide-communauté.

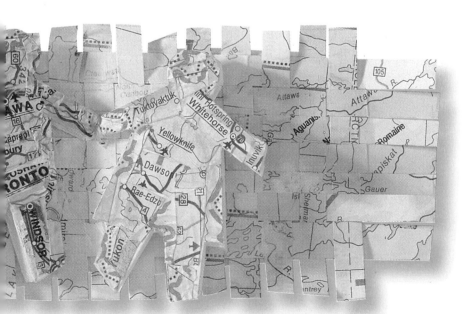

Les symboles

Toutes les sociétés choisissent
des symboles qui les
représentent. On les trouve, par
exemple, sur des drapeaux, des
armoiries, des totems et des
sceaux. Quel est le symbole
de votre école, de votre
communauté, de votre province?

signes et symboles

un sceau

des armoiries

un drapeau

un *mon*

un monogramme

un totem

Deux artistes canadiens

CA 138

(Document-ressource : Le courrier du patrimoine; timbres reproduits avec l'autorisation de la Société canadienne des postes)

EMILY CARR

1871-1945 EMILY CARR painter / peintre
Canada 6

Native de Victoria, en Colombie-Britannique, Emily Carr était une adolescente rebelle. Plus tard, cette individualité et cette indépendance seront reflétées dans ses superbes toiles qui évoquent le mystère et l'âme de la côte ouest. Ses deux grands thèmes sont la culture autochtone et la puissance de la nature.

Jeune femme, Emily Carr fait des études de peinture aux États-Unis et en Angleterre. Mais c'est seulement à son retour à Victoria qu'elle trouve sa véritable inspiration. Elle va sur la côte, à la découverte de villages indiens accessibles uniquement par bateau. Elle est touchée profondément par la culture des autochtones. Ils l'invitent à partager leur mode de vie, et ils la baptisent Klee Wyck, qui signifie « Celle-qui-rit ».

Pendant sa vie, Emily Carr a beaucoup admiré, comme elle dit, « la grandeur et le courage des peintres ontariens du Groupe des Sept qui créent un art digne de notre magnifique pays ». Elle a voulu « faire une marque modeste pour l'Ouest, faire ma part en tant que femme ». Elle y a réussi admirablement et a su traduire dans ses toiles toute la beauté et l'énergie qu'elle trouvait dans la nature sauvage de la côte ouest qu'elle aimait tant.

ANTOINE DUMAS

Natif de la ville de Québec, Antoine Dumas est un des grands artistes québécois de nos jours. Mais ses thèmes ne sont pas seulement québécois. Ils sont universels.

Fils d'un journaliste, Dumas entre à l'âge de vingt ans à l'École des beaux-arts. Étudiant exceptionnel, il reçoit à la fin de ses études la médaille d'argent.

En 1969, il se rend à San Francisco pour étudier la peinture. C'est l'époque du mouvement « hippie ». Dumas est électrisé par la lumière, la musique et la vitalité. C'est ici qu'il découvre ses couleurs éclatantes.

De retour au Québec, l'artiste illustre des livres d'art, crée des timbres pour la Société canadienne des postes et présente des douzaines d'expositions de ses peintures.

Au cours des années, Antoine Dumas a gagné le respect et l'admiration des critiques. Le public aussi reconnaît en lui un des rares artistes qui reflètent avec humour, intelligence et clarté la société moderne.

De quelles régions viennent ces artistes canadiens ?

- Norval Morrisseau
- Alex Colville
- Joyce Wieland
- William Kurelek
- James Wilson Morrice
- Ted Harrison
- Lucy Qinnuayuak
- Christopher Pratt
- Jean Paul Lemieux
- Tom Thomson

Y a-t-il des artistes dont les œuvres reflètent la vie de votre région? Apportez en classe des exemples de leurs créations.

c omment **exprimer une action réfléchie au passé**

Claude Vaillancourt de Québec raconte son voyage dans l'Outaouais.

Journée 1

Après trois heures de route, **nous nous sommes arrêtés** à Montréal pour le déjeuner. Ensuite, nous sommes repartis pour Maniwaki, où **nous nous sommes logés** pour la nuit.

Journée 2

À Maniwaki **nous nous sommes promenés** dans la rue principale. Après le lunch, c'était le départ pour Wakefield où nous avons visité le musée et le moulin McLaren. À 4 h 00, **nous nous sommes rendus** à Hull et, après le dîner, **nous nous sommes bien amusés** au spectacle «Son et Lumière» sur la colline parlementaire.

(Document-ressource : *Le Soleil*)

le passé composé du verbe réfléchi *s'amuser*

je	me suis amusé(e)
tu	t'es amusé(e)
il	s'est amusé
elle	s'est amusée
on	s'est amusé(e)s
nous	nous sommes amusé(e)s
vous	vous êtes amusé(e)(s)
ils	se sont amusés
elles	se sont amusées

comparez

non-réfléchi	**réfléchi**
Elle a lavé la voiture.	Elle s'est lavée.
Ont-elles amusé les enfants?	Se sont-elles amusées?
Nous avons arrêté le bruit.	Nous nous sommes arrêtés à Hull.
Je n'ai pas promené le chien.	Je ne me suis pas promené à vélo.
Il a regardé un film.	Il s'est regardé dans le miroir.
Elles ont acheté des souvenirs.	Elles se sont acheté des souvenirs.

l'accord du participe passé

comparez

objet direct

Nous **nous** sommes lavé**s**.
Elle **s**'est peigné**e**.

objet indirect

Nous **nous** sommes lavé les mains.
Elle **s**'est peigné les cheveux.

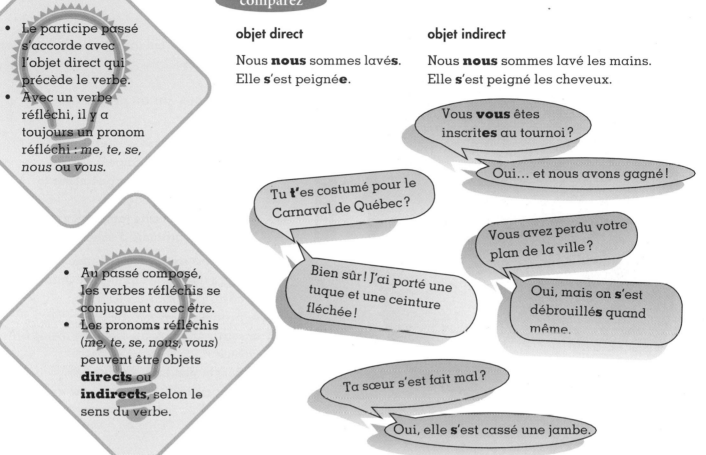

- Le participe passé s'accorde avec l'objet direct qui précède le verbe.
- Avec un verbe réfléchi, il y a toujours un pronom réfléchi : *me, te, se, nous ou vous.*

- Au passé composé, les verbes réfléchis se conjuguent avec *être.*
- Les pronoms réfléchis (*me, te, se, nous, vous*) peuvent être objets **directs** ou **indirects**, selon le sens du verbe.

Vous **vous** êtes inscrit**es** au tournoi ?

Oui... et nous avons gagné !

Tu **t**'es costumé pour le Carnaval de Québec ?

Bien sûr ! J'ai porté une tuque et une ceinture fléchée !

Vous avez perdu votre plan de la ville ?

Oui, mais on **s**'est débrouillé**s** quand même.

Ta sœur s'est fait mal ?

Oui, elle **s**'est cassé une jambe.

pratique a

vive les fêtes d'hiver !

L'hiver passé, des milliers de visiteurs ont participé au Festival du Voyageur. Qu'est-ce qu'ils y ont fait ?

1. s'informer sur toutes les activités
   ➤ **Ils se sont informés sur toutes les activités.**
2. s'habiller en costume d'époque pour le Bal du Gouverneur
3. se rendre au parc du Voyageur pour la grande fête
4. s'arrêter au Relais Métis
5. se renseigner sur la vie des pionniers
6. s'amuser au théâtre Pleine Lune
7. se promener dans le boulevard Provencher
8. s'inscrire aux concours

pratique b

déjà ou jamais ?

Votre partenaire a-t-il ou a-t-elle déjà fait les choses suivantes ?

1. **se renseigner sur un programme d'échange**

   – **Tu t'es déjà renseigné(e) sur un programme d'échange ?**
   – **Oui, je me suis renseigné(e) sur le programme Voyageurs.**

   ou – **Non, je ne me suis jamais renseigné(e) sur un programme d'échange.**

2. **s'inscrire à une visite-échange**
3. **se loger dans une auberge de jeunesse**
4. **se costumer pour un festival**
5. **se promener en calèche**
6. **se sentir anxieux ou anxieuse avant un voyage**
7. **se perdre pendant un voyage**
8. **s'occuper de l'itinéraire d'une excursion**

pratique c

mais pourquoi ?

Les étudiants de l'école Radisson ont fait un voyage de ski.

À votre avis, pourquoi est-ce que…

1. Martine a dû se rendre à l'hôpital ?

   ➤ **Elle s'est cassé la jambe.**

2. Roger est parti avant la fin du voyage ?
3. les moniteurs étaient de mauvaise humeur ?
4. Simone et Johanne ont manqué l'excursion à Sainte-Adèle ?
5. René a dû rester deux jours dans sa chambre d'hôtel ?
6. Daniel et Paul veulent revisiter la région ?
7. Marc et Jules ne sont pas allés à la soirée dansante ?
8. Sophie a dû demander des directives ?

Possibilités

- s'amuser beaucoup
- se casser la jambe
- se coucher de bonne heure
- se disputer toute la journée
- s'ennuyer pendant les activités
- se faire mal sur les pistes
- se perdre dans la ville
- se réveiller trop tard

c o m m e n t *exprimer une action réciproque au passé*

Le voyage de Claude Vaillancourt continue…

Journée 3
Nous nous sommes réunis de bonne heure devant l'hôtel pour la visite de la colline parlementaire. Puis, nous sommes allés au Musée des beaux-arts du Canada. L'après-midi, **nous nous sommes rencontrés** au Musée des sciences et de la technologie.

Journée 4
Nous nous sommes rassemblés devant le Château Laurier pour une randonnée à vélo. Nous avons fait la promenade de Rockcliffe (6 km) et la boucle de Hull (25 km). Après la randonnée **nous nous sommes quittés** pour acheter des souvenirs.

(Document-ressource : *Le Soleil*)

fonction

Les verbes réciproques expriment une action mutuelle.

comparez

Gaston a vu Florent. Florent a vu Gaston.	=	Ils se sont vus.
Monique a aidé Marie. Marie a aidé Monique.	=	Elles se sont aidées.
Je t'ai rencontré ici. Tu m'as rencontré ici.	=	Nous nous sommes rencontrés ici. On s'est rencontrés ici.
Je t'ai envoyé des photos. Tu m'as envoyé des photos.	=	Nous nous sommes envoyé des photos.

• Les pronoms réfléchis (*me, te, se, nous, vous*) peuvent être objets **directs** ou **indirects**, selon le sens du verbe.
• Les verbes qui expriment une action réfléchie réciproque sont toujours au pluriel.

l'accord du participe passé

objet direct

Ils **se** sont **réunis** devant le cinéma.

Nous ne **nous** sommes jamais **disputés**.

Vous êtes-vous bien **entendus** ?

objet indirect

Ils **se** sont **parlé** devant le cinéma.

Nous ne **nous** sommes jamais **écrit**.

Vous êtes-vous **téléphoné** ?

pratique a

FrancoFête

Vous êtes le ou la secrétaire du festival FrancoFête. Utilisez vos notes pour raconter les détails de la dernière réunion du comité organisateur.

- se réunir lundi après la classe
- proposer des invités d'honneur
- se renseigner sur les salles disponibles
- se disputer à cause du budget
- décider des activités préférées
- former les comités nécessaires
- établir le programme
- se quitter vers 5 h 00

➤ **Nous nous sommes réunis lundi après la classe.**

➤ **Nous avons proposé des invités d'honneur.**

pratique b

histoire d'amour

Quand Philippe était en visite-échange en Gaspésie, il a rencontré Gisèle. Racontez leur histoire.

1. Ils se rencontrent à une soirée dansante.

   ➤ **Ils se sont rencontrés à une soirée dansante.**

2. Ils se regardent.
3. Ils se parlent.
4. Ils s'entendent bien.
5. Ils se téléphonent.
6. Ils se rencontrent au café.
7. Ils se disputent.
8. Ils se quittent.
9. Ils ne se revoient jamais.

un échange inoubliable !

Nathalie Lesage, de France, raconte les expériences de son échange au Québec chez Céline Bouchard. Racontez les expériences de Nathalie.

1. s'écrire plusieurs lettres avant le voyage

> ➤ **On s'est écrit plusieurs lettres avant le voyage.**

2. s'envoyer des photos
3. se reconnaître à l'aéroport
4. se sentir à l'aise tout de suite
5. s'habituer assez vite à nos accents différents
6. s'entendre très bien pendant le séjour
7. se raconter des anecdotes personnelles
8. s'écrire plusieurs fois depuis mon retour en France

179

A verbes réguliers

infinitif	présent	imparfait	passé composé	futur	conditionnel
parler (parlant)	je parle	je parlais	j'ai parlé	je parlerai	je parlerais
parle	tu parles	tu parlais	tu as parlé	tu parleras	tu parlerais
parlons	il parle	il parlait	il a parlé	il parlera	il parlerait
parlez	elle parle	elle parlait	elle a parlé	elle parlera	elle parlerait
	nous parlons	nous parlions	nous avons parlé	nous parlerons	nous parlerions
	vous parlez	vous parliez	vous avez parlé	vous parlerez	vous parleriez
	ils parlent	ils parlaient	ils ont parlé	ils parleront	ils parleraient
	elles parlent	elles parlaient	elles ont parlé	elles parleront	elles parleraient
arriver* (arrivant)	j' arrive	j' arrivais	je suis arrivé(e)	j' arriverai	j' arriverais
arrive	tu arrives	tu arrivais	tu es arrivé(e)	tu arriveras	tu arriverais
arrivons	il arrive	il arrivait	il est arrivé	il arrivera	il arriverait
arrivez	elle arrive	elle arrivait	elle est arrivée	elle arrivera	elle arriverait
	nous arrivons	nous arrivions	nous sommes arrivé(e)s	nous arriverons	nous arriverions
	vous arrivez	vous arriviez	vous êtes arrivé(e)(s)	vous arriverez	vous arriveriez
	ils arrivent	ils arrivaient	ils sont arrivés	ils arriveront	ils arriveraient
	elles arrivent	elles arrivaient	elles sont arrivées	elles arriveront	elles arriveraient
se laver* (se lavant)	je me lave	je me lavais	je me suis lavé(e)	je me laverai	je me laverais
lave-toi	tu te laves	tu te lavais	tu t'es lavé(e)	tu te laveras	tu te laverais
lavons-nous	il se lave	il se lavait	il s'est lavé	il se lavera	il se laverait
lavez-vous	elle se lave	elle se lavait	elle s'est lavée	elle se lavera	elle se laverait
	nous nous lavons	nous nous lavions	nous nous sommes lavé(e)s	nous nous laverons	nous nous laverions
	vous vous lavez	vous vous laviez	vous vous êtes lavé(e)(s)	vous vous laverez	vous vous laveriez
	ils se lavent	ils se lavaient	ils se sont lavés	ils se laveront	ils se laveraient
	elles se lavent	elles se lavaient	elles se sont lavées	elles se laveront	elles se laveraient
finir (finissant)	je finis	je finissais	j'ai fini	je finirai	je finirais
finis	tu finis	tu finissais	tu as fini	tu finiras	tu finirais
finissons	il finit	il finissait	il a fini	il finira	il finirait
finissez	elle finit	elle finissait	elle a fini	elle finira	elle finirait
	nous finissons	nous finissions	nous avons fini	nous finirons	nous finirions
	vous finissez	vous finissiez	vous avez fini	vous finirez	vous finiriez
	ils finissent	ils finissaient	ils ont fini	ils finiront	ils finiraient
	elles finissent	elles finissaient	elles ont fini	elles finiront	elles finiraient
vendre (vendant)	je vends	je vendais	j'ai vendu	je vendrai	je vendrais
vends	tu vends	tu vendais	tu as vendu	tu vendras	tu vendrais
vendons	il vend	il vendait	il a vendu	il vendra	il vendrait
vendez	elle vend	elle vendait	elle a vendu	elle vendra	elle vendrait
	nous vendons	nous vendions	nous avons vendu	nous vendrons	nous vendrions
	vous vendez	vous vendiez	vous avez vendu	vous vendrez	vous vendriez
	ils vendent	ils vendaient	ils ont vendu	ils vendront	ils vendraient
	elles vendent	elles vendaient	elles ont vendu	elles vendront	elles vendraient

*conjugué avec *être*

aussi conjugués avec *être* : *descendre, entrer, monter, rentrer, rester, retourner, tomber*

infinitif	présent	imparfait	passé composé	futur	conditionnel
être (étant)	je suis	j' étais	j'ai été	je serai	je serais
sois	tu es	tu étais	tu as été	tu seras	tu serais
soyons	il est	il était	il a été	il sera	il serait
soyez	elle est	elle était	elle a été	elle sera	elle serait
	nous sommes	nous étions	nous avons été	nous serons	nous serions
	vous êtes	vous étiez	vous avez été	vous serez	vous seriez
	ils sont	ils étaient	ils ont été	ils seront	ils seraient
	elles sont	elles étaient	elles ont été	elles seront	elles seraient
avoir (ayant)	j' ai	j' avais	j'ai eu	j' aurai	j' aurais
aie	tu as	tu avais	tu as eu	tu auras	tu aurais
ayons	il a	il avait	il a eu	il aura	il aurait
ayez	elle a	elle avait	elle a eu	elle aura	elle aurait
	nous avons	nous avions	nous avons eu	nous aurons	nous aurions
	vous avez	vous aviez	vous avez eu	vous aurez	vous auriez
	ils ont	ils avaient	ils ont eu	ils auront	ils auraient
	elles ont	elles avaient	elles ont eu	elles auront	elles auraient

 verbes irréguliers

infinitif	participe	présent	imparfait	passé composé	futur	conditionnel
acheter	achetant	j'achète	j'achetais	j'ai acheté	j'achèterai	j'achèterais

IMPÉRATIF : achète, achetons, achetez

PRÉSENT : j'achète, tu achètes, il achète, elle achète, nous achetons, vous achetez, ils achètent, elles achètent

aller*	allant	je vais	j'allais	je suis allé(e)	j'irai	j'irais

IMPÉRATIF : va, allons, allez

PRÉSENT : je vais, tu vas, il va, elle va, nous allons, vous allez, ils vont, elles vont

amener	(comme **acheter**)

annoncer	(comme **commencer**)

appeler	appelant	j'appelle	j'appelais	j'ai appelé	j'appellerai	j'appellerais

IMPÉRATIF : appelle, appelons, appelez

PRÉSENT : j'appelle, tu appelles, il appelle, elle appelle, nous appelons, vous appelez, ils appellent, elles appellent

apprendre	(comme **prendre**)

appuyer	appuyant	j'appuie	j'appuyais	j'ai appuyé	j'appuierai	j'appuierais

IMPÉRATIF : appuie, appuyons, appuyez

PRÉSENT : j'appuie, tu appuies, il appuie, elle appuie, nous appuyons, vous appuyez, ils appuient, elles appuient

arranger	(comme **manger**)

s'asseoir*	s'asseyant (s'assoyant)	je m'assieds (je m'assois)	je m'asseyais (je m'assoyais)	je me suis assis(e)	je m'assiérai (je m'asseyerai)	je m'assiérais (je m'assoirais)

IMPÉRATIF : assieds-toi (assois-toi), asseyons-nous (assoyons-nous), asseyez-vous (assoyez-vous)

PRÉSENT : je m'assieds, tu t'assieds, il s'assied, elle s'assied, nous nous asseyons, vous vous asseyez, ils s'asseyent, elles s'asseyent (je m'assois, tu t'assois, il s'assoit, elle s'assoit, nous nous assoyons, vous vous assoyez, ils s'assoient, elles s'assoient)

infinitif	participe	présent	imparfait	passé composé	futur	conditionnel
avoir	ayant	j'ai	j'avais	j'ai eu	j'aurai	j'aurais

IMPÉRATIF : aie, ayons, ayez

PRÉSENT : j'ai, tu as, il a, elle a, nous avons, vous avez, ils ont, elles ont

battre	battant	je bats	je battais	j'ai battu	je battrai	je battrais

PRÉSENT : je bats, tu bats, il bat, elle bat, nous battons, vous battez, ils battent, elles battent

boire	buvant	je bois	je buvais	j'ai bu	je boirai	je boirais

PRÉSENT : je bois, tu bois, il boit, elle boit, nous buvons, vous buvez, ils boivent, elles boivent

bouger	(comme **manger**)
changer	(comme **manger**)

commencer	commençant	je commence	je commençais	j'ai commencé	je commencerai	je commencerais

IMPÉRATIF : commence, commençons, commencez

PRÉSENT : je commence, tu commences, il commence, elle commence, nous commençons, vous commencez, ils commencent, elles commencent

IMPARFAIT : je commençais, tu commençais, il commençait, elle commençait, nous commencions, vous commenciez, ils commençaient, elles commençaient

comprendre	(comme **prendre**)
concevoir	(comme **recevoir**)

conduire	conduisant	je conduis	je conduisais	j'ai conduit	je conduirai	je conduirais

PRÉSENT : je conduis, tu conduis, il conduit, elle conduit, nous conduisons, vous conduisez, ils conduisent, elles conduisent

connaître	connaissant	je connais	je connaissais	j'ai connu	je connaîtrai	je connaîtrais

PRÉSENT : je connais, tu connais, il connaît, elle connaît, nous connaissons, vous connaissez, ils connaissent, elles connaissent

considérer	(comme **espérer**)

courir	courant	je cours	je courais	j'ai couru	je courrai	je courrais

PRÉSENT : je cours, tu cours, il court, elle court, nous courons, vous courez, ils courent, elles courent

croire	croyant	je crois	je croyais	j'ai cru	je croirai	je croirais

PRÉSENT : je crois, tu crois, il croit, elle croit, nous croyons, vous croyez, ils croient, elles croient

couvrir	(comme **ouvrir**)
cuire	(comme **conduire**)
découvrir	(comme **ouvrir**)
décrire	(comme **écrire**)
déménager	(comme **manger**)
déranger	(comme **manger**)
devenir*	(comme **venir**)

devoir	devant	je dois	je devais	j'ai dû	je devrai	je devrais

PRÉSENT : je dois, tu dois, il doit, elle doit, nous devons, vous devez, ils doivent, elles doivent

dire	disant	je dis	je disais	j'ai dit	je dirai	je dirais

PRÉSENT : je dis, tu dis, il dit, elle dit, nous disons, vous dites, ils disent, elles disent

disparaître	(comme **connaître**)

infinitif	participe	présent	imparfait	passé composé	futur	conditionnel
dormir	(comme **partir**)					
échanger	(comme **manger**)					
écrire	écrivant	j'écris	j'écrivais	j'ai écrit	j'écrirai	j'écrirais
	PRÉSENT : j'écris, tu écris, il écrit, elle écrit, nous écrivons, vous écrivez, ils écrivent, elles écrivent					
emmener	(comme **acheter**)					
employer	employant	j'emploie	j'employais	j'ai employé	j'emploierai	j'emploierais
	PRÉSENT : j'emploie, tu emploies, il emploie, elle emploie, nous employons, vous employez, ils emploient, elles emploient					
encourager	(comme **manger**)					
s'ennuyer*	(comme **appuyer**)					
envoyer	envoyant	j'envoie	j'envoyais	j'ai envoyé	j'enverrai	j'enverrais
	PRÉSENT : j'envoie, tu envoies, il envoie, elle envoie, nous envoyons, vous envoyez, ils envoient, elles envoient					
espérer	espérant	j'espère	j'espérais	j'ai espéré	j'espérerai	j'espérerais
	IMPÉRATIF : espère, espérons, espérez					
	PRÉSENT : j'espère, tu espères, il espère, elle espère, nous espérons, vous espérez, ils espèrent, elles espèrent					
essayer	essayant	j'essaie (j'essaye)	j'essayais	j'ai essayé	j'essaierai (j'essayerai)	j'essaierais (j'essayerais)
	IMPÉRATIF : essaie (essaye), essayons, essayez					
	PRÉSENT : j'essaie (j'essaye), tu essaies (tu essayes), il essaie (il essaye), elle essaie (elle essaye), nous essayons, vous essayez, ils essaient (ils essayent), elles essaient (elles essayent)					
être	étant	je suis	j'étais	j'ai été	je serai	je serais
	IMPÉRATIF : sois, soyons, soyez					
	PRÉSENT : je suis, tu es, il est, elle est, nous sommes, vous êtes, ils sont, elles sont					
faire	faisant	je fais	je faisais	j'ai fait	je ferai	je ferais
	PRÉSENT : je fais, tu fais, il fait, elle fait, nous faisons, vous faites, ils font, elles font					
falloir		il faut	il fallait	il a fallu	il faudra	il faudrait
s'inscrire*	(comme **écrire**)					
jeter	jetant	je jette	je jetais	j'ai jeté	je jetterai	je jetterais
	PRÉSENT : je jette, tu jettes, il jette, elle jette, nous jetons, vous jetez, ils jettent, elles jettent					
se lever*	(comme **acheter**)					
lire	lisant	je lis	je lisais	j'ai lu	je lirai	je lirais
	PRÉSENT : je lis, tu lis, il lit, elle lit, nous lisons, vous lisez, ils lisent, elles lisent					
manger	mangeant	je mange	je mangeais	j'ai mangé	je mangerai	je mangerais
	IMPÉRATIF : mange, mangeons, mangez					
	PRÉSENT : je mange, tu manges, il mange, elle mange, nous mangeons, vous mangez, ils mangent, elles mangent					
	IMPARFAIT : je mangeais, tu mangeais, il mangeait, elle mangeait, nous mangions, vous mangiez, ils mangeaient, elles mangeaient					
mener	(comme **acheter**)					
mentir	(comme **partir**)					
mettre	mettant	je mets	je mettais	j'ai mis	je mettrai	je mettrais
	PRÉSENT : je mets, tu mets, il met, elle met, nous mettons, vous mettez, ils mettent, elles mettent					

infinitif	participe	présent	imparfait	passé composé	futur	conditionnel
nager	(comme manger)					
nettoyer	(comme employer)					
obliger	(comme manger)					
offrir	(comme ouvrir)					
ouvrir	ouvrant	j'ouvre	j'ouvrais	j'ai ouvert	j'ouvrirai	j'ouvrirais
	IMPÉRATIF : ouvre, ouvrons, ouvrez					
	PRÉSENT : j'ouvre, tu ouvres, il ouvre, elle ouvre, nous ouvrons, vous ouvrez, ils ouvrent, elles ouvrent					
partager	(comme manger)					
partir*	partant	je pars	je partais	je suis parti(e)	je partirai	je partirais
	PRÉSENT : je pars, tu pars, il part, elle part, nous partons, vous partez, ils partent, elles partent					
payer	(comme essayer)					
permettre	(comme mettre)					
placer	(comme commencer)					
pleuvoir	pleuvant	il pleut	il pleuvait	il a plu	il pleuvra	il pleuvrait
plonger	(comme manger)					
pouvoir	pouvant	je peux	je pouvais	j'ai pu	je pourrai	je pourrais
	PRÉSENT : je peux, tu peux, il peut, elle peut, nous pouvons, vous pouvez, ils peuvent, elles peuvent					
prédire	(comme dire)					
préférer	(comme espérer)					
prendre	prenant	je prends	je prenais	j'ai pris	je prendrai	je prendrais
	PRÉSENT : je prends, tu prends, il prend, elle prend, nous prenons, vous prenez, ils prennent, elles prennent					
produire	(comme conduire)					
se promener*	(comme acheter)					
promouvoir	promouvant	je promeus	je promouvais	j'ai promu	je promouvrai	je promouvrais
	PRÉSENT : je promeus, tu promeus, il promeut, elle promeut, nous promouvons, vous promouvez, ils promeuvent, elles promeuvent					
se rappeler*	(comme appeler)					
ramener	(comme acheter)					
ranger	(comme manger)					
recevoir	recevant	je reçois	je recevais	j'ai reçu	je recevrai	je recevrais
	PRÉSENT : je reçois, tu reçois, il reçoit, elle reçoit, nous recevons, vous recevez, ils reçoivent, elles reçoivent					
reconnaître	(comme connaître)					
relire	(comme lire)					
remplacer	(comme commencer)					
répéter	(comme espérer)					
résoudre	résolvant	je résous	je résolvais	j'ai résolu	je résoudrai	je résoudrais
	PRÉSENT : je résous, tu résous, il résout, elle résout, nous résolvons, vous résolvez, ils résolvent, elles résolvent					

infinitif	participe	présent	imparfait	passé composé	futur	conditionnel
revivre	(comme **vivre**)					
revoir	(comme **voir**)					
rire	riant	je ris	je riais	j'ai ri	je rirai	je rirais

PRÉSENT : je ris, tu ris, il rit, elle rit, nous rions, vous riez, ils rient, elles rient

IMPARFAIT : je riais, tu riais, il riait, elle riait, nous riions, vous riiez, ils riaient, elles riaient

savoir	sachant	je sais	je savais	j'ai su	je saurai	je saurais

IMPÉRATIF : sache, sachons, sachez

PRÉSENT : je sais, tu sais, il sait, elle sait, nous savons, vous savez, ils savent, elles savent

se sentir*	(comme **partir**)					
servir	servant	je sers	je servais	j'ai servi	je servirai	je servirais

PRÉSENT : je sers, tu sers, il sert, elle sert, nous servons, vous servez, ils servent, elles servent

songer	(comme **manger**)					
sortir*	(comme **partir**)					
se souvenir*	(comme **venir**)					
suivre	suivant	je suis	je suivais	j'ai suivi	je suivrai	je suivrais

PRÉSENT : je suis, tu suis, il suit, elle suit, nous suivons, vous suivez, ils suivent, elles suivent

surprendre	(comme **prendre**)					
tenir	(comme **venir**)					
venir*	venant	je viens	je venais	je suis venu(e)	je viendrai	je viendrais

PRÉSENT : je viens, tu viens, il vient, elle vient, nous venons, vous venez, ils viennent, elles viennent

vivre	vivant	je vis	je vivais	j'ai vécu	je vivrai	je vivrais

PRÉSENT : je vis, tu vis, il vit, elle vit, nous vivons, vous vivez, ils vivent, elles vivent

voir	voyant	je vois	je voyais	j'ai vu	je verrai	je verrais

PRÉSENT : je vois, tu vois, il voit, elle voit, nous voyons, vous voyez, ils voient, elles voient

IMPARFAIT : je voyais, tu voyais, il voyait, elle voyait, nous voyions, vous voyiez, ils voyaient, elles voyaient

vouloir	voulant	je veux	je voulais	j'ai voulu	je voudrai	je voudrais

PRÉSENT : je veux, tu veux, il veut, elle veut, nous voulons, vous voulez, ils veulent, elles veulent

voyager	(comme **manger**)					

Sommaire linguistique

1 les adjectifs

A formation et placement

singulier		pluriel	
masculin	**féminin**	**masculin**	**féminin**
amical	amicale	amicaux	amicales
ancien*	ancienne	anciens	anciennes
beau (bel†)*	belle	beaux	belles
blanc	blanche	blancs	blanches
bon*	bonne	bons	bonnes
ce(cet†)*	cette	ces	ces
cher	chère	chers	chères
complet	complète	complets	complètes
compréhensif	compréhensive	compréhensifs	compréhensives
courant	courante	courants	courantes
créateur	créatrice	créateurs	créatrices
dernier	dernière	derniers	dernières
doux	douce	doux	douces
efficace	efficace	efficaces	efficaces
épicé	épicée	épicés	épicées
favori	favorite	favoris	favorites
fou(fol†)	folle	fous	folles
gentil	gentille	gentils	gentilles
nerveux	nerveuse	nerveux	nerveuses
fier	fière	fiers	fières
frais	fraîche	frais	fraîches
gros*	grosse	gros	grosses
long	longue	longs	longues
mauvais*	mauvaise	mauvais	mauvaises
personnel	personnelle	personnels	personnelles
quel*	quelle	quels	quelles
tout*	toute	tous	toutes
travailleur	travailleuse	travailleurs	travailleuses
vieux (vieil†)*	vieille	vieux	vieilles

* Ces adjectifs précèdent le nom. On met aussi devant le nom :
   aucun, autre, excellent, grand, jeune, joli, meilleur, même, petit, pire, plusieurs, premier, propre, quelque, seul.

† On utilise ces formes devant une voyelle ou un « h » muet.

☞ **attention**
Les adjectifs *cajun, chic, écolo, extra, sensass, snob* et *vidéo* sont invariables.

Des devient *de (d')* devant un adjectif pluriel qui précède le nom :
   *On vous a donné **de** mauvais conseils.*
   *As-tu conservé **d'**autres souvenirs de ton enfance ?*

B nationalité

pays/continent	masculin	féminin
l'Afrique	africain	africaine
l'Allemagne	allemand	allemande
l'Amérique du Sud	sud-américain	sud-américaine
l'Angleterre	anglais	anglaise
les Antilles	antillais	antillaise
l'Australie	australien	australienne
l'Autriche	autrichien	autrichienne
la Belgique	belge	belge
le Canada	canadien	canadienne
la Chine	chinois	chinoise
la Corée	coréen	coréenne
le Danemark	danois	danoise
l'Écosse	écossais	écossaise
l'Égypte	égyptien	égyptienne
l'Espagne	espagnol	espagnole
les États-Unis	américain	américaine
l'Europe	européen	européenne
la Finlande	finlandais	finlandaise
la France	français	française
la Grèce	grec	grecque
Haïti	haïtien	haïtienne

pays/continent	masculin	féminin
la Hollande	hollandais	hollandaise
la Hongrie	hongrois	hongroise
l'Inde	indien	indienne
l'Indonésie	indonésien	indonésienne
l'Irlande	irlandais	irlandaise
Israël	israélien	israélienne
l'Italie	italien	italienne
le Japon	japonais	japonaise
le Maroc	marocain	marocaine
le Mexique	mexicain	mexicaine
la Norvège	norvégien	norvégienne
la Nouvelle-Zélande	néo-zélandais	néo-zélandaise
le Pakistan	pakistanais	pakistanaise
les Philippines	philippin	philippine
la Pologne	polonais	polonaise
le Portugal	portugais	portugaise
la Russie	russe	russe
la Suède	suédois	suédoise
la Suisse	suisse	suisse
la Thaïlande	thaïlandais	thaïlandaise
la Turquie	turc	turque
le Viêt-nam	vietnamien	vietnamienne

C comparaison

La première publicité est **efficace**.
Elle est **plus efficace que** la deuxième publicité.
Elle est **aussi efficace que** la troisième publicité.

Elle est **moins efficace que** la quatrième publicité.
De toutes les publicités, la quatrième est **la plus efficace**.
La deuxième publicité est **la moins efficace** des quatre.

☞ *attention*
C'est **le plus cher** souvenir de mon enfance.
C'est le plat **le plus cher** du restaurant.

l'adjectif *bon*
Le restaurant Chez Pierre est **bon**.
Le restaurant Le Gourmet est **meilleur que** le restaurant Chez Pierre.
Le restaurant La Baguette est **le meilleur**.

2 les adverbes

A adverbes

alors	déjà	environ	mal	plus	surtout
après	demain	fort	même	plutôt	tant
assez	donc	hier	mieux	presque	tard
aujourd'hui	dur	ici	moins	puis	tôt
aussi	encore	là	parfois	quelquefois	toujours
beaucoup	enfin	loin	partout	si	très
bien	ensemble	longtemps	peu	soudain	trop
bientôt	ensuite	maintenant	peut-être	souvent	vite

D'habitude, on place l'adverbe après le verbe et devant le participe passé.
*Elle commande **aussi** les crevettes.*
*Elle a **aussi** commandé les crevettes.*

B   adverbes en -ment

Pour former certains adverbes, on ajoute -ment à la forme féminine de l'adjectif.

adjectif	adverbe	adjectif	adverbe
amicale	amicalement	personnelle	personnellement
première	premièrement	facile	facilement
complète	complètement	certaine	certainement
heureuse	heureusement	active	activement

Exceptions : *absolument, gentiment, vraiment*

C   comparaison

Jules voyage **souvent**.
Marie-Claire voyage **plus** (**souvent**) **que** Jules.
Réjean voyage **moins** (**souvent**) **que** Marie-Claire.

Ginette voyage **aussi souvent que** Réjean.
C'est Marie-Claire qui voyage **le plus** (**souvent**).
C'est Jules qui voyage **le moins** (**souvent**).

l'adverbe *bien*
Michelle chante **bien**.
Angèle chante **aussi bien que** Michelle.
Laurence chante **mieux que** Michelle et Angèle.

Laurence chante **moins bien que** Jacqueline.
C'est Jacqueline qui chante **le mieux**.

☞ *attention*
*C'est la cuisine indienne que j'aime **le mieux**.*
*Ce sont ces jouets qui me rappellent **le plus** mon enfance.*

D   expressions adverbiales

à cet instant	ci-dessous	de temps en temps	en effet	en retard	tout à coup
à droite	ci-dessus	en arrière	en fait	là-bas	tout à fait
à gauche	d'abord	en avance	en général	pas du tout	tout de même
à l'arrière	d'ailleurs	en bande	en haut	plus tard	tout de suite
à l'avance	de bonne heure	en bas	en même temps	quand même	tout droit
à l'avant	d'habitude	en bonne santé	en plus	sans doute	tout le temps
à peu près	de plus	en ce moment			

3   les articles

A   article défini

masculin	singulier	pluriel	féminin	singulier	pluriel
	le conseiller	les conseillers		la rencontre	les rencontres
	l'appel	les appels		l'étudiante	les étudiantes
	l'hôtel	les hôtels		l'hôtesse	les hôtesses

B   article indéfini

masculin	singulier	pluriel	féminin	singulier	pluriel
	un jouet	des jouets		une parole	des paroles
	un échange	des échanges		une anecdote	des anecdotes
	un héros	des héros		une héroïne	des héroïnes

C   article partitif

masculin	féminin
On prépare ce plat avec **du** riz.	Avez-vous **de la** sauce tomate ?
Y mettez-vous **de l'**ail ?	**De l'**eau, s'il te plaît.

D les articles et la négation

Il y a **un** échange en juin.
Elle avait **une** poupée spéciale.
Il m'a donné **des** conseils.
Je vais préparer **du** veau.
Tu auras **de la** difficulté à finir?
Elle boit souvent **de l'**eau minérale.

Il **n'**y a **pas d'**échange en juin.
Elle **n'**avait **pas de** poupée spéciale.
Il **ne** m'a **pas** donné **de** conseils.
Je **ne** vais **pas** préparer **de** veau.
Tu **n'**auras **pas de** difficulté à finir?
Elle **ne** boit **jamais d'**eau minérale.

Dans une phrase négative, si le verbe n'est pas *être* : *un, une, de, du, de la, de l'* ➡ *de (d')*

☛ *attention*

C'est un jeu d'enfant.
Ce sont des touristes.
C'était une solution idiote !

Ce n'est pas un jeu d'enfant.
Ce ne sont pas des touristes.
Ce n'était pas une solution idiote !

4 les conjonctions

Une conjonction peut combiner deux idées.

aussitôt que / **dès que**	Nous leur avons parlé. Ils sont arrivés. Nous leur avons parlé **aussitôt qu'**ils sont arrivés.
mais	Je l'ai invité à la fête. Il ne voulait pas sortir. Je l'ai invité à la fête, **mais** il ne voulait pas sortir.
parce que	On n'a pas joué au golf. Il pleuvait. On n'a pas joué au golf **parce qu'**il pleuvait.
pendant que	Ils sont entrés. Nous mangions. Ils sont entrés **pendant que** nous mangions.
quand / lorsque	Elle jouait à la marelle. Elle était petite. Elle jouait à la marelle **quand** elle était petite.
que	Il est certain. Il a rendez-vous chez le conseiller. Il est certain **qu'**il a rendez-vous chez le conseiller.
si	Je pourrais le faire. J'avais assez de temps. Je pourrais le faire **si** j'avais assez de temps.

5 les expressions de quantité

Nous n'avions pas **assez d'**argent.
Son petit ami a **beaucoup de** problèmes personnels.
Combien de cours suis-tu ce semestre?
Dans ma classe, il y a **moins de** filles que de garçons.
Ce restaurant a très **peu d'**ambiance.
Tout le monde a besoin d'un **peu de** détente.
Il y avait **plus de** cinq cents participants au festival d'hiver.
Il y avait **tant de** bruit que je ne pouvais pas me concentrer.

J'ai **trop de** stess !
J'ai invité **une bande de** copines chez moi.
On a acheté **deux bouteilles d'**eau minérale.
A-t-il commandé **une douzaine d'**escargots?
On a besoin d'**un kilo de** pommes pour préparer ces desserts.
Je voudrais **un litre de** crème glacée.
Qui a perdu **une paire de** lunettes de soleil?
Pourrais-tu apporter **un sac de** glaçons pour les boissons?

Pour les nombres approximatifs

une dizaine de	une trentaine de
une quinzaine de	une centaine de
une vingtaine de	un millier de

Expressions utiles

Bien des jeunes ont des pressions de temps.
Certains étudiants ne participent jamais aux programmes d'échange.
La majorité des étudiants ont choisi cette excursion scolaire.
La moitié de mes amis sont plus âgés que moi.
La plupart du temps, ils se disputent.
On parle français dans **plusieurs** pays.
Il a dû attendre **quelques** minutes.

les expressions négatives

phrases affirmatives	phrases négatives
Ce café est ouvert le lundi.	Ce café **n'**est **pas** ouvert le lundi.
J'ai offert ce plat à Carole.	Je **n'**ai **pas** offert ce plat à Carole.
Elle veut conserver ce jouet.	Elle **ne** veut **pas** conserver ce jouet.
Ils se disputaient toujours.	Ils **ne** se disputaient **jamais**.
Tu es souvent allé à ce festival?	Tu **n'**es **jamais** allé à ce festival?
Elles oublient souvent de m'appeler.	Elles **n'**oublient **jamais** de m'appeler.
Mon petit ami comprendra tout.	Mon petit ami **ne** comprendra **rien**.
Vous avez tout fini?	Vous **n'**avez **rien** fini?
Ils vont tout faire.	Ils **ne** vont **rien** faire.
Je vais encore à ce magasin.	Je **ne** vais **plus** à ce magasin.
Elles se sont souvent fâchées.	Elles **ne** se sont **plus** fâchées.
J'hésite toujours à leur parler.	Je **n'**hésite **plus** à leur parler.
Nous avons rencontré quelqu'un au festival.	Nous **n'**avons rencontré **personne** au festival.
Il avait de bonnes idées.	Il **n'**avait **aucune** idée.

☛ *attention*

Au passé composé, on place *pas, jamais, rien, plus* devant le participe passé.

Dans les réponses, on peut utiliser *aucun, jamais, personne* et *rien* tout seuls.

  – Tu as déjà téléphoné à une ligne d'écoute? – Qu'est-ce que vous avez fait hier soir?
  – Non, **jamais**. – **Rien**.

Si indique une réponse affirmative à une question ou à une affirmation négative.

  – Tu ne te sens pas bien? – Ah non! Tu n'as pas ton rapport!
  – Mais **si**, je me sens très bien. – **Si**. Le voici!

Expressions utiles

– Je peux emprunter ton vélo?	– Absolument pas!
– Tu vas essayer ces escargots?	– Jamais de la vie!
– Tu as aimé ça?	– Pas du tout!
– Ils ont fini?	– Pas encore.
– Qu'est-ce que tu as fait samedi?	– Pas grand-chose.
– Qui a pris mon baladeur?	– Pas moi!
– Je n'ai pas encore vu ce film.	– Moi non plus.
– Tu veux faire du deltaplane?	– Pas question!
– François s'est cassé la jambe!	– Pas vrai!

les infinitifs

A   verbe + infinitif

adorer	aller	détester	entendre	pouvoir	voir	il faut	savoir
aimer (mieux)	désirer	devoir	espérer	préférer	vouloir	laisser	venir

Elle l'a vu quitter la salle.
Pourrais-tu m'aider?
Il faut se détendre de temps en temps.
Quand viendrez-vous nous visiter?
Laisse-moi faire ça!

B   verbe + à + infinitif

aider à	avoir à	demander à	être prêt(e) à	obliger à	persister à
s'amuser à	commencer à	encourager à	hésiter à	passer du temps à	réussir à
apprendre à	continuer à	être occupé(e) à	inviter à	penser à	s'intéresser à

N'hésitez pas à m'appeler.
Les enfants s'amusaient à sauter à la corde.
Ils passent tout leur temps à se disputer.
J'ai réussi à résoudre mes propres problèmes.
As-tu déjà pensé à devenir chef de cuisine?

☛ *attention*

On utilise le verbe *être* suivi de la préposition *à* dans ces expressions:
  Ce film est à voir absolument.
  Ce spectacle est à ne pas manquer.
  La maison des Fréchette est à vendre.
  L'appartement 301 est à louer.

C   verbe + de + infinitif

accepter de	choisir de	être content(e) de	il est essentiel de	oublier de
(s')arrêter de	conseiller de	être en train de	il est facile de	permettre de
avoir besoin de	continuer de	être obligé(e) de	il est important de	persuader de
avoir envie de	décider de	éviter de	il est impossible de	refuser de
avoir hâte de	demander de	finir de	il est nécessaire de	regretter de
avoir l'intention de	dire de	il est bon de	il est possible de	rêver de
avoir le temps de	essayer de	il est difficile de	il est préférable de	venir de
avoir peur de				

J'avais **hâte de participer** à cette visite-échange.
Essaie d'éviter les situations stressantes.
On a **décidé de cibler** le marché des jeunes.
Ils vont probablement te **demander de raconter** cette anecdote.
Nous leur **conseillerons de téléphoner** à la ligne d'écoute.

☞ *attention*

L'expression *venir de* suivi d'un infinitif décrit une action terminée récemment.
> *Il a vu ce spectacle récemment. Il **vient de** voir ce spectacle.*

Avec le verbe *continuer*, on a le choix entre *à* ou *de*.

Avec le verbe *demander*, il y a deux sens différents :
> *Je lui demande **à** sortir.* (C'est moi qui dois sortir.)
> *Je lui demande **de** sortir.* (C'est lui qui doit sortir.)

D   l'infinitif et la négation

Il préfère **ne pas parler** de ses problèmes.
J'ai appris à **ne jamais rejeter** les opinions des autres.
On a décidé de **ne rien dire**.
Je lui dirai de **ne plus** t'appeler.

8   les instructions

A   formes impératives

formes affirmatives	**formes négatives**
Dis au prof que tu es malade !	**Ne dis pas** au prof que tu es malade !
Prenons le train !	**Ne prenons pas** le train !
Partez sans moi !	**Ne partez pas** sans moi !
Mangeons toute la pizza !	**Ne mangeons pas** toute la pizza !
Commençons tout de suite !	**Ne commençons pas** tout de suite !
Achète ce produit !	**N'achète pas** ce produit !

parler	**aller**	**finir**	**vendre**	**se laver**	**avoir**[†]	**être**[†]	**savoir**[†]
parle*	va*	finis	vends	lave-toi	aie	sois	sache
parlons	allons	finissons	vendons	lavons-nous	ayons	soyons	sachons
parlez	allez	finissez	vendez	lavez-vous	ayez	soyez	sachez

* Sans « s » sauf devant une voyelle : *Parles-en ! Vas-y !*
[†] Ces formes sont irrégulières.

B   formes impératives et un pronom

formes affirmatives	**formes négatives**	
Fais-**le** !	Ne **le** fais pas !	☞ *attention*
Demandons-**leur** !	Ne **leur** demandons pas !	À l'affirmative, *me, te* ➡ *moi, toi.*
Raconte-**moi** tes problèmes !	Ne **me** raconte pas tes problèmes !	*Montre-**moi** la photo !*
Dépêchez-**vous** !	Ne **vous** dépêchez pas !	*Couche-**toi** de bonne heure !*
Allons-**y** !	N'**y** allons pas !	
Donnes-**en** à Pierre !	N'**en** donne pas à Pierre !	

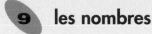

les nombres

A cardinaux

0 zéro	19 dix-neuf	80 quatre-vingts
1 un(e)	20 vingt	81 quatre-vingt-un
2 deux	21 vingt et un	82 quatre-vingt-deux
3 trois	22 vingt-deux	90 quatre-vingt-dix
4 quatre	30 trente	91 quatre-vingt-onze
5 cinq	31 trente et un	92 quatre-vingt-douze
6 six	32 trente-deux	100 cent
7 sept	40 quarante	101 cent un
8 huit	41 quarante et un	200 deux cents
9 neuf	42 quarante-deux	1000 mille
10 dix	50 cinquante	1001 mille un
11 onze	51 cinquante et un	2000 deux mille
12 douze	52 cinquante-deux	10 000 dix mille
13 treize	60 soixante	1 000 000 un million
14 quatorze	61 soixante et un	2 000 000 deux millions
15 quinze	62 soixante-deux	1 000 000 000 un milliard
16 seize	70 soixante-dix	1 000 000 000 000 un billon
17 dix-sept	71 soixante et onze	
18 dix-huit	72 soixante-douze	

☞ *attention*

Après *un million*, *un milliard* et *un billon*, on utilise *de (d')* devant le nom.

   deux millions de disques
   un millard d'habitants
   dix billons de dollars

B ordinaux

1er premier	6e sixième
1ère première	7e septième
2e deuxième	8e huitième
3e troisième	9e neuvième
4e quatrième	10e dixième
5e cinquième	

On peut trouver les appareils ménagers au **quatrième** étage.

Elle a fini la course en **troisième** place.

C usages

l'année

1994	mil neuf cent quatre-vingt-quatorze
2000	deux mil

la date

14 février	le quatorze février

les décimales

86,5 %	quatre-vingt-six virgule cinq pour cent

l'heure : l'horloge de 24 heures

1 h 00	Il est une heure (du matin).
12 h 00	Il est midi.
13 h 00	Il est une heure (de l'après-midi).
20 h 00	Il est huit heures (du soir).
24 h 00	Il est minuit.

les mathématiques

15 + 14 = 29	quinze et quatorze égale vingt-neuf
50 − 12 = 38	cinquante moins douze égale trente-huit
12 × 12 = 144	douze fois douze égale cent quarante-quatre
90 ÷ 5 = 18	quatre-vingt-dix divisé par cinq égale dix-huit

les poids et les mesures

5 kg	cinq kilogrammes
750 g	sept cent cinquante grammes
2 L	deux litres
500 ml	cinq cents millilitres
100 km/h	cent kilomètres à l'heure
1 m 62 cm	un mètre soixante-deux centimètres

les prix

0,75 $	soixante-quinze cents
49,50 $	quarante-neuf dollars cinquante (cents)

la température

10° C	La température est de dix degrés Celsius.

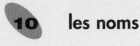

A genre

Un nom est ou masculin (*un souvenir, le conflit, du bœuf*) ou féminin (*une anecdote, la mémoire, de la sauce*).

Ces terminaisons indiquent généralement un nom masculin.

-age	-al	-ant	-ier	-in	-on	-ou	-ment
un étage	un bal	un géant	un cahier	le matin	le son	du chou	un événement
du fromage	un festival	un restaurant	un policier	un magasin	du saumon	un joujou	un sentiment

Ces terminaisons indiquent généralement un nom féminin.

-ade	-ance	-ée	-ette	-ie	-sion	-tion	-té
une arcade	une ambiance	une arrivée	une fillette	une comédie	la persuasion	une attraction	une spécialité
de la limonade	la naissance	une poupée	de la vinaigrette	une stratégie	la pression	une question	de la difficulté

B nombre

singulier	pluriel	singulier	pluriel
un jouet	des jouets	un jeu de société	des jeux de société
une poupée	des poupées	une ligne d'écoute	des lignes d'écoute
un concours	des concours	un petit pois	des petits pois
un prix	des prix	une pomme de terre	des pommes de terre
un cadeau	des cadeaux	un casse-croûte	des casse-croûte*
un journal	des journaux	un chef-d'œuvre	des chefs-d'œuvre
un lieu	des lieux	un hors-d'œuvre	des hors-d'œuvre*
une bande dessinée	des bandes dessinées	un marché-cible	des marchés-cible
un jeu vidéo	des jeux vidéo	un objet-souvenir	des objets-souvenir
un plat principal	des plats principaux	un porte-parole	des porte-parole*
un animal de compagnie	des animaux de compagnie	un rendez-vous	des rendez-vous

* Ces noms sont invariables.

☞ *attention*   un carnaval ➡ des carnavals
un festival ➡ des festivals

C personnes

masculin	féminin	masculin	féminin
un Acadien	une Acadienne	un gardien	une gardienne
un acteur	une actrice	un grand-père	une grand-mère
un agent	une agente	un habitant	une habitante
un Amérindien	une Amérindienne	un héros	une héroïne
un (petit) ami	une (petite) amie	un homme	une femme
un animateur	une animatrice	un invité	une invitée
un athlète	une athlète	un joueur	une joueuse
un bébé	une bébé	un journaliste	une journaliste
un caissier	une caissière	un moniteur	une monitrice
un camarade (de classe)	une camarade (de classe)	un musicien	une musicienne
un champion	une championne	un oncle	une tante
un chanteur	une chanteuse	un parrain	une marraine
un client	une cliente	un partenaire	une partenaire
un conseiller	une conseillère	un participant	une participante
un copain	une copine	un patron	une patronne
un cousin	une cousine	un père	une mère
un danseur	une danseuse	un photographe	une photographe
un directeur	une directrice	un publicitaire	une publicitaire
un employé	une employée	un Québécois	une Québécoise
un employeur	une employeuse	un (ra)conteur	une (ra)conteuse
un enfant	une enfant	un rédacteur	une rédactrice
un étranger	une étrangère	un serveur	une serveuse
un étudiant	une étudiante	un vendeur	une vendeuse
un fils	une fille	un voyageur	une voyageuse

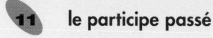

11 le participe passé

A formation

participes passés réguliers

verbes comme par*ler* : *parlé*
verbes comme fin*ir* : *fini*
verbes comme vend*re* : *vendu*

participes passés irréguliers

s'asseoir → assis	devoir → dû	mettre → mis	rire → ri
avoir → eu	dire → dit	ouvrir → ouvert	savoir → su
boire → bu	écrire → écrit	pleuvoir → plu	suivre → suivi
conduire → conduit	être → été	pouvoir → pu	venir → venu
connaître → connu	faire → fait	prendre → pris	vivre → vécu
courir → couru	falloir → fallu	recevoir → reçu	voir → vu
croire → cru	lire → lu	résoudre → résolu	vouloir → voulu

Comme *conduire* : *réduire*
Comme *connaître* : *disparaître, reconnaître*
Comme *dire* : *prédire*
Comme *écrire* : *décrire, s'inscrire*

Comme *ouvrir* : *découvrir, offrir*
Comme *prendre* : *apprendre, comprendre, surprendre*
Comme *venir* : *devenir, revenir, tenir, se souvenir*

B accord

les verbes avec *avoir* (accord avec l'objet direct qui précède le verbe)

D'après Daniel, Luc ne l'a pas **invité** au concert.
Ils **nous** ont **battus** par un score de 5 à 2.
La photo de la classe? Je l'ai **mise** dans l'album.
Quelles histoires vous ont-ils **racontées**?
Les fruits **qu'**on a **servis** n'étaient pas frais.*
Combien de **jouets** as-tu **conservés** de ton enfance?
Laquelle de ces publicités a-t-elle **choisie**?

* Le participe passé s'accorde avec le pronom relatif *que* (qui représente l'objet direct, *les fruits*).

les verbes avec *être* (accord avec le sujet)

Le train n'est pas encore **arrivé**.
Martine est **descendue** en ville.
Où sont-**ils allés**?
Toutes **les conseillères** sont déjà **parties**.
Nous ne sommes pas **sortis** hier soir.
Quand êtes-**vous rentré**, monsieur?

les verbes réfléchis (accord avec l'objet direct qui précède le verbe)

Il s'est **arrêté** au casse-croûte.
Elle ne s'est pas **endormie** tout de suite.
Nous **nous** sommes **vus** au cinéma.
Mes amis **se** sont **rencontrés** au Carnaval de Québec.
Ces étudiantes **se** sont bien **débrouillées** pendant le voyage.

☞ *attention*
   On s'est réunis devant le musée.

Il n'y a jamais d'accord avec l'objet direct qui suit le verbe.
   Ils se sont lavé les mains.
   Elle s'est cassé la jambe.
   Nous nous sommes raconté des histoires.

Il n'y a jamais d'accord avec l'objet indirect.
   Ils se sont écrit. (l'un à l'autre)
   Elles se sont téléphoné. (l'une à l'autre)

C le participe passé utilisé comme adjectif

Préfères-tu le poulet **rôti** ou le poulet **frit**?
Cette discussion est **finie**!

Ils étaient complètement **perdus**.
Ces crevettes sont trop **assaisonnées** d'ail.

12 le participe présent

parler	manger	commencer	finir	vendre	avoir*	être*	savoir*
parlant	mangeant	commençant	finissant	vendant	ayant	étant	sachant

* Ces participes présent sont irréguliers.

en + le participe présent

En reconnaissant les symptômes, on peut mieux contrôler le stress.
En créant un slogan efficace, vous capterez un plus grand marché.
En l'attendant, j'ai lu deux magazines.
Ils n'ont rien résolu **en se disputant**.
Nous apprendrons plus **en nous informant**.

13 le passé composé et l'imparfait

J'**ai reçu** (1) cet animal en peluche pour mon septième anniversaire.
Le film que nous **avons vu** (2) **était** vraiment ennuyeux (4).
Quand je **suis entré** (3), il **parlait** à Jean-Luc (6).
Quand j'**habitais** Saint-Boniface, j'**allais** toujours au Festival du Voyageur (5).

On utilise le passé composé pour :

(1) décrire un événement spécifique.
(2) les actions complétées.
(3) une action qui interrompt une autre action.

On utilise l'imparfait pour :

(4) décrire des personnes, des choses ou des situations
(5) les actions habituelles, répétées ou continues.
(6) les actions en progrès.

14 la possession

A adjectifs possessifs

singulier		pluriel
masculin	féminin	masculin ou féminin
mon père	**ma** mère	**mes** parents
ton père	**ta** mère	**tes** parents
son père	**sa** mère	**ses** parents
notre père	**notre** mère	**nos** parents
votre père	**votre** mère	**vos** parents
leur père	**leur** mère	**leurs** parents

 attention

Devant un nom féminin qui commence par une voyelle ou un « h » muet :

ma, ta, sa ➡ *mon, ton, son*

mon amie, **ton** école, **son** histoire

B la préposition de

Voici le nouveau vélo **de** Josée.
La voiture **du** professeur est bleue.
Quelle est la devise **de** l'école ?
Les itinéraires **des** étudiants sont sur mon bureau.

C être à

Ce programme **est** à Laurent.
Ces billets ne **sont** pas à lui.
À qui **est** cet horaire ?

A prépositions

à	avec	derrière	entre	par-dessous	sous
après	chez	devant	malgré	par-dessus	sur
avant	dans	en	par	pour	vers

D'habitude, une préposition est suivi d'un nom ou d'un pronom.

> Il s'est assis entre moi et ma sœur.
> On se reverra après la classe.

☛ *attention*

Les prépositions *à, de, pour* peuvent être suivis d'un infinitif.

> *Nous avons beaucoup **à faire**.*
> *Qui t'a dit **de venir**?*
> ***Pour diminuer** le stress, il faut se détendre.*

La préposition *en* peut être suivi d'un participe présent.

> ***En travaillant** fort, on réussira.*

B expressions prépositives

à cause de	à gauche de	au-dessous de	au pied de	grâce à
à côté de	à moins de	au-dessus de	autour de	jusqu'à
à droite de	à travers	au fond de	en face de	près de
afin de	au-delà de	au milieu de		

Ils ont dû s'arrêter **à cause du** mauvais temps.
Grâce aux programmes d'échange, elle a déjà visité plusieurs pays.

☛ *attention*

*à + le = **au***	*de + le = **du***
*à + les = **aux***	*de + les = **des***

C verbe + à + nom

assister à	dire à	faire confiance à	jouer à	penser à
(se) confier à	emprunter à	faire face à	obéir à	prendre part à
conseiller à	faire appel à	s'inscrire à	participer à	prêter à
demander à				

As-tu emprunté cet argent à Charles? **Prenons part à** ce concours!
Cette pub **fait appel aux** émotions. Ces enfants n'**obéissent** jamais à leurs parents.

D verbe + de + nom

avoir besoin de	être amoureux / amoureuse de	être ravi(e) de	jouer de
avoir peur de	être content(e) de	être supris(e) de	parler de
discuter de	être fier/fière de	faire partie de	penser de

As-tu besoin de conseils? On **a discuté des** vacances.
Ils **parlaient du** projet. Marc **est amoureux** d'Aline?

☛ *attention*

*Marcel **joue dans** la cour.*	*Marcel **joue de** la guitare.*	***Penses-tu** souvent **à** ton avenir?*
*Marcel **joue au** soccer.*	*Marcel **joue au** Scrabble.*	*Que **penses-tu de** son idée?*

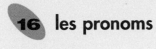

16 les pronoms

A sujets

ce	tu	elle	nous	ils
je	il	on	vous	elles

personnes

Ce sont des amis de mon frère.

Si **je** vais au festival, veux-**tu** m'accompagner ?

Il voulait la voir, mais **elle** était occupée.

On ne pourra pas assister au tournoi.

Si **nous** avions des problèmes, pourriez-**vous** nous aider ?

Les joueurs ? **Ils** sont déjà partis, **je** pense.

Je ne peux pas contacter Lise et Aline. Sont-**elles** en vacances ?

Si **tu** veux parler à Marc et Anne, **ils** sont dans la cafétéria.

☛ *attention*

Dans les cas suivants *il* est un pronom impersonnel :

> *Il **faut** éviter les situations stressantes.*
>
> *Il **est important de** voyager.*
>
> *Je pense qu'il **est bon d'**essayer de nouveaux plats.*

choses

C'était une époque triste dans sa vie.

Le restaurant Chez Pepe, où est-**il** ?

J'ai cherché sa voiture, mais **elle** n'était pas devant l'école.

Voici mes vieux jouets. **Ils** me rappellent des souvenirs très chers.

Tu as vu les publicités Tropicola ? **Elles** sont superbes !

Le ketchup et la moutarde ? **Ils** sont sur le comptoir derrière toi.

B objets directs

me (m')	nous	le (l')
te (t')	vous	la (l')
se (s')		

Elle voulait **me** voir.

Tu **te** sens bien ?

Elle **s'**est inscrite à l'atelier.

Vont-ils **nous** prêter la voiture ?

Vous êtes-vous promenés dans la rue principale.*

On a vu le petit ami de Carole, mais on ne **le** connaît pas.

La serveuse ? **La** voilà !

J'ai mis les photos dans ce livre et je **les** ai perdues !*

* Le participe passé s'accorde avec le pronom objet direct qui précède le verbe.

☛ *attention*

À l'impératif :

> *Regarde-**moi** ! Ne **me** regarde pas !*
>
> *Dépêche-**toi** ! Ne **te** dépêche pas !*

C objets indirects

me (m')	nous	lui
te (t')	vous	leur
se (s')		

Il **m'**a prêté son appareil-photo.

Je **te** téléphonerai ce soir.

Elles **se** disent bonjour.

Nous ne **nous** sommes jamais parlé.

On **vous** a offert des mets italiens ?

Elle **m'**a écrit, mais je ne **lui** ai pas répondu.

Leur conseilleriez-vous de parler à un expert ?

☛ *attention*

À l'impératif :

> *Donne-**moi** des conseils ! Ne **me** donne pas de conseils !*
>
> *Lave-**toi** les cheveux ! Ne **te** lave pas les cheveux !*

D   le pronom *en*

On utilise le pronom *en* pour représenter :
- la préposition *de* + le nom d'une chose
- l'article partitif *du, de la, de l', des*
- un nom précédé d'un nombre

Elle profitera de cette expérience.   Elle **en** profitera.
On a discuté de notre enfance.   On **en** a discuté.
Vous allez avoir assez d'argent ?   Vous allez **en** avoir assez ?
Y a-t-il du lait ?   Y **en** a-t-il ?
Mets de la vinaigrette dans la bouteille.   Mets-**en** dans la bouteille.
Ils ont déjà essayé des mets chinois.   Ils **en** ont déjà essayé.*
Elle a endossé trois produits.   Elle **en** a endossé trois.*
Il y avait dix mille spectateurs au match.   Il y **en** avait dix mille au match.
Donne dix brochures à Sylvie.   Donnes-**en** dix à Sylvie.

* Il n'y a jamais d'accord avec le pronom *en*.

E   le pronom *y*

On utilise le pronom *y* pour représenter :
- une préposition de lieu (*à, devant, sur*, etc.) + un nom
- la préposition *à* + le nom d'une chose

Quand êtes-vous arrivés au Festival acadien ?   Quand **y** êtes-vous arrivés ?
Va à la bibliothèque après la classe.   Vas-**y** après la classe.
Je suis prêt à aller chez Michel.   Je suis prêt à **y** aller.
Il a laissé ses livres dans son casier.   Il **y** a laissé ses livres.
Qui a assisté au carnaval ?   Qui **y** a assisté ?
Tu as répondu aux questions du prof ?   Tu **y** as répondu ?*
Nous devons faire face à nos problèmes.   Nous devons **y** faire face.

* Il n'y a jamais d'accord avec le pronom *y*.

F   pronoms relatifs

Un pronom relatif combine deux idées.

qui (se réfère au sujet de la phrase)
Connais-tu le chanteur ? Il vient du Manitoba.   Le français est une langue. Cette langue est très utile.
Connais-tu le chanteur **qui** vient du Manitoba ?   Le français est une langue **qui** est très utile.

Avez-vous lu les témoignages ? Ils étaient dans la publicité.   Voilà les autocars. Ils partent pour Rimouski.
Avez-vous lu les témoignages **qui** étaient dans la publicité ? Voilà les autocars **qui** partent pour Rimouski.

J'ai parlé à la nouvelle étudiante. Elle est arrivée du Japon hier.
J'ai parlé à la nouvelle étudiante **qui** est arrivée du Japon hier.*

* Le participe passé s'accorde avec *qui*, le pronom relatif qui représente le sujet.

qui (objet d'une préposition)
Connais-tu le blond ? Denise vient de parler avec lui.
Connais-tu le blond avec **qui** Denise vient de parler ?

que (se réfère à l'objet direct de la phrase)
La géographie est un cours. Nous n'aimons pas beaucoup ce cours.   C'est la petite amie de Fabien. Je l'ai vue en ville hier.
La géographie est un cours **que** nous n'aimons pas beaucoup.   C'est la petite amie de Fabien **que** j'ai vue en ville hier.*

Ils ont pris une décision. Ils regretteront cette décision plus tard.
Ils ont pris une décision **qu'**ils regretteront plus tard.

* Le participe passé s'accorde avec *que* qui représente l'objet direct.

dont (représente la préposition *de* + le nom d'une personne ou d'une chose)
Voilà le costume. J'ai besoin de ce costume pour le défilé.   C'est la conseillère. Je t'ai parlé de cette conseillère.
Voilà le costume **dont** j'ai besoin pour le défilé.   C'est la conseillère **dont** je t'ai parlé.

où (précise un endroit ou un temps)

Voilà l'école élémentaire **où** elle était élève.
Je me rappelle bien l'été **où** on a déménagé à Ottawa.

ce *qui*, ce *que* (annoncent ou reprennent une idée)

Ce **qui** m'embête, c'est son attitude négative.
Ses parents ont dit oui, ce **qui** l'a bien surprise.
Ce **qu'**on n'aimerait pas, c'est un plus long semestre.
Vous ne voulez pas nous dire ce **que** vous en pensez?

G   pronoms interrogatifs

personnes

qui	*sujet*	**Qui** part?
	objet d'une préposition	Avec **qui** sortent-ils?

choses

qu'est-ce qui	*sujet*	**Qu'est-ce qui** se passe?
qu'est-ce que	*objet direct*	**Qu'est-ce que** je dois dire?
que	*objet direct*	**Que** voulait-il?
quoi	*objet d'une préposition*	À **quoi** te réfères-tu?

le pronom *lequel*

	masculin	féminin
singulier	lequel	laquelle
pluriel	lesquels	lesquelles

Lequel de ces cours d'histoire suis-tu?
Une de ces photos est de toi quand tu étais petit? **Laquelle**?
Y a-t-il des camarades de classe qui se moquent de lui? **Lesquels**?
Lesquelles de vos copines vont au Québec?

H   pronoms accentués

pronom sujet	je	tu	il	elle	nous	vous	ils	elles
pronom accentué	moi	toi	lui	elle	nous	vous	eux	elles

après une préposition	Il y a un message pour **toi**.
après c'est ou ce sont	C'est **moi** qui gagnerai le concours.
	Ce sont **eux** qui n'ont pas fini.
dans une phrase courte sans verbe	Qui a fait ça? **Lui**.
avec un autre sujet	**Vous** et vos copains vous avez de la chance!
avec même(s)	Nous allons le faire **nous**-mêmes.

17   les questions

A   comment poser une question

intonation	est-ce que (qu')	inversion
C'est Marc?	Est-ce que c'est Marc?	Est-ce Marc?
Il joue au soccer?	Est-ce qu'il joue au soccer?	Joue-t-il au soccer?
Vous aviez peur?	Est-ce que vous aviez peur?	Aviez-vous peur?
Tu es venu en auto?	Est-ce que tu es venu en auto?	Es-tu venu en auto?
Elles se sont amusées?	Est-ce qu'elles se sont amusées?	Se sont-elles amusées?
Elle sera là?	Est-ce qu'elle sera là?	Sera-t-elle là?
Tu voudrais y aller?	Est-ce que tu voudrais y aller?	Voudrais-tu y aller?

☞ *attention*
Pour poser une question avec un nom sujet :
Pourquoi est-ce que Paul est si anxieux?
Pourquoi Paul est-il si anxieux?
Comment est-ce que cette langue sera utile?
Comment cette langue sera-t-elle utile?

B   expressions interrogatives

....

questions

À **qui** a-t-elle emprunté de l'argent?
À **quoi** jouiez-vous souvent?
Combien d'amis ont-ils invités?
Comment as-tu préparé les crevettes?
De **qui** parlaient-ils?
De **quoi** ont-ils besoin?
Laquelle de ces réponses est correcte?
Où aimeriez-vous passer l'été?
Pourquoi se disputent-ils toujours?
Quand doit-on s'inscrire au tournoi?
Que cherchait-elle?
Quels jouets aimais-tu le plus?
Qu'est-ce que je peux faire?
Qu'est-ce qui s'est passé hier?
Qui vient d'arriver?

réponses

À son père.
À cache-cache.
Environ vingt.
Je les ai frites.
De Rachelle.
D'un nouvel horaire.
La première.
À Montréal.
Parce qu'ils sont stressés.
Après la classe.
Le programme du festival.
Mon Meccano et mes jeux électroniques.
Rien.
Pas grand-chose.
Pauline.

☛ *attention*

adjectifs interrogatifs	pronoms interrogatifs
quel	*lequel*
quels	*lesquels*
quelle	*laquelle*
quelles	*lesquelles*

Mots Clefs

Unité 1 : à table

noms masculins

l'agneau	*lamb*
le bœuf	*beef*
un choix	*choice*
un décor	*decor*
un four	*oven*
des fruits de mer	*seafood*
le goût	*taste*
un hors-d'œuvre†	*appetizer; first course*
un menu à prix fixe	*meal at a set price*
un mets	*dish; food*
un plat	*dish*
un plat principal	*main course*
le porc	*pork*
le rapport qualité / prix	*value for the money*
le service	*service; service charge*
le veau	*veal*

noms féminins

une ambiance	*ambience, atmosphere*
une boisson	*beverage*
une crevette	*shrimp*
une critique	*critique; review*
la cuisine	*cooking*
la fraîcheur	*freshness*
les pâtes	*pasta*
une pomme de terre (au four)	*(baked) potato*
une sauce	*sauce; gravy*
une spécialité	*specialty*
une vinaigrette	*salad dressing*

adjectifs

assaisonné, assaisonnée	*seasoned*
cuit, cuite	*cooked*
épicé, épicée	*spicy*
ethnique	*ethnic*
farci, farcie	*stuffed*
frais, fraîche	*fresh*
frit, frite	*fried*
grillé, grillée	*grilled, broiled*
piquant, piquante	*tangy, hot*
servi, servie	*served*
rôti, rôtie	*roasted*

verbes

offrir (offert)*	*to offer*
ouvrir (ouvert)*	*to open*

† invariable
* verbe irrégulier

noms masculins

un animal de compagnie	*pet*
un jouet	*toy*
un objet-souvenir	*souvenir*
un sentiment	*feeling*
un souvenir	*memory; keepsake*

noms féminins

une anecdote	*anecdote*
une comptine	*nursery rhyme, counting rhyme*
l'enfance	*childhood*
une époque	*era; time*
une fête	*celebration; party; birthday*
la maternelle	*kindergarten*
la mémoire	*memory*
la naissance	*birth*
une poupée	*doll*

adjectifs

cher, chère	*cherished, dear*
embarrassant, embarrassante	*embarrassing*
favori, favorite	*favourite*
pire	*worse; worst*
surprenant, surprenante	*surprising*
terrifiant, terrifiante	*terrifying*

verbes

conserver	*to keep; to save*
déménager	*to move*
garder	*to keep*
grandir	*to grow (up)*
s'intéresser à	*to be interested in*
partager	*to share*
passer	*to spend (time)*
se passer	*to happen*
raconter	*to tell, to relate*
se rappeler	*to remember; to recall*
recevoir(reçu)*	*to receive*
se sentir	*to feel*
se souvenir (de)(souvenu)*	*to remember; to recall*

expressions

je suis né (née)	*I was born*
jouer aux billes	*to play marbles*
jouer à cache-cache	*to play hide-and-seek*
jouer à la marelle	*to play hopscotch*
sauter à la corde	*to skip, to jump rope*

* verbe irrégulier

noms masculins

un appel	*appeal; call*
un besoin	*need*
un bienfait	*benefit*
un endossement	*endorsement*
un marché(-cible)	*(target) market*
un porte-parole†	*spokesperson*
un produit	*product*
un publicitaire	*advertising person*
un style de vie	*lifestyle*
un témoignage	*testimonial*

noms féminins

une approche	*approach*
une campagne (de publicité)	*(advertising) campaign*
la concurrence	*competition*
l'efficacité	*effectiveness*
une image	*picture*
une mascotte	*mascot; trademark character*
une parole	*word*
la persuasion	*persuasion*
une publicitaire	*advertising person*
une publicité (à caractère social)	*advertisement (for a social cause)*
une stratégie	*strategy*
une technique	*technique*

pronoms

lequel, laquelle; lesquels, lesquelles	*which one; which ones*
chacun, chacune	*each (one)*

adjectifs

convaincant, convaincante	*convincing*
courant, courante	*current*
efficace	*effective*
frappant, frappante	*striking*
imprimé, imprimée	*printed*

verbes

appuyer*	*to support, to back up*
accrocher	*to hook, to attract*
capter	*to capture, to win, to gain*
cibler	*to target*
encourager (à)	*to encourage*
endosser	*to endorse*
persuader (de)	*to persuade*
signaler	*to point out*
souligner	*to stress, to emphasize*
viser	*to focus on*
vanter	*to praise, to promote*

expressions

faire appel à	*to appeal to*
mettre en vedette	*to feature*

† invariable
* verbe irrégulier

noms masculins

un appel	*(telephone) call*
un centre d'écoute	*phone-in centre*
le conflit	*conflict*
un conseil	*(piece of) advice*
un conseiller	*counsellor*
un cours	*course, class*
un petit ami	*boyfriend*
un problème	*problem*
un rapport	*relationship; report*
le stress	*stress*

noms féminins

l'amitié	*friendship*
une bagarre	*fight, dispute*
une conseillère	*counsellor*
une crise	*crisis*
une difficulté	*difficulty, problem*
une petite amie	*girlfriend*
la pression	*pressure*
une responsabilité	*responsibility*

pronoms

ce qui ; ce que	*that which, what*

adjectifs

anxieux, anxieuse	*anxious, nervous*
compréhensif, compréhensive	*understanding*
déprimé, déprimée	*depressed*
désespéré, désespérée	*desperate*
émotionnel, émotionnelle	*emotional*
honnête	*honest, frank, open*
nerveux, nerveuse	*nervous*
personnel, personnelle	*personal*
réaliste	*realistic*
stressant, stressante	*stressful*
stressé, stressée	*stressed (out)*

verbes

conseiller	*to give advice*
déranger	*to bother, to disturb*
se détendre	*to relax, to unwind*
discuter (de)	*to discuss*
se disputer	*to argue, to fight*
éviter	*to avoid*
se moquer (de)	*to make fun (of)*
reconnaître (reconnu)*	*to recognize*
résoudre (résolu)*	*to solve, to resolve*

expressions

faire confiance à	*to trust*
faire face à	*to face (up to)*
il faut…	*it is necessary to…*
laisser tomber	*to drop*

* verbe irrégulier

noms masculins

un autocar	*(highway) bus, coach*
un concours	*contest*
un défilé	*parade*
un départ	*departure*
un échange	*exchange*
un étranger	*stranger*
un événement	*event*
un festival	*festival*
un horaire	*timetable*
un lieu	*place*
un rendez-vous	*meeting; gathering*
un spectacle	*show*
un voyageur	*traveller*

noms féminins

une arrivée	*arrival*
une communauté	*community*
une course	*race*
une étrangère	*stranger*
une randonnée	*walk; ride; drive*
une rencontre	*meeting, encounter*
une société	*society*
une voyageuse	*traveller*

adjectifs

amical, amicaux	*friendly*
fier, fière	*proud*

verbes

s'amuser	*to have fun*
assister à	*to attend*
attirer	*to attract*
frapper	*to hit; to strike*
s'inscrire (inscrit)*	*to enrol; to register*
découvrir (découvert)*	*to discover*
se dérouler	*to take place, to occur*
participer	*to participate*
remarquer	*to notice*
rencontrer	*to meet*
vivre (vécu)*	*to live*

expressions

avoir hâte (de)	*to be eager (to)*
avoir lieu	*to take place*
environ	*about, approximately*
faire un voyage	*to take a trip*
grâce à	*thanks to*
malgré	*in spite of*
prendre part à	*to take part in*

* verbe irrégulier

Lexique

* langue familière
† canadianisme

à at; to; **à cause de** because of; **à la** in the style, manner of; **à la cajun** in the Cajun style; **à l'affiche** showing; **à l'aise** at ease, comfortable; **à l'ancienne** in the old-fashioned style/way; **à l'avenir** in the future; **à la carte** from the menu; **à l'étranger** abroad, overseas; **à la fin de** at the end of; **à la fois** at once, at the same time; **à la napolitaine** Neapolitan style; **à part** apart/aside (from); **à part ça** besides this/that; **à partir de** from; **à présent** now, at present; **à propos (de)** about; by the way; timely; **à table!** let's eat! **à temps** in time; **à votre avis** in your opinion; **à votre goût** to your taste/liking, the way you like it; **à vrai dire** to tell the truth

abolir to abolish

abonné *m* **abonnée** *f* subscriber; **abonnés du téléphone** households with telephones

abord : (tout) d'abord first; firstly

abordable reasonable, affordable

aborder to tackle; to confront

aboutir to end up, to wind up; to result

abri *m* shelter; **sans abri** homeless

abriter to shelter, to house

absolu(e) absolute

absolument absolutely; **absolument pas!** not on your life!

Acadie *f* Acadia

Acadien *m* **Acadienne** *f* Acadian (person)

acadien(ne) Acadian

accablé(e) overwhelmed; humiliated; exhausted

accélération *f* acceleration; **accélération du pouls** increased heartbeat

accès *m* access

accessoire *m* accessory

accomplir to accomplish

accord *m* agreement; **d'accord** okay, sure; **être d'accord** to agree

accordéoniste *mf* accordionist

accorder to grant, to give; **s'accorder** to allow (oneself)

accrocher to hook, to attract

accueil *m* welcome; **centre d'accueil** reception centre; meeting place

accueillir to welcome

achat *m* purchase; **assurance-achats** *f* purchase insurance; **faire des achats** to go shopping

acheter to buy

acheteur *m* **acheteuse** *f* buyer

acide acidic

acquis : j'ai acquis I acquired

acras de morue *m* cod cake

âcre acrid, pungent

acrobate *mf* acrobat

acteur *m* actor

actif, active active

Action de grâces *f* Thanksgiving

actionné(e) operated, powered

activer to activate

actrice *f* actress

actualité *f* piece of news; **actualités** news, information

actuel, actuelle present

actuellement now

addition *f* (restaurant) bill, cheque

adéquat(e) adequate

adieu (adieux) *m* goodbye, farewell

admettre (admis) to admit, to confess

admirablement admirably

ado* *m* adolescent

adolescent *m* **adolescente** *f* adolescent, teenager

adoptif, adoptive adoptive, adopted

adresse *f* address; skill; **jeu d'adresse** *m* game of skill

adresser to address; **s'adresser à** to talk to; to refer to; to face; to appeal to

aérobique aerobic

aérogare *f* airport, air terminal

aéroport *m* airport

affaire *f* affair; thing; **affaires personnelles** personal effects; **les affaires** business

affiche *f* poster; sign; **à l'affiche** showing

afficher to post, to hang up

affilié(e) affiliated

affirmation *f* statement

affirmer to affirm; to declare, to assure, to uphold; **s'affirmer** to assert oneself

affreux, affreuse horrible, awful

affronter to confront, to face

afin de in order to

Afrique *f* Africa; **Afrique du Sud** South Africa

agacer to irritate, to annoy

âge *m* age; **âge d'or** golden age, senior citizens; **quel âge as-tu/avez-vous?** how old are you? **j'ai 15 ans** I'm 15 (years old)

âgé(e) aged, old; **les personnes âgées** *fpl* the elderly

agence *f* agency, organization; **agence de voyages** travel agency

agent *m* **agente** *f* agent; **agent/agente de relations publiques** public relations agent; **agent/agente de voyages** travel agent

agile nimble

agglomération *f* built-up area, urban centre

agir to act

agité(e) agitated, troubled; **sommeil agité** restless sleep

agneau *m* lamb; **côtelette d'agneau** *f* lamb chop; **épaule d'agneau** *f* shoulder of lamb

agréable pleasant, agreeable, nice, charming

agressif, agressive aggressive; eager, spirited

aide *f* help, aid; **à l'aide de** with the help of

aide *mf* assistant; **aide aux foyers** home help; **venir en aide** to assist, to help

aider to help; **puis-je vous aider?** may I help you? **s'aider** to help one another

aiglefin *m* haddock; **filet d'aiglefin** *m* fillet of haddock

aigre sour, sharp (taste)

aiguille *f* needle; **aiguille à tricoter** knitting needle

aiguilleur *m* **aiguilleuse** *f* **du ciel** air-traffic controller

ail *m* garlic; **beurre à l'ail** *m* garlic butter; **sauce à l'ail** *f* garlic-flavoured sauce; **scampis à l'ail** *mpl* shrimp with garlic

ailleurs elsewhere

aimable likeable, friendly, nice, kind, pleasant

aimer to like

aîné *m* **aînée** *f* elder; eldest

ainsi thus; so; **ainsi de suite** and so on

air *m* air; **avoir l'air** to seem, to look, to appear; **en l'air** in the air; **en plein air** outdoors; **prendre l'air** to get some (fresh) air

aise *f* pleasure; **à l'aise** comfortable, at ease

ajouter to add

album *m* hardcover comic book; (photo) album

alcool *m* alcohol

Algérie *f* Algeria

aliment *m* food (product)

alimentaire food(-related); **sources alimentaires** *fpl* food sources

alimentation *f* feeding; diet

Allemagne *f* Germany

allemand *m* German (language)

allemand(e) German

aller to go; **aller mal** to go badly; to go wrong; **allez-y!** go ahead! **s'en aller** to go away, to leave; **se laisser aller** to let oneself go

allô hello (on the phone)

alors so, then

alphabétisation *f* literacy

altéré(e) altered

ambiance *f* atmosphere, mood, ambience; **ambiance de fête** festive atmosphere

ambitieux, ambitieuse ambitious

âme *f* soul

(s')améliorer to improve

amener to lead, to bring (along)

amer, amère bitter

américain, américaine American

amérindien(ne) Amerindian

Amérique *f* America; **Amérique du Nord** North America; **Amérique du Sud** South America

ami *m* **amie** *f* friend; **petit ami** boyfriend; **petite amie** girlfriend

amical (amicaux), amicale friendly

amicalement best wishes, cordially

amitié *f* friendship; **amitiés** best wishes, regards

amour *m* love

amoureux, amoureuse (de) in love (with)

amusant(e) amusing, funny

amuser to amuse, to entertain; **s'amuser** to have a good time

an *m* year

analgésique analgesic

analphabétisme *m* illiteracy

analyse *f* analysis

ancêtre *mf* ancestor

ancien, ancienne ancient, old; former; à l'ancienne in the old-fashioned style/way; ancien français old French

andouille *f* sausage

angle *m* corner; intersection

Angleterre *f* England

anglophone English-speaking

animal (animaux) *m* animal; animal de compagnie pet; animal en peluche stuffed animal

animateur *m* animatrice *f* announcer, dee-jay, vee-jay, (radio/TV) host; workshop leader

animation *f* animation; excitement, hustle and bustle; life, liveliness

animé(e) bustling, alive, animated; dessin animé cartoon

animer to lead; to enliven

année *f* year; grade; les années soixante the 60s; première année grade one

anniversaire *m* birthday; anniversary; carte d'anniversaire *f* birthday card

annonce *f* announcement; annonce d'emploi job ad; annonce publicitaire advertisement

annoncer to announce, to advertise

annonceur *m* annonceuse *f* announcer; advertiser

annuaire téléphonique *m* telephone directory

annuellement annually

annulaire *m* ring finger

annuler to cancel

anonyme anonymous

antenne *f* antenna, aerial; à l'antenne on the air

anti-alcool anti-alcohol

anti-drogue anti-drug

anti-racisme *m* anti-racism

anti-tabac anti-tobacco

antihistaminique *m* antihistamine

antique ancient; antique

antisudorifique *m* antiperspirant

anxiété *f* anxiety, worry

anxieux, anxieuse anxious, worried

apparaître (apparu) to appear

appareil *m* machine, device; appareil-photo (appareils-photo) camera; appareil ménager appliance

apparence *f* appearance, look

apparition *f* appearance, arrival

appartement *m* apartment

appât *m* appeal

appel *m* (telephone) call; appeal, claim; faire appel à to appeal to; to call upon

appeler to call; to name; s'appeler to be named

appétit *m* appetite; appétit insatiable voracious appetite; appétit médiocre poor appetite; bon appétit! enjoy your meal!

appoint : d'appoint secondary, extra

apporter to bring (along); apporter en classe to bring to school

apposer to affix

apprécier to appreciate

apprendre (appris) to learn; to teach

apprenti *m* apprentice, beginner

approbation *f* approval

approche *f* approach

approcher to approach; s'approcher de to approach

approprié(e) appropriate

approuvé(e) approved

approximatif, approximative approximate

appui *m* support

appuyer to support, to back up

après after; après la classe, après l'école after school; après tout after all; d'après according to; l'année d'après the following year; peu après shortly afterward

après-midi *m* afternoon

après-rasage *m inv* after-shave

aquatique aquatic, water

arabe *m* Arabian, Arabic

araignée *f* spider

arbitre *mf* referee, umpire

arborer to sport, to display

arbre *m* tree

arctique Arctic

ardoise *m* slate, clapperboard (cinematography)

aréna *f* arena

argent *m* money; silver; argent de poche pocket money; papier argent silver paper/foil

argile *f* clay

arithmétique *f* arithmetic

arme *f* arm, weapon

arménien(ne) Armenian

armoiries *fpl* coat of arms

arracher to pull out, to tear out; to seize, to snatch

arranger to arrange; arranger les choses to smooth things out; s'arranger to improve, to sort itself out

arrêt *m* stop

arrêter to stop; to shut off; s'arrêter to stop

arrière back; siège arrière *m* back seat

arrière *m* rear; à l'arrière in the back, at the rear

arrivée *f* arrival; à son arrivée on his/her arrival; dès mon arrivée as soon as I arrive(d)

arriver to arrive; qu'est-ce qui est arrivé? what happened?

arrondi(e) rounded

arrosé(e) basted; sprayed; sprinkled

art *m* art; beaux-arts fine art; objet d'art *m* art object

arthrite *f* arthritis

arthritique arthritic

articulaire articular (in the joints)

articulé(e) articulated

artifice : feux d'artifice *mpl* fireworks

artistique artistic

Asie *f* Asia

asperge *f* asparagus

assaisonner to season; pâte assaisonnée *f* seasoned dough

asseoir (assis) to seat; s'asseoir to sit down; asseyez-vous! sit down!

assez (de) enough; rather; en avoir assez to be fed up

assiette *f* plate; dish

assis(e) seated

assistance *f* assistance; Société d'assistance pour enfants Children's Aid Society

assistant *m* assistante *f* assistant; assistant(e) du service social social worker

assister (à) to attend

associer to associate

assumer to assume, to take on

assurance *f* insurance; assurance-achats *f* purchase insurance; assurance-automobile car insurance

assurer to ensure, to assure, to guarantee

asthme *m* asthma

astronef *m* spaceship

astronomique astronomical

atelier *m* workshop; atelier interactif interactive workshop; atelier-recherches research project

atout *m* (extra) advantage

attaquer to attack

atteindre (atteint) to attain, to reach; vous atteignez you reach

attendre to wait (for)

attentif, attentive attentive

attention *f* attention; attention! watch out! faire attention (à) to pay attention (to)

attentivement attentively, carefully

atténuer to alleviate, to lighten

attirant(e) attractive, appealing

attirer to attract, to draw

attraper to catch

attrayant(e) appealing, attractive

au : au choix choice of; au chômage unemployed; au contraire on the contrary; au courant up-to-date, informed; au cours de in the course of, during; au fond deep down; basically; au fur et à mesure as one goes along; au fur et à mesure que as (fast/soon as); au sérieux seriously

au-delà de beyond

auberge *f* inn, hostel; auberge de jeunesse youth hostel

aubergine *f* eggplant

aucun(e) none, not any; ne ... aucun(e) not any, not one, none

audacieux, audacieuse bold, daring

auditeur *m* (radio) listener

auditoire *m* audience

auditrice *f* (radio) listener

augmenter to increase

aujourd'hui today

auparavant previously, before

auprès de with, on the part of; next to, close to, by

auquel (auxquels) to whom

aussi also, too

aussitôt right away, immediately; aussitôt que possible as soon as possible

austère austere, severe

autant (de) as much, as many; so much, so many; autant que possible as much/as many as possible

auteur *m* author

autobus *m* (city) bus

autocar *m* touring bus, passenger coach

autochtone indigenous, native
autochtone *mf* native
autocollant *m* sticker
automne *m* fall, autumn
auto(mobile) *f* car, automobile; **auto-école** *f* driving school; **automobile à pédales** pedal-powered car; **assurance-automobile** *f* car insurance; **siège d'auto** *m* car seat
automobiliste *mf* driver
autonettoyant(e) self-cleaning
autoriser to authorize
autorité *f* authority
autoroute *f* highway
autostop *m* hitch-hiking; **faire de l'autostop** to hitch-hike
autour de around
auto-vérification *f* self-check(ing)
autre other, another; **autre chose** something else; **d'autres** others; **tout autre** all other
autrefois in the past; **d'autrefois** of yesteryear, of another time/era
avance *f* advance; **à l'avance** beforehand; **en avance** early
avancer to advance, to progress, to move ahead
avant (de) before
avant *m* front; **à l'avant** in/at the front
avantage *m* advantage; feature
avantageux, avantageuse worthwhile, profitable; attractive (price)
avec with; **avec soin** carefully
avenir *m* future; **à l'avenir** in the future
aventure *f* adventure
averse *f* (rain)shower, downpour
avertir to warn; to inform
avertissement *m* notice; warning
aveuglette : à l'aveuglette in the dark, blindly, in an uninformed manner
avion *m* airplane
avis *m* opinion; **à mon avis** in my opinion; **changer d'avis** to change one's mind
avoine *f* oats
avoir (eu) to have; **avoir l'âge de ...** to be ... years old; **avoir l'air** to seem, to look, to appear; **en avoir assez** to have had enough; **avoir besoin de** to need; **avoir de la chance** to be lucky; **avoir à cœur de** to be keen to; **avoir de la difficulté (à)** to have difficulty; **avoir le droit (de)** to have the right; **avoir envie de** to want to, to feel like; **avoir faim** to be hungry; **avoir hâte de** to be eager to; **avoir honte (de)** to be ashamed; **avoir horreur de** to loathe; to detest; **avoir l'intention de** to intend to; **avoir les jetons** to have the jitters; **avoir lieu** to take place; **avoir mal (à)** to have a pain; to find it difficult to; **avoir les nerfs en boule** to be ready to snap; **avoir l'occasion de** to have the opportunity to; **avoir de la peine** to be sad; **avoir peur de** to be afraid of; **n'avoir plus qu'une chose à faire** to have only one thing left to do; **avoir raison** to be right; **en avoir ras le bol*** to be fed up; **n'avoir rien contre qqn** to have nothing against someone; **avoir du bon sens** to have good sense; **avoir soif** to be thirsty; **avoir le temps de** to have the time to; **avoir tendance à** to tend to; **avoir tort** to be wrong; **avoir le trac** to be nervous
azur(e) blue

B.D. *f* comic strip; comic book
baby-boum *m* baby boom
baccalauréat (bac*) *m* high-school diploma
bagages *mpl* luggage
bagarre *f* fight; **chercher la bagarre** to look for a fight
bague *f* ring
baguette *f* French bread, French stick; chopstick; wand
baie *f* bay; berry; **bleuet** † blueberry; **baies sauvages** wild berries
baignoire *f* bathtub
bain *m* bath; **bain-marie** double boiler; **prendre un bain** to have a bath; **salle de bain** *f* bathroom
baisser to lower; to pull down
bal *m* ball; dance; **Bal de neige** Winterlude
balade *f* walk
baladeur *m* Walkman
baleine *f* whale
balle *f* ball; **jouer à la balle** to play ball
ballon *m* balloon; ball; **ballon à air chaud** hot-air balloon
banal(e) ordinary, commonplace
bande *f* group; gang; band; **bande dessinée** comic (strip); **en bande** in a group
bannière *f* banner
banque *f* bank
banquette *f* bench
baptiser to name
barbe *f* beard; *Barbe-Bleue* Bluebeard
barbecue *m* barbecue; **sauce barbecue** *f* barbecue sauce
barbu bearded
barbu *m* a bearded man
barème *m* (rating, marking) scale
barre *f* bar; **barre de chocolat** chocolate bar
bas *m* bottom
bas, basse low; **basses notes** low marks
bas : là-bas down there; over there
bascule : cheval à bascule *m* rocking horse
base *f* base; **de base** basic; **à base de** with a ... base
basé(e) sur based on
bassin *m* basin
bateau (bateaux) *m* boat, ship; **en/par bateau** by boat
bâtiment *m* building
bâtir to build
bâton *m* stick; **bâton de baseball** baseball bat; **bâton de golf** golf club; **bâton de hockey** hockey stick; **mettre des bâtons dans les roues** to throw a monkey wrench into the works
bâtonnet *m* stick
battre to beat; to punch; **se battre** to fight
bavard(e) talkative
bavarois(e) Bavarian

beau (bel), beaux, belle beautiful, handsome; fine; good, nice; **beaux-arts** *mpl* fine art; *La belle au bois dormant* Sleeping Beauty; *La belle et la bête* Beauty and the Beast; **la belle vie** the good life
beaucoup (de) a lot; much; many
beauté *f* beauty; **salon de beauté** *m* beauty salon
bébé *m* baby
bedaine *f* potbelly, paunch
Belgique *f* Belgium
béluga *m* beluga (whale)
bénéficiaire *m* beneficiary, recipient
bénéficier to benefit
bénévole voluntary (for charity)
berline *f* sedan
besoin *m* need; **avoir besoin de** to need
bête dumb, stupid, silly
bête *f* beast, animal; *La belle et la bête* Beauty and the Beast
bêtise *f* stupidity, foolishness; **faire des bêtises** to act up, to be silly; to make a blunder
béton *m* concrete; **laisse béton!** let it drop! **une idée béton*** a great idea
beurre *m* butter; **beurre à l'ail** garlic butter; **beurre aux fines herbes** herbed butter
bibliothécaire *mf* librarian
bibliothèque *f* library
bicarbonate de soude *m* sodium bicarbonate, baking soda
bicyclette *f* bicycle; **faire de la bicyclette** to cycle; to go cycling
bien well; very; **bien à toi** yours truly; **bien cordialement** (kind) regards; **bien des** a great deal of, many; **bien fait** well done; **bien sûr** of course; **faire du bien** to help, to do good; **juste bien** just right; **tout est bien qui finit bien** all's well that ends well
bien-être *m* well-being
bien *m* good; **biens** goods
bienfait *m* benefit, advantage
bientôt soon; **à bientôt** see you soon
bienveillant(e) benevolent, friendly, kind
bienvenue *f* welcome
bière *f* beer
bifteck *m* steak; **bifteck grillé** grilled steak
bijou (bijoux) *m* jewel
bilan *m* appraisal; **stress-bilan** stress level
bilingue bilingual
billard *m* billiards; **salle de billard** billiard hall
bille *m* marble; **jouer aux billes** to play marbles
billet *m* ticket
biographique biographical
biscuit *m* cookie
bisque *f* bisque (soup)
blague *f* joke; **faire une blague (à)** to play a joke (on); **sans blague!** no kidding!
blaguer to joke
blâmer to blame
blanc, blanche white; **pages blanches** white pages; **superblanc** whiter than white
blanchir to bleach; to blanch
blesser to wound, to injure; **se blesser** to injure oneself

bleu(e) blue; **bleuet**† blueberry

bleuet† *m* blueberry

bloquer to block, to restrict

bobo* *m* hurt, pain

bœuf *m* beef; **bœuf à l'orange** beef in orange sauce; **filet de bœuf** *m* fillet steak

bof!* whatever; huh; oh yeah

boire (bu) to drink

bois *m* wood; *La belle au bois dormant* Sleeping Beauty

boisson *f* drink, beverage; **boisson gazeuse** soft drink

boîte *f* box; can; **boîte postale** Post Office box

bol *m* bowl; **en avoir ras le bol*** to be fed up

bombarder to bombard, to inundate

bon *m* good

bon, bonne good; right; **bon appétit** enjoy your meal; **bonne chance!** good luck! **bon marché** at a good/reasonable price, cheap

bonheur *m* happiness

bonhomme (bonshommes) *m* little fellow; **bonhomme de neige** snowman

bonjour *m* hello, good morning, good day

bord *m* edge; **tableau de bord** *m* dashboard; **de tous bords** on all sides

boréal(e) boreal, northern

botanique botanic(al); **jardin botanique** *m* botanical garden

botte *f* boot; *Le chat botté* Puss in Boots

bouche *f* mouth

bouchée *f* mouthful

boucher *m* to block up, to plug; **se boucher les oreilles** to to cover one's ears

boucle *f* loop, circuit

boue *f* mud

bouger to move; to "rock"

bougie *f* spark plug; candle

bouillabaisse *f* bouillabaisse (fish soup)

bouillir to boil

bouillon *m* bouillon, (soup) stock, broth

boulanger *m* baker

boule *f* ball; **avoir les nerfs en boule** to be ready to snap; **boule de cristal** crystal ball; **boule de neige** snowball; **boules duveteuses et dorées** balls of golden fluff

bouleversé(e) overwhelmed, bowled over

boulot* *m* job; work; grind

boum* *f* party

bout *m* end; **à bout** tired, at the end of one's tether; **aller au bout** to go all the way; **au bout du fil** on the (telephone) line; **d'un bout à l'autre** from one end to the other; **faire un bout de chemin** to walk part of the way; **joindre les deux bouts** to make ends meet; **jusqu'au bout** right to the end

bouteille *f* bottle

boutes : «petites boutes» (= petits bouts) little pieces

boutique *f* boutique, specialty store

bouton *m* button

branché(e)* cool, "in", "with it"

brancher to plug in

bravo! good for you! hooray!

bref, brève brief; **bref...** in short...

breton(ne) Breton, from Brittany

breveté(e) patented; qualified, certified

brillant(e) brilliant

brillantine : avec plein de brillantine covered in Brilliantine (hair cream)

briller to shine, to gleam

brique *f* brick

briser to break

broche *f* spit; **rôti à la broche** roasted on a spit

brochette *f* skewer

brochure *f* brochure

(se) faire bronzer to (get a) tan

brossage *m* brushing

brosser : se brosser les cheveux/les dents to brush one's hair/teeth

brouillon *m* rough draft/copy

bruit *m* noise

brûlant(e) burning; hot

brûler to burn

brutal (brutaux), brutale brutal, rough

bruyant(e) noisy

buffle *m* buffalo

bulle *f* bubble; speech balloon

bulletin *m* report; **bulletin de notes** report card

bureau (bureaux) *m* office, bureau; desk; **bureau du tourisme** tourist bureau

but *m* goal; **à but non lucratif** nonprofit; **(se) fixer des buts** to set (one's) goals

ça it; that; **ça fait du bien** that/it helps; **ça ne fait rien** that/it doesn't matter

cabane *f* cabin; **cabane à sucre** sugar shack

cabaret *m* nightclub

cache-cache *m* hide-and-seek; **jouer à cache-cache** to play hide-and-seek

cacher to hide

cadeau (cadeaux) *m* gift, present

cadet *m* **cadette** *f* younger; youngest

cadre *m* setting, surroundings

café *m* coffee; café, restaurant

cahier *m* booklet; section (of a newspaper); notebook; workbook

caisse *f* box, crate; cash (register)

cajun *inv* Cajun; **à la cajun** Cajun style

calculatrice *f* calculator

calèche *f* horse-drawn open carriage

calendrier *m* calendar; **les calendriers** important dates

calme *m* quiet, calm; **du calme!** calm down!

calmer to calm; **se calmer** to calm (down)

camarade *mf* friend; **camarade de classe** classmate

caméra *f* movie camera; **caméra vidéo** *f* video camera

camion *m* truck; **camion de pompiers** fire engine/truck

camionnette *f* van

camp *m* camp; **feu de camp** *m* campfire

campagnard(e) country style

campagne *f* country(side); campaign; **campagne de publicité** advertising campaign

camping *m* camping; **terrain de camping** *m* campground

canadien, canadienne Canadian

canal (canaux) *m* (television) channel; canal

canard *m* duck

candidat *m* **candidate** *f* candidate; applicant

canette *f* can

canneberge *f* cranberry; **confiture de canneberges** *f* cranberry jam/jelly

cantonais(e) Cantonese

cantonné(e) quartered; **cantonnée au premier** decorated in the first quadrant

caoutchouc *m* rubber

capacité *f* capacity, capability

capitaine *m* captain

capituler to surrender

capsule témoin *f* time capsule

capter to capture, to attract

captiver to captivate, to capture, to win

car for, because

car *m* passenger coach

caractère *m* character; **publicité à caractère social** *f* public service ad

caractéristique *m* characteristic

caraïbe Caribbean

caramel *m* caramel; **crème caramel** *f* caramel custard

cardiaque cardiac; **crise cardiaque** *f* heart attack

caresser to hug, to stroke, to pet

cari *m* curry

caribou des bois *m* woodland caribou

carie dentaire *f* tooth decay

carnaval *m* carnival

carnet *m* notebook

carotte *f* carrot

carré(e) square; squared; **danse carrée** *f* square dance; **kilomètre carré** *m* square kilometer

carrière *f* career; **faire carrière** to make a career

carrosserie *f* bodywork, body (vehicle)

carte *f* (greeting) card; chart, map; menu; **carte d'anniversaire** birthday card; **carte de crédit** credit card; **carte postale** postcard; **carte de vœux** greeting card; **jouer aux cartes** to play cards; **à la carte** from the menu

cas *m* case; **dans ce cas** in that case; **en cas de** in case of

case *f* square, box; space

casier *m* locker

casque *m* helmet

casse-croûte *m inv* snack bar; snack

casse-tête *f inv* puzzle

casser to break; **casser les pieds*** to get on somebody's nerves

castor *m* beaver

cata* *f* catastrophe, disaster

catastrophe *f* disaster; **catastrophe planétaire** global disaster

cauchemar *m* nightmare

cause *f* cause; **à cause de** because of

causer to cause; to chat

causerie *f* conversation, chit-chat

ce que/ce qui (that) which, what

ce (cet), cette this, that; **ces** these, those

ceci this

céder to give up

ceinture *f* belt; **ceinture de sécurité** safety belt, seatbelt; **ceinture fléchée**† arrow sash

cela that

célèbre (par) famous (for)

célébrer to celebrate

célébrité *f* celebrity

celle this one, that one; **Celle-qui-rit** The Laughing One

cellule photoélectrique *f* photoelectric cell, light meter

celtique Celtic

celui, celle this one, that one; **ceux, celles** these, those

Cendrillon Cinderella

cent *m* hundred; **cent fois** a hundred times; **pour cent** percent

centaine *f* about a hundred

centrale hydro-électrique *f* hydroelectric plant/station

centre *m* centre; office; **centre-ville** downtown; **centre d'accueil** reception centre, meeting place; **centre d'achats**†/**centre commercial** shopping centre, mall; **centre d'écoute téléphonique** phone-in centre; **centre d'entraide** mutual assistance centre; **centre d'orientation** guidance office; **centre de consultation en maternité** maternity clinic; **centre de crise** crisis intervention centre; **centre de culturisme** fitness centre; **centre de réadaptation** rehabilitation centre

cependant however

céréale *f* grain; **céréales** cereal

cerf *m* deer, stag, buck

cerise *f* cherry

certain(e) certain, sure

certainement certainly

certificat *m* certificate

certitude *f* certainty

cesse : sans cesse constantly

cesser to cease, to stop, to quit

chacun(e) each (one)

chagrin *m* regret

chaîne *f* chain (commercial outlets); television network; **chaîne stéréo** stereo system

chair *f* flesh; **chair de poule** goosebumps

chaise *f* chair

chalet *m* cottage; chalet

chaleur *f* heat

chaleureux, chaleureuse warm, friendly

chambre *f* bedroom; chamber; **Chambre de commerce** Chamber of Commerce

chameau (chameaux) *m* camel

champignon *m* mushroom; **soupe aux champignons** *f* mushroom soup

championnat *m* championship

chance *f* luck; **avoir de la chance** to be lucky; **bonne chance!** good luck!

chanceux, chanceuse lucky

chandail *m* sweater

chandelle *f* candle; **jouer à la chandelle** to play "duck, duck, goose"

changeant(e) changing; **humeur changeante** *f* moody, unpredictable

changement *m* change

changer to change; **changer d'avis** to change one's mind; **changer de place** to change places

chanson *f* song

chant *m* chant, song

chanter to sing

chanteur *m* **chanteuse** *f* singer

chantier *m* construction site

chapeau (chapeaux) *m* hat, cap

chapelure *f* breadcrumbs

chaperon *m* hood; *Le petit chaperon rouge Little Red Riding Hood*

chaque each, every

charcuterie *f* cold meats

chardon *m* thistle

chargement *m* loading

charger to make responsible; **se charger de** to undertake, to look after, to take on

chariot *m* cart; **chariot des desserts** dessert trolley

charmant(e) charming, pleasing

chasse *f* hunting

chasser to go hunting; to chase; **chasser de ma tête** to get out of my mind

chat *m* cat; **jouer à chat** to play tag; *Le chat botté Puss in Boots*

château (châteaux) *m* castle; **château de sable** sandcastle

chaud(e) hot; warm; **ballon à air chaud** *m* hot-air ballon

chauffant(e) heating, warming

chauffé(e) heated

chauffeur *m* **chauffeuse** *f* driver

chaussette *f* sock

chaussure *f* shoe; **chaussures** footwear

chef *m* head; top; leader; Chief; **chef de cuisine** chef; **chef-d'œuvre** masterpiece

chemin *m* path, trail, road; **être sur le bon chemin** to be on the right track; **faire un bout de chemin** to walk partway

chemise *f* shirt

chenille *f* caterpillar

chèque *m* cheque; **chèque de voyage** traveller's cheque

cher, chère dear; expensive

chercher to look for; to pick up, to get; **chercher la bagarre** to look for a fight

chercheur d'or *m* (gold) prospector

chéri, chérie *mf* dear, darling

chérir to treasure, to cherish

cheval (chevaux) *m* horse; **cheval à bascule** rocking horse

chevalier *m* knight

chevalière *f* signet ring

cheveu *m* (single) hair; **les cheveux** hair; **coupe de cheveux** *f* haircut

chèvre *f* goat; **chèvre des montagnes** mountain goat

chevreuil *m* deer, venison

chez with; in; at (the home/house of); **chez moi** at/to my place

chic fashionable, stylish

chicane *f* squabble, quarrel; **être en chicane** to bicker, to quarrel, to squabble

(se) chicaner to squabble, to quarrel

chien *m* dog; **chien de traîneau** sled-dog

chiffre *m* number, numeral

Chine *f* China

chinois(e) Chinese

chirurgien *m* **chirurgienne** *f* surgeon

choc *m* shock; **pare-chocs** *m inv* bumper

chocolat *m* chocolate

choisir to choose

choix *m* choice; **au choix** choice of

chômage *m* unemployment; **être au chômage** to be unemployed

chose *f* thing; **n'avoir plus qu'une chose à faire** to have only one thing left to do

chou (choux) *m* cabbage; **salade de chou** coleslaw

chouchou *m* (teacher's) pet

choucroute *f* sauerkraut

chouette* great, neat; cute

chrysalide *f* chrysalis

chum† *m* boyfriend

chut! shh!

chute *f* fall; loss; **chutes** (water)falls

ci : ci-dessous below; **ci-dessus** above; **ce mois-ci** this very month

cible *f* target; **consommateurs-cible** *mpl* target audience; **marché-cible** *m* target market

cibler to target, to aim (at)

ciel *m* sky

cinéma *m* movie theatre; movies; **salle de cinéma** *f* movie theatre

cinéphile *mf* movie buff/enthusiast

circonstance *f* circumstance

circuit *m* home run

circulation *f* traffic

cirque *m* circus

citation *f* quotation

citer to quote, to mention

citoyen *m* **citoyenne** *f* citizen

citron *m* lemon; **écorce de citron** *f* lemon peel; **jus de citron** *m* lemon juice

clair(e) clear; **voir clair** to see clearly

clairement clearly

clapman *m* clapperboard man (movies)

claque *f* slap

clarifier to clarify, to explain

clarté *f* clarity

classe *f* category; class(room); classmates; **après la classe** after school; **camarade de classe** *mf* classmate; **classe de Terminale** final year, senior year; **en classe** in class; to school; **premier de la classe** top student; **salle de classe** *f* classroom

classer to classify, to rank

classique classic; classical

clef *f* key

cliché *m* cliché, stereotype

client, cliente *mf* customer; client

clientèle *f* clientèle

climat *m* climate

climatisation *f* air conditioning

climatiseur *m* air conditioner

clip *m* clip; **vidéoclip** *m* music video

cloche *f* bell

clocheton *m* bell tower

cloué *m* nailed; **être cloué sur place** to be nailed to the spot, to be unable to move

clown *m* clown; **faire le clown** to act up, to misbehave

cocher to check (off)

cocon *m* cocoon

code *m* code; **code postal** *m* postal code

cœur *m* heart; **avoir à cœur** to be keen; **par cœur** by heart; **prendre à cœur** to have one's heart set

coexister to coexist, to get along

coiffer to do hair; to comb; **se coiffer** to arrange/do one's hair

coin *m* corner; **coin des conseils** advice column

colère *f* anger; **piquer une colère** to throw a tantrum

colisée *m* coliseum

colle *f* glue

collectionner to collect

collectionneur *m* collectionneuse *f* collector

collège *m* collège; **collège militaire royal** Royal Military College

collègue *mf* colleague, co-worker

coller to glue (together)

collier *m* necklace

colline *f* hill; **colline parlementaire** Parliament Hill

colloque *m* symposium

Colombie *f* Columbia

Colombie-Britannique *f* British Columbia

combattre (combattu) to fight against, to combat

combien (de) how much; how many; **combien de temps** how long

comble *m* height; **ça, c'est le comble!** that's the last straw! that takes the cake!

combler to fill; to fulfil; **combler un besoin** to meet a need

comédien *m* comédienne *f* comedian; actor/actress

comestible edible

comique comic, comical, funny

comité *m* committee; **comité organisateur** organising committee

commande *f* order; control; **à commande électrique** electrically operated

commander to order (food)

commanditaire *m* sponsor

commandite *f* partnership; joint effort

commanditer to sponsor

comme as; like; **comme ça** (in) that way; **comme prévu** as arranged; **comme si** as if; **comme toujours** as always

commémoratif, commémorative commemorative

commencement *m* beginning; **tout au commencement** right at the very beginning

commencer to begin, to start

comment how; **et comment!** and how! that's for sure!

commentaire *m* commentary, comment, remark, opinion

commenter to comment on

commerce *m* trade, commerce; **Chambre de commerce** Chamber of Commerce

commission *f* errand; **faire des commissions** to run errands

commun(e) common; **points communs** points in common

communautaire community; **organisme**

communautaire *m* community organization

communauté *f* community

communiqué *m* press release

communiquer to communicate

compact(e) compact; **disque compact** *m* compact disk

compagnie *f* company, firm; **animal de compagnie** *m* pet; **Compagnie de la baie d'Hudson** Hudson's Bay Company

compagnon *m* companion

comparaison *f* comparison; **en/par compraraison avec** in comparison with

compétitif, compétitive competitive

compétitivité *f* competitiveness

complet, complète complete

complètement completely

comporter to contain; **se comporter** to act, to behave

composante *f* component

composer to compose; to dial (a phone number)

compositeur *m* compositrice *f* composer

compréhensible comprehensible, understandable

compréhensif, compréhensive comprehensive, complete; understanding

compréhension *f* comprehension; understanding

comprendre (compris) to understand

compromis *m* compromise

compte *m* account; count; **en fin de compte** when all is said and done

compter to count; to score

comptine *f* rhyme

comptoir *m* counter

comtesse *f* countess

concentré(e) concentrated

concierge *mf* concierge; caretaker, janitor

concours *m* contest, competition

conçu(e) conceived, designed

concurrence *f* competition, rivalry

concurrent *m* concurrente *f* rival, competitor

concurrentiel(le) competitive

conditionnement *m* conditioning

conducteur *m* conductrice *f* driver, operator

conduire (conduit) to drive; **permis de conduire** *m* driver's licence; **se conduire** to behave

conduite *f* conduct, behaviour; driving; **école de conduite** *f* driving school

conféré(e) conferred, awarded

conférence *f* conference; **en conférence** in a meeting

confiance *f* confidence, trust; **faire confiance à** to trust, to have faith in

confiant(e) confident

confier (à) to confide (in)

confiserie *f* candy store; candy

confiture *f* jam; **confiture de canneberges** cranberry jam/jelly; **tartine de confiture** *f* slice of bread and jam

conflit *m* conflict

confort *m* comfort

confortable comfortable

confus(e) confused

conjugaison *f* conjugation

conjuguer : **se conjuguer** to be conjugated

connaissance *f* knowledge; friend, acquaintance; **faire la connaissance de** to get to know, to meet, to become acquainted with

connaître (connu) to know, to be acquainted with; to be familiar with

conquête *f* conquest

consacrer to devote, to dedicate

conscient(e) aware

conseil *m* (piece of) advice; council; **coin des conseils** *m* advice column

conseiller *m* conseillère *f* (guidance) counsellor

conseiller to advise, to give advice

conservatoire *m* conservatory

conserver to keep, to save, to put away

considérer to consider; to review

consigne *f* order, advice, rule; **consigne de sécurité** *f* safety rule

consister (en) to consist (of)

consommateur *m* consommatrice *f* consumer; **consommateurs-cible** target audience

consommation *f* consumption

consommé *m* consommé, clear broth

consommer to consume, to eat

constamment constantly

constater to state, to observe, to note; to discover, to find out

constituer to constitute

construire (construit) to construct, to build

consultation *f* consultation; **centre de consultation en maternité** *m* maternity clinic

contact *m* contact; **prendre contact** to contact; **perdre le contact** to lose touch

conte *m* story; **conte de fées** fairy tale; *Contes de ma mère l'Oie* Mother Goose Stories

contemporain(e) contemporary, present-day

contenant *m* container

contenir (contenu) to contain

content(e) glad; **être content de** to be happy/pleased about

contenu *m* content(s)

conteur *m* conteuse *f* storyteller

continu(e) continued; continual

continuellement continually; continuously

continuer (à, de) to continue (to)

se contorsionner to contort oneself, to bend over backwards

contrainte *f* constraint

contraire *m* opposite; **au contraire** on the contrary

contrairement contrary

contre against; **par contre** on the other hand; **le pour et le contre** the pros and the cons

contrevenance *f* offense

contrevenir (contrevenu) to contravene

contribuer to contribute

contrôle *m* checkpoint; control

contrôler to check, to verify; to officiate, to referee

convaincant(e) convincing
convaincre (convaincu) to convince
convenable suitable; appropriate
convenance *f* preference; satisfaction
conventionnel(le) conventional, standard
coopérer to cooperate
copain *m* friend
copier to copy; **copier sur quelqu'un** to copy from someone
copine *f* friend
coq *m* rooster
coquille *f* shell
corde *f* rope; **sauter à la corde** to skip rope
cordialement cordially, regards
cornichon *m* pickle
corps *m* body
correctement correctly
correspondance *f* correspondence; transfer, connection
correspondant, correspondante *mf* correspondent; pen-pal
correspondre to correspond; to write
corriger to correct
corvée *f* chore, drudgery
costume *m* outfit; suit; **costume d'époque** period costume
se costumer to dress up, to put on costume
côte *f* coast; hill; rib; **côte levée** spare rib; **côte magnétique** magnetic hill
côté *m* side; **à côté de** beside; **côté positif** positive side; **mettre de côté** to put aside, to save; **voir les deux côtés** to see both sides
côtelette *f* chop; **côtelette d'agneau** lamb chop; **côtelette de porc** pork chop
cou *m* neck; back of the neck
couche *f* diaper; layer
couché(e) crouching; couchant
se coucher to go to bed
couler to flow, to run (water)
couleur *f* colour; **de quelle couleur est ...?** what colour is ...?
couloir *m* hall(way)
coup *m* blow; shock; **coup de circuit** home run; **coup de pied** kick; **coup de poing** punch; **coup de sifflet** sound of the whistle; **tout d'un coup** suddenly; **valoir le coup** to be worthwhile
coupable guilty
coupe *f* cut; cup; **Coupe Grey** Grey Cup; **Coupe Stanley** Stanley Cup; **coupe de cheveux** haircut
couper to cut (off); **couper les liens** to break off
coupon *m* coupon; **coupon-réponse** reply coupon
cour (de récréation) *f* (school)yard
courage *m* courage; **bon courage!** take heart! don't give up!
courant(e) current, present; widespread
courant *m* trend; **être au courant** to be up-to-date, informed; **tenir au courant** to keep informed
coureur *m* **coureuse** *f* automobile driver
courir (couru) to run
couronné(e) crowned
courrier *m* mail, post
cours *m* course; class; **au cours de** in the course of, during; **cours du soir** night course; **donner libre cours à** to give free rein to; **heures de cours** *fpl* class time; **salle de cours** *f* classroom
course *f* race; **les courses** shopping; **faire des courses** to go shopping, to shop
court(e) short
courtois(e) courteous
coussin *m* cushion
coût *m* cost
couteau (couteaux) *m* knife
coûter to cost; **coûter cher** to cost a lot, to be expensive
coûteux, coûteuse costly, expensive
coutume *f* custom
couvre-feu *m* curfew
couvrir (couvert) to cover
crabe *m* crab
crainte *f* fear
craintif, craintive fearful, apprehensive
craquer to snap; **être sur le point de craquer** to be at the breaking point
crayon *m* pencil
créateur, créatrice creative
créateur *m* **créatrice** *f* creator, creative person; designer
créatif *m* idea person
crédit *m* credit; **carte de crédit** *f* credit card
crédulité *f* credulity, gullibility
créer to create
crème *f* cream; **crème glacée**† ice cream; **crème caramel** caramel custard; **crème de beauté** beauty cream; **crème sure** sour cream; **sauce à la crème** *f* cream sauce
crémeux, crémeuse creamy
créole *mf* Creole
crêpe *f* pancake; **crêpe mexicaine** tortilla
crêperie *f* pancake house
cretons (de porc)† *mpl* pork pâté
crève : avoir la crève* to be ill/sick
crevette *f* shrimp
cri *m* shout, scream
Cris *mpl* Cree Indians
crier to shout, to scream
crinière *f* mane
crise *f* crisis; **centre de crise** *m* crisis intervention centre; **crise émotionnelle** nervous breakdown
critère *m* criterion
critique critical, important
critique *f* criticism; review
critique *mf* reviewer, critic
critiquer to criticize
croire (cru) to believe
croiser to pass by, to meet
croissant *m* croissant, crescent roll
croissant(e) growing, rising
croix *f* cross; **Croix-Rouge** Red Cross
croquant(e) crispy. crunchy
croustillant(e) crusty, crispy
croûte *f* crust; **casse-croûte** *m* snack bar; snack
croûton *m* breadcrust, crouton
cru(e) raw
crustacé *m* crustacean, shellfish
cueilli(e) harvested, gathered, picked
cuillerée *f* spoonful
cueillette *f* gathering, picking, harvest

cuir *m* leather
cuire (cuit) to cook; **cuit à la perfection** cooked to perfection; **cuire au four** to cook in the oven
cuisine *f* kitchen; cooking; **haute cuisine** gourmet cooking
cuisiner to cook
cuisinier *m* **cuisinière** *f* cook
cuisson *f* cooking; **mode de cuisson** *m* method of preparation
cuit(e) cooked; **cuit à la broche** spit roasted; **cuit au four** roasted, baked; **cuit sur charbon de bois** charcoal grilled
culinaire culinary, cooking
culturisme *m* body-building
cure *f* cure, treatment
curieux, curieuse curious
curiosité *f* curiosity

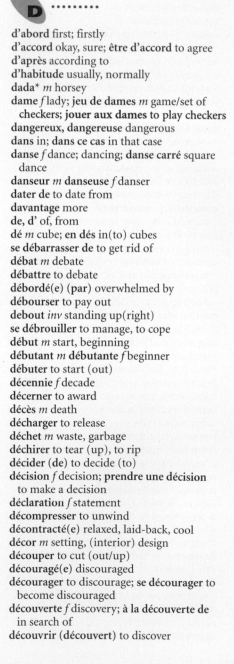

D

d'abord first; firstly
d'accord okay, sure; **être d'accord** to agree
d'après according to
d'habitude usually, normally
dada* *m* horsey
dame *f* lady; **jeu de dames** *m* game/set of checkers; **jouer aux dames** to play checkers
dangereux, dangereuse dangerous
dans in; **dans ce cas** in that case
danse *f* dance; dancing; **danse carré** square dance
danseur *m* **danseuse** *f* danser
dater de to date from
davantage more
de, d' of, from
dé *m* cube; **en dés** in(to) cubes
se débarrasser de to get rid of
débat *m* debate
débattre to debate
débordé(e) (par) overwhelmed by
débourser to pay out
debout *inv* standing up(right)
se débrouiller to manage, to cope
début *m* start, beginning
débutant *m* **débutante** *f* beginner
débuter to start (out)
décennie *f* decade
décerner to award
décès *m* death
décharger to release
déchet *m* waste, garbage
déchirer to tear (up), to rip
décider (de) to decide (to)
décision *f* decision; **prendre une décision** to make a decision
déclaration *f* statement
décompresser to unwind
décontracté(e) relaxed, laid-back, cool
décor *m* setting, (interior) design
découper to cut (out/up)
découragé(e) discouraged
décourager to discourage; **se décourager** to become discouraged
découverte *f* discovery; **à la découverte de** in search of
découvrir (découvert) to discover

décrire (décrit) to describe

décrochage scolaire *m* dropping out of school

décrocheur *m* **décrocheuse** *f* (school) dropout

déçu(e) disappointed

défaut *m* fault, flaw

défi *m* challenge; **face aux défis** facing challenges

défilé *m* parade

se défouler to unwind, to let off steam

dégager to free; to relieve; to cut loose

dégoûté(e) disgusted

déguisé(e)(en) disguised (as)

déguster to taste, to sample

dehors *m* outside

déjà *adv* already; ever

déjeuner *m* lunch; breakfast†; **petit déjeuner** breakfast

déjeuner to eat lunch; to eat breakfast†

déjouer to outsmart

délai *m* delay, interval

délice *m* delight; **c'est délice*** it's terrific

délicieux, délicieuse delicious

délire *m* delirium, craziness, madness

déloger to dislodge

deltaplane *m* hang-glider; **faire du deltaplane** to go hang-gliding

demain tomorrow

demande *f* request

demander to ask (for); **demander pardon** to ask for forgiveness; to excuse (oneself)

demandeur d'emploi *m* job-seeker

démarquer to mark down; to copy

déménagement *m* moving (house)

déménager to move; **déménager dans une autre ville** to move to another town

demeurer to live, to reside

démodé(e) out of style, out of fashion

démolir to demolish

démonstration *f* demonstration

dénigrer to denigrate, to put down

dénoncer to denounce, to attack

dent *f* tooth; **se brosser les dents** to brush one's teeth

dentaire dental; **carie dentaire** *f* tooth decay; **plaque dentaire** *f* dental plaque; **soie dentaire** *f* dental floss

dentelle *f* lace

dentifrice *m* toothpaste

dentiste *mf* dentist

dépanneur *m* convenience store, variety store; variety store owner

départ *m* departure, leaving

dépasser to surpass, to exceed

se dépêcher to hurry (up)

dépendre (de) to depend (on)

dépense *f* expense, expenditure, cost

dépenser to spend (money)

déplacer to move; **se déplacer** to move (around); to travel

dépliant *m* flyer, leaflet, brochure

déplorable deplorable, disgraceful

déposer to drop off, to deliver; to deposit, to lay/put down

dépôt alimentaire *m* food bank

déprécier to belittle, to disparage

déprimé(e) depressed

depuis since; **depuis longtemps** for a long time; **depuis ce temps** since then

déranger to disturb, to bother; to upset

dérivé(e) de derived from

dernier, dernière last; former, previous; latest, most recent; **le mois dernier** last month; **pour la dernière fois** for the last time

se dérouler to take place, to occur

derrière behind

dès from, as early as; **dès que** as soon as; **dès mon arrivée** as soon as I arrive(d)

désaccord *m* disagreement; conflict

désagréable unpleasant, disagreeable

désappointé(e) disappointed

désastre *m* disaster

désavantage *m* disadvantage

désavantagé(e) disadvantaged, underprivileged

descendre to descend; to come down, to go down; to get off; to get out (of a car/train)

désespéré(e) desperate

désespérer to despair, to lose hope

désigner to designate

désintégration *f* disintegration; **désintégration émotionnelle** emotional crisis

désir *m* desire; wish

désirer to wish, to want (to)

désolé(e) sorry

désormais henceforth, from now on

dessécher to dry (out)

dessert *m* dessert; **chariot des desserts** *m* dessert trolley

dessin *m* drawing; design; **dessin animé** cartoon, animated movie

dessiner to draw, to sketch; **bande dessinée** *f* cartoon/comic (strip)

dessous under(neath); **ci-dessous** below

dessus above; **ci-dessus** above

se déstabiliser to become unstable

destiné(e) (à) intended (for)

détail *m* detail

détaillant(e) *mf* retailer

détaillé(e) detailed

Détecteurs de mensonges *mpl* Lie Detectors

se détendre to relax, to unwind

détente *f* relaxation

déterminer to determine, to establish

détresse *f* distress

détroit *m* strait

détruire (détruit) to destroy

dette *f* debt

développer to develop

devenir (devenu) to become

deviner to guess

devise *f* motto

devoir (dû) to owe; to have to (do something)

devoir *m* duty; **devoirs** *mpl* homework

diabète *m* diabetes

dialogue *m* dialogue, conversation; **dans le dialogue** by talking about them

dialoguer to converse, to dialogue

diapositive (diapo*) *f* slide, transparency

dictionnaire *m* dictionary

dieu *m* god

se différencier to differentiate oneself, to differ

difficile difficult

difficulté *f* difficulty, problem; **avoir de la difficulté** to have difficulty

diffusé(e) broadcast

diffusion *f* broadcast, distribution

digne worthy

diminuer to decrease, to lessen

diminutif *m* pet name

dinde *f* turkey

dîner *m* dinner; lunch†

dîner to dine, to have dinner, to have lunch†

diplomate diplomatic

diplôme *m* diploma; **remise des diplômes** *f* presentation of diplomas

dire (dit) to say, to tell; **à vrai dire** to tell the truth; **c'est-à-dire** that is to say, namely; **dire un mensonge** to tell a lie; **dis donc!** hey! say! tell me! **sans rien dire** without saying a word

direct(e) direct; **en direct** live

directeur *m* director; principal; manager

direction *f* management

directrice *f* director; principal; manager

diriger to direct, to manage, to lead

discours *m* speech, address

discréditer to discredit

discret, discrète discreet

discuter (de) to discuss

disloquer to dislocate

disparaître (disparu) to disappear

disponibilité *f* availability

disponible available

disposé(e) inclined, disposed

dispute *f* disagreement, argument, quarrel, fight

disputer to dispute, to contest; to play (a game); **se disputer** to argue

disque *m* record; **disque compact** compact disc

se dissiper to break up, to disperse

distinctif, distinctive distinctive

distribuer to distribute

divers(e) diverse, various, several

diversité *f* diversity

se divertir to amuse/entertain oneself

divertissement *m* entertainment; amusement; recreation

diviser to divide

dizaine *f* about ten

document *m* document; **document-ressource** resource document

documentaire *m* documentary

domaine *m* domain, area, field

domestique domestic; domesticated

domicile *f* residence, home; **livraison à domicile** *f* home delivery

dominer to dominate, to have the advantage over

dommage *m* harm; **c'est dommage** it's/that's a shame/that's too bad; **dommages** damage

don *m* donation; talent, gift

donc therefore, so, then

donnée *f* a piece of **information**

donner to give; **donner à manger** to feed; **donner des lignes à faire** to give lines (to copy); **donner libre cours** to give free rein; **donner un air** to create a look; **donner un coup de poing/de pied** to punch/kick; **donner une fessée** to spank
dont that; of which; of whom
doré(e) golden
dorénavant henceforth, from now on
dormant(e) sleeping; *La belle au bois dormant* Sleeping Beauty
dormir to sleep
dortoir *m* dormitory
dos *m* back
dossier *m* back (of a chair); file
douane *f* customs; **exempté de douane** duty free
doublement doubly
doubler to double
douleur *f* pain
doute *m* doubt; **sans doute** doubtless, no doubt
doûter de to doubt
douteux, douteuse doubtful, dubious, implausible
doux, douce soft; sweet
douzaine *f* dozen
drame *m* drama
drapeau (drapeaux) *m* flag
dresser to draw up, to compile
drogue *f* drugs
se droguer to take drugs
droit *m* right; **avoir le droit** to have the right
droit(e) straight; **droit dans les yeux** right in the eyes
droite *f* right, right-hand side; **à droite** on the right
drôle funny
drôlement right and left, excessively
dû, due due
dur(e) hard, tough, difficult; **jouer le petit dur** to act tough; **le petit dur/la petite dure** the tough guy/girl
durable durable, long-lasting
durant during
durée *f* length, duration
durement harshly, severely
durer to last
duveteux, duveteuse downy, fluffy

E ....

eau *f* water; **eau glacée** ice water; **eau minérale** mineral water
échange *m* exchange; **en échange** in exchange; on an exchange; **visite-échange (visites-échange)** *f* exchange visit
échanger to exchange, to switch
échantillon *m* sample
échasse *f* stilt
échec *m* failure, defeat, setback
échelle *f* scale; ladder
échouer to fail
éclair *m* (lightning) bolt, flash
éclairage *m* lighting, lights
éclairagiste *m* lighting engineer

éclatant(e) bright, brilliant
éclater to break out; **éclater de rire** to burst out laughing; **s'éclater** to burst forth
école *f* school; **après l'école** after school; **école de conduite** driving school; **école de rang**† concession road school, country school
écolier *m* **écolière** *f* student (elementary school)
écolo* *mf* environmentally aware person
écologique (écolo*) ecological; environmentally aware
économie *f* saving
économique economic(al)
écorce *f* bark; peel; **écorce de citron** lemon peel
écossais(e) Scots, Scottish
écot *m* tree branch
écoute *f* listening; **à l'écoute** tuned in/to, listening; **centre d'écoute téléphonique** *m* phone-in centre; **ligne d'écoute** *f* hot line, call-in show
écouter to listen (to)
écran *m* screen; **écran solaire** sunscreen
écrevisse *f* crayfish
écrire (écrit) to write; **par écrit** in writing
écriture *f* (hand)writing
écrivain *m* **écrivaine** *f* writer
écu *m* shield, escutcheon
édifice *m* building
éducatif, éducative educational
éduquer to educate
effet *m* effect; **en effet** in effect, in fact; **effet désiré** desired effect, result
efficace effective; efficient
efficacité *f* effectiveness; efficiency
s'effondrer to collapse, to cave in
également equally; also, as well
église *f* church
élan *m* spring, bound; dash, energy, momentum; enthusiasm
s'élancer to rush, leap (towards)
électrique electric; **à commande électrique** electrically powered
électrisé(e) electrified
élément *m* element, component; **les éléments** weather
élevage *m* rearing, raising (farming)
élève *mf* pupil, student
élevé(e) raised; high; **prix élevé** *m* high price
élever to bring up, to raise; **élever la voix** to raise one's voice
emballage *m* packaging, wrapping, paper
embarquer to embark, to get on
embarras *m* embarrassment
embarrassant(e) embarrassing
embêter to bother, to pester, to annoy
émission *f* (television or radio) program
emmener to take (along)
émotif, émotive emotive, emotional
émotionnel, émotionnelle emotional; **désintégration émotionnelle** *f* emotional breakdown; **crise émotionelle** *f* emotional crisis
empaqueté(e) wrapped, packaged
empêcher (de) to prevent (from)
emploi du temps *m* timetable, schedule

emploi *m* job; **annonce d'emploi** *f* job ad
employer to use
employeur *m* **employeuse** *f* employer
emporter to take (away)
empreinte *f* imprint
emprisonner to imprison
emprunter to borrow
en of it/them; from it/them; in; **en avance** early; **en bande** in a group; **en classe** in class, to school; **en échange** in/on an exchange; **en ce moment** now, at the moment; **en direct live;** in fact; **en gros** wholesale; **en moyenne** on average; **en plus** furthermore, as well; **en retard** late; **en tant que** as; **en vente** for/on sale; **en ville** downtown
encercler to circle
enchantement *m* magic; **comment par enchantement** by what magic
encore still; yet; again; **encore une fois** once more, again; **pas encore** not yet
encourageant(e) encouraging
encourager (à) to encourage
encyclopédie *f* encyclopedia
s'endormir to fall asleep
endossement *m* endorsement
endosser to endorse
endroit *m* place, spot, location, site
énergique energetic
énervé(e) irritated, annoyed; uptight, tense, on edge
énerver to annoy, to bother
enfance *f* childhood
enfant *mf* child; **enfant unique** only child; **Société d'assistance pour enfants** *f* Children's Aid Society
enfermé(e) closed in, shut in
s'enfermer to lock/shut (oneself) in
enfin finally, at last
enfoui(e) buried, tucked away
engager to engage, to hire
engin *m* engine; contraption
engueuler* to bawl out, to yell at
enivré(e) drunk, inebriated
enlever to remove, to take away
enneigé(e) snow-covered
ennemi *m* enemy
ennui *m* worry
s'ennuyer to be bored; to be lonely
ennuyeux, ennuyeuse boring
énoncé *m* statement
énorme enormous, huge
enquête *f* investigation; survey; **mener une enquête** to lead an investigation
enquêter to investigate; to conduct a survey
enregistrer to tape, to record
enrichissant(e) enriching
enrobé(e) (de) covered, coated (with)
enroulé(e) rolled (up)
enseignant *m* **enseignante** *f* teacher
enseigner to teach
ensemble together
ensemble *m* outfit; set; **ensemble à colorier** colouring set
ensoleillé(e) sunny
ensorcelé(e) bewitched, enchanted
ensuite then, next

entendre to hear; **s'entendre** to get along (with one another)

enthousiasme *m* enthusiasm

entier, entière entire, whole

entièrement entirely

entourer to circle, to surround

entraide *m* mutual aid

entraînement *m* training

entraîner to train; to coach

entraîneur *m* **entraîneuse** *f* coach, trainer

entre between; **entre amis** among/between friends; **entre eux** among themselves

entrée *f* entrance; first course

entreprise *f* enterprise; business, company

entrer to enter

entrevue *f* interview

énumérer to enumerate, to list

enveloppé(e) (de) wrapped (in)

envers towards

envie *f* wish; **avoir envie de** to want to, to feel like

environ about, around, approximately

cnvironnement *m* environment

environnemental(e) environmental

environs *mpl* surroundings, vicinity

envoyer to send

épais(se) thick

épaule *f* shoulder; **épaule d'agneau** shoulder of lamb

épice *f* spice

épicé(e) spicy; **sauce épicée** spicy sauce

épicerie *f* grocery store

éplucher to peel

éponge *f* sponge

époque *f* era; **à cette époque** at that time; **à l'époque** at the time; **costume d'époque** *m* period costume

éprouver to feel; to experience

équilibre *m* equilibrium, balance

équilibré(e) balanced

équipe *f* team

équipé(e) equipped

équipement *m* equipment, gear

équitation *f* (horseback) riding; **terrain d'équitation** *m* riding range

équité *f* equity

équivalent(e) equivalent, equal, same

érable *m* maple; **feuille d'érable** *f* maple leaf; **sirop d'érable**† *m* maple syrup

ère *f* era

erreur *f* error, mistake; **induire en erreur** to mislead, to lead astray

escalope *f* cutlet, thin slice of meat

escargot *m* snail

espace *m* space; outer space

espagnol *m* Spanish (language)

espagnol(e) Spanish

espèce *f* species; type, sort

espérance *f* hope, expectation

espérer to hope

espoir *m* hope

esprit *m* mind; spirit; **esprit de gang*** group spirit; **esprit sportif** sportsmanship; **mauvais esprit** evil spirit

essai *m* trial, try; essay

essayer (de) to try; to try on; to try out

essentiel, essentielle essential, necessary; **voilà l'essentiel** that's the thing

est *m* East

esthétique *f* esthetics

estimer to estimate; to consider; to assess; to esteem

estomac *m* stomach; **estomac noué** upset stomach, stomach in knots

établir to establish, to put in place

établissement *m* establishment

étalage *m* display

étape *f* step, stage; **par étapes** in stages

état *m* state; condition; **en excellent état** in excellent condition; **États-Unis** United States

été *m* summer

éteindre (éteint) to turn off, to switch off; to extinguish

étendue *f* area, expanse

éthique *f* ethics, moral code

ethnique ethnic

étiquette *f* label; price tag

étoile *f* star

étonnant(e) surprising, amazing

étonner to surprise, to amaze

étranger *m* **étrangère** *f* foreigner, stranger

étranger, étrangère foreign; **à l'étranger** abroad, overseas

être (été) to be; **être à bout** to be tired, to be at the end of one's tether; **être amoureux/amoureuse (de)** to be in love (with); **être à sa place** to be in one's place; **être au chômage** to be unemployed; **être au courant** to be up-to-date; **être d'accord** to agree; **être content (de)** to be happy (to); **être en excursion** to be on a field trip; **être en retard** to be late; **être en train de** to be in the process/middle of; **être fou de** to be mad/crazy about; **être obligé (de)** to have to, to be obliged (to); **être occupé (à)** to be busy; **être sur le point de** to be about to; **être sur le point de craquer** to be at the breaking point

être *m* (human) being

étroit(e) narrow

étude *f* study

étudiant *m* **étudiante** *f* student

étudier to study

européen(ne) European

eux them; **eux-mêmes** them(selves); **entre eux** among themselves

évaluation *f* evaluation, assessment, rating

évaluer to evaluate, to assess, to rate

événement *m* event

éventail *m* range

éventualité *f* possibility

évidemment evidently, obviously

évidence *f* evidence; **de toute évidence** from what we know

évident(e) evident, obvious

évitable avoidable

éviter (de) to avoid

évolué(e) evolved

évoquer to evoke, to bring to mind

exactitude *f* accuracy

exagération *f* exaggeration

exagérer to exaggerate

examen *m* exam; **passer un examen** to take an exam; **réussir (à) un examen** to pass an exam

exaspéré(e) exasperated

exceptionnel, exceptionnelle exceptional

excipient *m* binder, filler, base

s'exciter to get excited; to get uptight

exclure (exclus) to exclude

excursion *f* excursion, (field) trip; **excursion en bateau** boat trip

excuser to excuse; **s'excuser** to excuse oneself

exemplaire exemplary, model

exemple *m* example; **par exemple** for example; **servir d'exemple** to serve as an example

exempté(e) exempt; **exempté de douane** duty free

exigeant(e) demanding

exigence *f* requirement, demand

exiger to require, to demand

expérience *f* experience; experiment

expérimenter to experiment

explication *f* explanation

expliquer to explain

exploiter to exploit, to take advantage of

explorateur *m* **exploratrice** *f* explorer

expo* *f* exposition

exposé(e) displayed

exposition *f* display, exhibition, exhibit

exprès specially, on purpose, intentionally

expressif, expressive expressive, vivid

exprimer to express

extérieur(e) exterior, outside; **à l'extérieur** outside; outdoors

extrait *m* extract, excerpt

extraordinaire extraordinary, exceptional

F ....

fabricant *m* **fabricante** *f* manufacturer

fabrication *f* manufacture

fabuleux, fabuleuse fabulous

face *f* face; **face à** faced with, facing, up against; **face à face** opposite each another; **face aux défis** facing challenges; **faire face à** to face (up to), to meet

fâché(e) angry

se fâcher to become angry

facile easy

facilement easily

faciliter to facilitate, to make casier

façon *f* way, manner, mode; **de façon positive** in a positive manner; **de la même façon** likewise, in the same way; **de quelle façon?** in what way?

facteur *m* factor; letter carrier

facture *f* bill, invoice

facultatif, facultative optional

faible poor; low; weak

faiblesse *f* weakness

faim *f* hunger; **avoir faim** to be hungry

faire (fait) to do; to make; **faire des achats** to go shopping; **faire appel à** to call upon, to appeal to; **faire attention (à)** to pay attention (to); **faire de l'autostop** to hitch-hike; **faire des bêtises** to be silly, to act up, to make a blunder; **faire de la bicyclette** to cycle, to go cycling; **faire du bien** to help; to do good; **faire un bout de**

chemin avec to walk partway with; **faire carrière** to make a career; **faire confiance à** to trust, to rely on; **faire la connaissance de** to make the acquaintance of, to meet; **faire dodo*** to go to bed/sleep; **faire ses excuses** to apologize; **faire face à** to face (up to), to meet; **faire la joie de** to delight; **faire mal à** to hurt; **faire de son mieux** to do one's best; **faire de la natation** to swim, to go swimming; **faire panpan*** to go bang; **faire de la peine à** to upset, to sadden; **faire du pouce**† to hitch-hike; **faire des progrès** to make progress; **faire une promenade** to take a ride/walk; **faire sa part** to do one's part; **faire partie de** to be (a) part of, to be a member of; **faire une pause** to stop, to take a break; **faire preuve de** to show, to demonstrate; **faire sa réputation** to earn a reputation, to become famous; **faire rêver** to make one dream; **faire des révisions** to revise; **faire rire** to make one laugh; **faire semblant de** to pretend to; **faire sensation** to be a hit; **faire la sieste** to take a nap; **faire sisite*** to sit down; **faire la tête** to sulk; **faire du théâtre** to act; **faire le tour de** to tour; **faire la vaisselle** to do the dishes; **faire vite** to hurry, to work quickly; **s'en faire** to worry, to be concerned; **se faire des amis** to make friends; **se faire mal** to hurt oneself

fait (de) made (of); **bien fait** well made; well done

fait *m* fact; **au fait** by the way; **en fait** in fact; **tout à fait** completely, totally

falaise *f* cliff

falloir to be necessary; **il fallait faire vite** it had to be done quickly

fameux, fameuse (in)famous, notorious

familial(e) familial, family, domestic

familier, familière familiar; **expression familière** colloquial expression

famille *f* family; **en famille** with the family; **famille monoparentale** single-parent family; **nom de famille** *m* surname; **réunion de famille** *f* family reunion

fantaisie *f* fantasy, dream

farcir to stuff

farine *f* flour

fatigué(e) tired

faut : il faut it is necessary, one must; **il ne faut pas** one must not

faute *f* fault; mistake; **ce n'est pas de ma/ta faute** it's not my/your fault

fauteuil *m* armchair; **fauteuil roulant** wheelchair

faux, fausse false, untrue; fake

favori, favorite favourite

fée *f* fairy; **conte de fées** *m* fairy tale

félicitations! congratulations!

féliciter to congratulate

féminin(e) feminine

femme *f* woman; wife

ferme *f* farm

ferme firm, definite

fermer to close, to shut; to turn off

féroce ferocious, fierce

fessée *f* spanking; **donner une fessée à** to spank

festival *m* festival; **festival du film** film festival

fête *f* birthday; celebration, party; feast; Feast Day; **en fête** festive, celebrating; **fête de rue**† street party

fêter to celebrate

feu *m* fire; light; **feu de camp** campfire; **feux d'artifice** fireworks; **pleins feux sur** spotlight on

feuille *f* leaf; sheet (of paper); **feuille d'érable** maple leaf

feuillé(e) leaved

feuilleté(e) flaky

feuilleton *m* serial, series, soap opera

fève *f* bean; **fèves au lard**† pork and beans; **fèves noires** black beans

fiabilité *f* reliability

fiable reliable; trusted, trustworthy

fiche *f* file card; form, sheet; **fiche d'information** information sheet

fidèle faithful, loyal

fier, fière proud

fièrement proudly

fierté *f* pride

figé : être figé sur place to be frozen to the spot, to be unable to move

figure *f* face

figurer to figure, to play a part; **figurer sur une liste** to be included in a list

fil *m* wire; thread; **au bout du fil** on the (telephone) line; **au fil de** with the passing of

filet *m* fillet; **filet de bœuf** fillet steak; **filet de sole** fillet of sole

fille *f* daughter; girl

fils *m* son

fin *f* end; **fin de semaine**† *f* weekend; **à cette fin** for this purpose, to this end; **à la fin de** at the end of; **en fin de compte** when all is said and done; **mettre fin à** to put an end to

fin(e) fine, high-quality

finalement finally, in the end

financement *m* financing

financier, financière financial

finement finely

finir to finish; **tout est bien qui finit bien** all's well that ends well

finlandais *m* Finnish (language)

fiston* *m* son, sonny boy

fixe fixed; **menu à prix fixe** *m* set-price menu

fixer to arrange; to set; **se fixer des buts** to set one's goals

flambé(e) flaming, flambé

flamme *f* flame

fléché : ceinture fléchée† arrow sash

fleur *f* flower

fleuri de pourpre purple-flowered

fleuve *m* river; **fleuve Saint-Laurent** St. Lawrence River

foie *m* liver; **quenelle de foie de veau** *f* veal liver dumpling

foin *m* hay; **rhume des foins**† *m* hay fever

foire *f* fair

fois *f* time; **à la fois** at the same time; **cent fois** a hundred times; **des fois** sometimes; **encore une fois** once again; **plusieurs fois** several times; **pour la dernière fois** for the last time; **pour une fois** for once; **sept fois plus** seven more times

folie *f* madness, craziness, folly; craze, fad

folklorique folk, traditional

follement madly

foncer to charge

fonction *f* function, place; job

fonctionner to function, to work

fond *m* bottom; **au fond** deep down; **ski de fond** *m* cross-country skiing

fondateur *m* **fondatrice** *f* founder

fondation *f* foundation

fonder to found, to set up, to establish

fontaine *f* fountain

footballeur *m* soccer player

force *f* strength; **à force de** by dint of; **de toutes ses forces** with all his/her strength; **force de caractère** strength of character

forêt *f* forest, woods

forfait *m* fixed price, sum

forgeron *m* smith, blacksmith

format *m* format; size

formation *f* education, training; **formation de base** basic education

forme *f* shape, form; **en forme** in shape

se former to gather, to form, to develop; to educate (oneself)

formidable great, super, fantastic

formulaire *m* form

formule *f* formula; form

formuler to formulate, to express

fort hard; extremely, very

fort(e) strong

fortement strongly

forteresse *f* fortress

fou, folle crazy, wild; **être fou de** to be mad about; **fou de joie** delirious, euphoric, wild with delight

fouiller to search, to rummage, to go through

foulard *m* scarf

four *m* oven; **cuit au four** baked; **four à bois** wood-fired oven; **pomme de terre au four** *f* baked potato

fourmi *f* ant

fournir to furnish, to provide

fournisseur supplier

fourrure *f* fur; **traite des fourrures** *f* fur trade

foyer *m* home; **aide aux foyers**† *fpl* home help(er)

fraîcheur *f* freshness

frais *mpl* charge, cost, expense; **frais de transport** travel expense

frais, fraîche fresh

Francfort Frankfurt

franchement openly, honestly, frankly

francophone francophone, French-speaking

frangin* *m* brother; **frangine*** *f* sister

frappant(e) striking

frapper to hit, to punch

frayeur *f* fright

fredonner to hum

fréquemment frequently

fréquenter to spend time (at, with), to frequent; to attend
frère *m* brother
friandise *f* delicacy, tidbit, morsel; candy
fricassée *f* fricassee
fricot *m* stew
fringant(e) frisky, high-spirited
frire (frit) to fry
frites *fpl* French fries
froid(e) cold
fromage *m* cheese; **fromage cottage**† cottage cheese; **fromage râpé** grated cheese
frontière *f* frontier, border
fruit *m* fruit; **fruit sauvage** wild fruit; **fruits de mer** seafood
frustrer to frustrate
fugueur *m* runaway
fugue *f* running away
fuguer to run away
fuite *f* flight, escape
fumer to smoke
fumeur, fumeuse smoking; **non-fumeur** nonsmoking
fur : au fur et à mesure que as (fast/soon) as
furieux, furieuse furious

gage *m* proof; pledge
gagnant(e) winning; **jouer gagnant** to be a winner
gagnant *m* **gagnante** *f* winner
gagner to earn (money); to win; **gagner à la loterie** to win the lottery
gai(e) cheerful, happy
gala *m* reception; gala
gamme *f* gamut, range
gang† *f* group
gant *m* glove
garagiste *mf* garage mechanic
garant *m* guarantor
garantir to guarantee
garçon *m* boy
garder to look after, to babysit; to keep; **garder la ligne** to hold (the phone)
garderie *f* babysitting service; day-care centre
gardien *m* **gardienne** *f* guard; guardian; babysitter; **gardien de but** goalkeeper; **gardien d'enfants** babysitter; **gardien de piscine** lifeguard
gare *f* train/bus station
garni(e) (de) garnished (with)
garniture *f* garnish, topping
gars *m* guy, boy
gaspillage *m* waste, wastefulness
gastronomique gastronomic
gâteau (gâteaux) *m* cake; **gâteau au chocolat** chocolate cake
gâter to spoil
gauche *f* left, left-hand side; **à gauche** on the left
gaz *m* gas; **gaz naturel** natural has
gazeux, gazeuse fizzy, carbonated; **boisson gazeuse** soft drink

géant(e) giant(-size)
gelée *f* jelly
gémir to creak, to cackle; to groan
gémissement *m* creaking; groaning
gencive *f* gum
gendarme *m* police officer
Gendarmerie royale *f* RCMP
gêné(e) embarrassed, uncomfortable, awkward, self-conscious
général (généraux), générale general; **en général** in general
généralement generally
générateur *m* generator
généreux, généreuse generous
génial(e) brilliant, clever; fantastic, tremendous
génie *m* genius; mind
genou (genoux) *m* knee
genre *m* type, kind; **genre humain** human race
gens *mpl* people
gentil, gentille kind, nice, pleasant
gentiment kindly, nicely
géographie (géo*) *f* geography
gérant *m* **gérante** *f* manager
germanique Germanic
geste *m* gesture; action; **le moindre geste** the smallest gesture
gestion hôtelière *f* hotel management
gibier *m* game
gigantesque gigantic
gigue *f* jig
gîte *m* shelter; room and board
glace *f* ice; ice cream; windshield; **glace à la vanille** vanilla ice cream
glacé(e) frozen, icy; ice-cold; **eau glacée** *f* ice water
glissade *f* slide; slip
glucide *m* glucide, sugar
gonfler* to inflate; to get a swelled head
gourmand *m* **gourmande** *f* gourmand
gourmand(e) greedy
gourmandise *f* gourmandise
gourmet *m* epicure, gourmet
goût *m* taste; **à notre goût** to our liking
goûter to taste, to sample; to enjoy
goûter *m* snack
goutte *f* drop, drip
gouverner to control
gouverneur général *m* Governor General
grâce à thanks to
graduellement gradually, by degrees
grand(e) big, large; tall
grand-mère *f* grandmother
grand-père *m* grandfather
grandeur *f* size; greatness
grandir to grow (up)
grands-parents *mpl* grandparents
graphique graphic
graphique *m* graph, chart
gras *m* fat
gras(se) fat, fatty
gratte-ciel *inv* skyscraper
gratuit(e) free, at no charge
gratuitement free, at no charge
grave *m* low register
grave serious; **ce n'est pas grave** it's nothing to worry about

gravé(e) engraved; **gravée dans ma mémoire** etched in my memory
gravure *f* etching, carving
grec *m* Greek (language)
grec, grecque Greek
grillade *f* grill; grilled meat
grilladerie *f* grilled feast
grille *f* grill; grid
grillé(e) grilled; **bifteck grillé** grilled steak
grille-pain *m* toaster
griller to grill
grimacer to grimace, to make a face
grimper to climb (up)
gris(e) grey
grizzli *m* grizzly
gronder to scold
gros *m* bulk; **en gros** in bulk, wholesale
gros(se) fat; big
groupe *m* group; **en petit groupe** in a small group; **Groupe des sept** Group of Seven; **tarifs pour groupes** *mpl* group rates
Guadeloupe *f* Guadeloupe
guêpe *f* wasp
guérison *f* healing
guerre *f* war; **effort de guerre** war effort
gueule* : ta gueule! shut up!
gueules : de gueules red
guide *m* guide; **guide touristique** tourist guide
gymnase *m* gym(nasium)
gymnastique *f* gymnastics

habillage *m* dressing
habillé(e) dressed; **habillé en Martien** dressed as a Martian
habiller to clothe; **s'habiller** to get dressed
habit *m* clothing; suit
habitant *m* inhabitant
habiter to live (in/at); **habiter à 10 kilomètres/maisons de** to live 10 kilometers/houses away from
habitude *f* habit; **d'habitude** usually
habitué(e) used (to)
habituel(le) habitual, usual
habituellement habitually, usually
s'habituer à to get used to
hacher to chop, to mince; **porc haché** minced/ground pork
haine *f* hate, hatred; **avoir la haine*** to dislike, to hate
Haïti *m* Haiti
handicapé(e) handicapped
handicapé *m* **handicapée** *f* handicapped person
hanter to haunt
hasard *m* chance, luck; **par hasard** by chance
hâte *f* haste; **avoir hâte de** to be eager to
haut(e) high; tall; **haute cuisine** *f* fine cooking
hayon *m* hatchback
hé! hey! **hé! les jeunes!** hey kids!
hebdo(madaire) weekly
hébergement *m* lodging, accommodation
hébreu *m* Hebrew (language)

hein? eh?

herbe *f* grass; herb; **beurre aux fines herbes** *m* herb butter

hérité(e) inherited

héroïne *f* heroine

héros *m* hero

hésiter (à) to hesitate

heure *f* hour; time; o'clock; **à onze heures** at eleven o'clock; **à l'heure** on time; **à quelle heure?** what time? **heures d'ouverture** business hours; **heures de cours** class time; **24 heures sur 24** 24 hours a day; **moins d'heures** fewer hours; **passer des heures (à)** to spend hours; **une heure de route** one hour of driving

heureusement happily

heureux, heureuse happy; **rendre heureux** to make happy, to please

hévéa *m* rubber tree; **plantation de hévéas** *f* rubber plantation

hier yesterday

histoire *f* history; story

hiver *m* winter; **en plein hiver** in the middle of winter

hivernal(e) wintry, winter

hochepot *m* hot-pot, hodge-podge

hollandais *m* Dutch (language)

hollandais(e) Dutch; **sauce hollandaise** hollandaise sauce

homard *m* lobster

homme *m* man

honnête honest

honnêtement honestly

honnêteté *f* honesty

honneur *m* honour; **invité d'honneur** *m* guest of honour

honte *f* shame; **avoir honte** to be ashamed

hôpital (hôpitaux) *m* hospital

horaire *m* schedule, timetable

horreur *f* horror; **avoir horreur de** to detest, to loathe; **film d'horreur** *m* horror movie

hors-d'œuvre *m inv* appetizer

hors outside; beyond

hospice *m* hospice, home

hôte *m* host; **table d'hôte** set-price menu

hôtesse *f* hostess

hôtel *m* hotel; **tarif d'hôtel** *m* hotel rate

hôtellerie *f* hostelry, hotel business

huile *f* oil

huître *f* oyster

humain(e) human

humeur *f* humour, mood; **de mauvaise humeur** moody, in a bad mood; **humeur changeante** moodiness

humoristique humorous

humour *m* humour; **sens de l'humour** *m* sense of humour

hurler to scream

hutte *f* hut, shack

hydrogéné(e) hydrogenated

hypocrisie *f* hypocrisy

 ·········

ici here; **d'ici** from here

idée *f* idea

idiot(e) idiotic, stupid

idole *mf* idol

il y a : il y a un an a year ago

île *f* island; **Île de Bali** Bali; **Île de la Réunion** Reunion; **Île-du-Prince-Édouard** Prince Edward Island; **Île Maurice** Maritius; **Îles Seychelles** Seychelles

illimité(e) unlimited

illustrer to illustrate; to portray

image *f* image, visual, picture, drawing

imaginaire imaginary

immangeable inedible

immédiatement immediately, right away

impact *m* impact

impasse *f* dead end

s'impatienter to grow impatient

impeccable impeccable, perfect

impératif *m* imperative

impliquer to involve

important(e) important; large, imposing

importé(e) imported

importer to be important; **n'importe où** anywhere (at all); **n'importe quel** any one (at all); **n'importe qui** anyone (at all); **n'importe quoi** anything at all

imposer to impose; to set; to make mandatory

impressionné(e) impressed

imprévu(e) unforeseen

imprimante *f* printer

imprimé(e) printed

imprudent(e) imprudent, careless, foolhardy

impulsif, impulsive impulsive

inacceptable unacceptable

inapproprié(e) inappropriate

incertitude *f* uncertainty

incessant(e) incessant, never ending

inciter to prompt, to cause, to encourage

inclure (inclus) to include; **non inclus** not included

incompétent(e) incompetent

inconnu(e) unknown

incontournable inescapable

inconvénient *m* disadvantage, drawback

incroyable incredible, unbelievable

incroyablement unbelievably

indémodable timeless, classic

indépendant(e) independent

indésirable *m* undesirable

indication *f* indication; direction; notice

indien, indienne Indian

indigène indigenous, native

indiquer to indicate; to signify

indispensable indispensable; absolutely necessary

individu *m* individual

Indonésie *f* Indonesia

induire (induit) : induire en erreur to lead astray

inefficace ineffective; inefficient

inégalé(e) unequalled, unmatched

inépuisable inexhaustible

inexact(e) inaccurate

inexpérience *f* lack of experience

infidèle unfaithful, disloyal

infini(e) infinite

influençable easily influenced

influent(e) influential

infopublicitaire infomercial

information *f* information; **informations** news

informer to inform; **s'informer** to inquire, to get information

ingénieux, ingénieuse ingenious, clever

injustement unjustly

innovateur, innovatrice innovative

inoffensif, inoffensive inoffensive

inondation *f* flood; monsoon

inonder to flood, to soak

inoubliable unforgettable

inquiet, inquiète worried, disturbed

(s')inquiéter to worry

insatisfait(e) unsatisfied

inscription *f* registration

s'inscrire (s'inscrit) to register, to enrol, to sign up

insecte *m* insect

insensibilité *f* insensitivity

insensible insensitive

insignifiant(e) insignificant

insincère insincere

inspirer to inspire; **s'inspirer (de)** to draw inspiration (from), to be inspired (by)

installé(e) living

s'installer to settle in; to sit down; **s'installer sur un siège** to be seated

instituteur *m* **institutrice** *f* elementary school teacher

institut *m* institute

insulte *f* insult

insupportable unbearable

insurpassable unsurpassable; unsurpassed

intention *f* intention, intent; **avoir l'intention de** to intend to

interactif, interactive interactive; **atelier interactif** *m* interactive workshop

interdire (interdit) to forbid, to prohibit

intéressant(e) interesting

intéresser to interest; **s'intéresser (à)** to be interested in/by

intérêt *m* interest

intérieur *m* interior; **à l'intérieur (de)** inside

intérieur(e) interior

intermédiaire intermediate

interminable endless

interpeller to address directly

interprétation *f* interpretation; acting; song

interprète *mf* interpreter; singer

interpréter to interpret; to sing

interrompre (interrompu) to interrupt

intime intimate, personal

intimer to intimate, to imply

intitulé(e) entitled

intrépide *mf* dauntless, bold (person)

inutile useless

inventaire *m* inventory

inventif, inventive inventive, resourceful

investissement *m* investment
invité *m* **invitée** *f* guest; **invité d'honneur** guest of honour
irréaliste unrealistic
irresponsable irresponsible
islandais(e) Icelandic
isolant(e) insulating
isolation *f* insulation
isoler to isolate; to insulate
Italie *f* Italy
italien *m* Italian (language)
italien, italienne Italian
itinéraire *m* itinerary
itinérant(e) travelling, itinerant

 **J** ....

jaloux, jalouse jealous
jamais never; **ne ... jamais** never, not ever
jambe *f* leg; **jambes molles** weak knees
jambon *m* ham
japonais *m* Japanese (language)
japonais(e) Japanese
jardin *m* garden; **jardin botanique** botanical garden
jean *m* (pair of) jeans
jeton *m* token; **avoir les jetons** to be nervous, to have the jitters
jeu (jeux) *m* game; television game show; **jeu d'adresse** game of skill; **jeu d'équipe** team game; **jeu de mots** word game; pun; **Jeux olympiques** Olympic Games; **jeu de rôles** role-play; **jeu de société** board game; **jeu vidéo** video game; **salle de jeu** *f* games room; **terrain de jeu** *m* sports field
jeune young
jeune *mf* young person, teenager
jeunesse *f* youth, young people; **auberge de jeunesse** *f* youth hostel
joie *f* joy; **faire la joie de** to delight; **fou de joie** delirious, wild with delight; **sauter de joie** to jump for joy
joindre (joint) to join; **joindre les deux bouts** to make ends meet
joint(e) joined; **ci-joint(e)** attached, enclosed
joli(e) nice; pretty, attractive
jouer to play; **jouer à** to play (a sport); **jouer à la balle** to play ball; **jouer aux billes** to play marbles; **jouer à cache-cache** to play hide-and-seek; **jouer aux cartes** to play cards; **jouer à la chandelle** to play "duck, duck, goose"; **jouer à chat** to plat tag; **jouer gagnant** to be a winner; **jouer le petit dur** to act tough; **jouer à la marelle** to play hopscotch; **jouer de** to play (a musical instrument)
jouet *m* toy
joueur *m* **joueuse** *f* player
jouir (de) to enjoy
joujou* (joujoux) *m* toy
jour *m* day; **de nos jours** today; **le jour** in the daytime; **le jour de votre naissance** your birthdate; **soupe du jour** *f* soup of the day; **tous les jours** every day
journal (journaux) *m* newspaper; **journal intime** diary

journée *f* day; **journées pionnières** Pioneer Days
judicieux, judicieuse judicious
jugement *m* judgement
juger to judge
juif, juive Jewish
julien, julienne cut in long, narrow strips
jumeau (jumeaux) *m* **jumelle** *f* twin; **sœurs jumelles** twin sisters; **jumelles** binoculars
jupe *f* skirt
jupitérien(ne) Zeus-like, mighty
jupon *m* skirt; slip
jus *m* juice; **jus de citron** lemon juice
jusqu'à until; **jusqu'à présent** until now; **jusqu'au bout** right to the end
juste just; fair; **juste bien** just right; **juste pour rire** just for laughs
justifier to justify, to prove

 **K** ....

kayak *m* kayak; **faire du kayak** to kayak
kiosque *m* kiosk, newsstand, stall

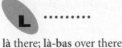 **L** ....

là there; **là-bas** over there
laboratoire *m* laboratory
lac *m* lake
lacer to lace (up)
lâcher to drop, to put down
lacune *f* omission, gap, blank; deficiency
laid(e) ugly
laine *f* wool; **pure laine** pure wool; genuine, 100%
laisser to let, to allow; to leave (behind); **laissez-moi faire** let me do it; **laisser en paix** to leave alone; **laisser passer** to let pass; **laisser tomber** to drop; **laisser tranquille** to leave/let alone; **laisser votre place** to give your seat; **se laisser aller** to let oneself go
lait *m* milk; **lait au chocolat** chocolate milk
laitue *f* lettuce; **laitue romaine** romaine lettuce
lampe *f* lamp, light
lancement *m* launch(ing)
lancer to throw; to launch; **se lancer** to jump
langage *m* language
langue *f* language; tongue; **langue maternelle** mother tongue
lapin *m* rabbit
lard *m* pork fat; bacon
large wide, broad
larme *f* tear
larve *f* larva
latin(e) Latin; **quartier latin** *m* Latin quarter, student district
lauréat(e) prize-winner
Laurentides *fpl* Laurentian mountains
lavable washable
lavage *m* washing, cleaning
laver to wash; **se laver** to wash oneself; **se laver les cheveux/les mains/le visage** to wash one's hair/hands/face

leçon *f* lesson; **leçons particulières** private lessons
lecteur *m* **lectrice** *f* reader; **lecteur de cassettes** cassette player
lecture *f* reading
légende *f* caption; legend, tale
léger, légère light(weight)
légué(e) handed down, bequeathed
légume *m* vegetable
lent(e) slow
lentement slowly
lequel, laquelle which (one); **lesquels, lesquelles** which (ones)
lettre *f* letter; **lettre de réponse** reply
lèvre *f* lip
liberté *f* freedom
librairie *f* bookstore
libre free; **temps libre** *m* free time; **donner libre cours** to give free rein; **libre-service** *m* self-service
librement freely
lien *m* connection, tie
lier to relate, to link, to tie (together)
lieu (lieux) *m* place, spot; **au lieu de** instead of; **avoir lieu** to take place, to happen
ligne *f* line; **donner des lignes à faire** to give lines; **garder la ligne** hold (the phone); **ligne aérienne** airline; **ligne d'écoute** hot line, call-in show
ligue *f* league
limitation *f* limitation, restriction; **limitation de vitesse** speed limit
limite *f* limit; **pousser à la limite** to push to the limit
limité(e) limited
linguiste *mf* linguist
linguistique linguistic
lire (lu) to read
lisse smooth
lit *m* bed
littérature *f* literature
livraison *f* delivery
livre *m* book; **livre de poche** paperback
livret *m* booklet
local (locaux) *m* locale, place
location *f* rental; location; **location de voitures** car rental
logement *m* accommodation, lodgings
se loger to find accommodation
logiciel *m* computer software
logique logical
logis *m* dwelling, abode
loi *f* law
loin (de) far (from); **au plus loin** farthest away
loisir *m* leisure/free-time activity
lolo* *m* milk
long, longue long
longtemps (for) a long time
longueur *f* length
lorsque when
loterie *f* lottery; **gagner à la loterie** to win the lottery
louer to rent; to praise
Louisiane *f* Louisiana
loup *m* wolf; **loup-garou** werewolf
lourd(e) heavy

loyer *m* rent (money)

lucratif, lucrative lucrative, profitable; **à but non lucratif** nonprofit

luire (luit) to shine, to gleam

lumière *f* light

lune *f* moon; **pleine lune** full moon

lunettes *fpl* (eye)glasses; **lunettes de soleil** sunglasses

lutter to fight, to combat; to wrestle

luxueux, luxueuse luxurious

M

macaron *m* button; badge; sticker

macaronis *mpl* macaroni

machine *f* machine; **machine à vapeur** steam engine

magasin *m* store

magasinage[†] *m* shopping

magasiner[†] to go shopping

magicien *m* **magicienne** *f* magician

magie *f* magic

magique magic

magnétique magnetic

magnétocassette *m* cassette player

magnétoscope *m* videocassette recorder (VCR)

magnifique magnificent

maillot *m* shirt, top, jersey; **maillot de bain** bathing suit

main *f* hand; **prendre en main** to take in hand, to take charge of; **transpiration de la paume des mains** *f* sweaty palms; **tremblement des mains** *m* shaky hands

main-d'œuvre *f* labour; manpower

maintenant now

maintenir (maintenu) to maintain

maire *mf* mayor

mais but

maïs *m* corn; **maïs soufflé** popcorn

maison *f* house **à la maison** (at) home; **pâtes maison** *fpl* homemade pasta

maître *m* master; teacher

maîtresse *f* teacher

maîtriser to master

majeur(e) major; most important

mal bad; badly; **aller mal** to go badly, to go wrong; **pas mal*** not bad

mal (maux) *m* harm; pain; evil; difficulty; **mal de tête** headache; **avoir mal (à)** to have a pain; to find it difficult to; **il n'y a pas de mal** no harm done; **faire mal à** to hurt; **se faire mal** to hurt oneself

malade ill, sick

maladie *f* illness, disease

malchance *f* bad luck

malgré despite, in spite of

malheureusement unfortunately

malheureux, malheureuse unhappy

malhonnête dishonest

maltraité(e) mistreated

Manche *f* (English) Channel

manchette *f* headline

mangeable edible

manger to eat

maniaque fanatical, fussy; **maniaque de la perfection** stickler for perfection

maniaque *m* maniac

manière *f* manner; **à la manière de** in the style of

manifestation *f* presence; demonstration

se manifester to emerge, to arise

mannequin *m* model; mannikin

manque *m* lack, shortage

manquer to miss; to lack; **à ne pas manquer** not to be missed, a "must"

manuel *m* book, manual; **manuel scolaire** textbook

maquette *f* mock-up, model; **scénario-maquette** *m* rough screenplay; storyboard

maquillage *m* make-up

se maquiller to put on make-up

marchandise *f* merchandise, goods

marche *f* walking; **mettre en marche** to set in motion, to turn on

marché *m* market; **bon marché** cheap, inexpensive; **marché-cible** target market; **marché conclu!** it's a deal!

marcher to walk; to function, to work (out)

marée *f* tide

marelle *f* hopscotch; **jouer à la marelle** to play hopscotch

marguerite *f* daisy

mari *m* husband

se marier to get married; to marry

mariés *mpl* married couple

marketing *m* marketing; selling

Maroc *m* Morocco

marocain(e) Moroccan

marque *f* brand; mark; indication

marquer to mark, to affect; to indicate

marteler to hammer

Martien *m* Martian; **habillé en Martien** dressed as a Martian

mascotte *f* mascot

masquer to mask, to hide

match *m* (sports) game

matériel *m* material; equipment

maternel, maternelle maternal; **langue maternelle** *f* mother tongue

maternelle *f* Kindergarten

maternité *f* maternity; **centre de consultation en maternité** *m* maternity clinic

mathématiques (maths*) *fpl* mathematics

matière *f* (school) subject; matter; content

matin *m* morning; **petit matin** early morning

matinée *f* morning; afternoon performance

mauvais(e) bad; **de mauvaise humeur** moody, grumpy; **mauvais esprit** *m* evil spirit

maxime *f* maxim, saying

mécanique mechanical

méchant *m* evil, bad(ness)

méchant(e) evil; bad, naughty

mécontentement *m* discontent; displeasure

Mecque *f* Mecca

médaille *f* medal; **médaille d'argent/d'or** silver/gold medal

médecin *m* doctor

médias *mpl* media

médicament *m* medicine, medication

médiocre poor; **appétit médiocre** *m* poor appetite

médusé(e) dumfounded, paralysed

meilleur(e) better; best

meilleur *m* **meilleure** *f* best (one); **les meilleurs et les pires** the best and the worst

mélange *m* mixture, mix

se mêler (à) to join, to get involved (with)

même even; same; **du même** of the same (colour); **en même temps** at the same time; **eux-mêmes** themselves; **même pas** not even **moi-même** myself; **lui-même** himself; **soi-même** oneself; **tout de même** all the same

mémé* *f* grandma, granny

mémère* *f* grandma, granny

mémo(randum) *m* memo(randum)

mémoire *f* memory

menacer to threaten

ménager, ménagère household; **appareil ménager** *m* appliance; **travaux ménagers** *mpl* housework

mener to lead; **mener une enquête** to lead an investigation; **mener une vie** to lead a life

menotte* *f* hand

mensonge *m* lie

mensonger, mensongère untrue, false

mental (mentaux), mentale mental; **santé mentale** *f* mental health

mentalité *f* mentality, mental attitude

menthe *f* mint; **parfait à la menthe** *m* mint parfait

mentir to lie

menton *m* chin

menu *m* menu; **menu à la carte** from the menu; **menu à prix fixe** set-price menu; **menu pour enfants** children's menu

mépris *m* contempt, scorn

mer *f* sea; **fruits de mer** *mpl* seafood; **oiseau de mer** *m* seabird

mériter to be worthy of, to deserve, to merit

merveille *f* marvel, wonder; **à merveille** like a dream

merveilleux, merveilleuse wonderful, marvelous; magical

message *m* message; **message publicitaire** advertisement

messe *f* mass

mesure *f* measurement; measure; **au fur et à mesure que** as, as soon as, while; **sur mesure** specialised, specific

mesurer to measure, to assess, to rate

métaphore *f* metaphor

météo *f* weather

métier *m* trade, occupation, profession

Métis Métis, mixed-race

métro *m* subway; **en métro** on the subway

métropolitain(e) urban, metropolitan

mets *m* dish; food; **mets à emporter** take-out food

mettre (mis) to put, to place; **mettre des bâtons dans les roues** to throw a monkey wrench into the works; **mettre de côté** to put aside, to save; **mettre fin à** to put an end to; **mettre en marche** to set in motion, to turn on; **mettre sur pied** to set up; **mettre en pratique** to put into practice; **mettre en valeur** to show off; **mettre en vedette** to highlight; **mettre le volume au maximum** to turn the volume to the highest setting; **sur trois rangs** in three rows

mexicain(e) Mexican; **crêpe mexicaine** f tortilla

Mexique m Mexico

micro-informatique f microcomputing

micro-ordinateur m microcomputer

microprocesseur m microprocessor

microsillon m record album

miel m honey

mien, mienne mine

mieux better; best; **faire de son mieux** to do one's best

mignon, mignonne cute, pretty

mijoté(e) simmered, cooked slowly

milieu m surroundings, setting; middle; **au milieu (de)** in the middle (of)

militaire military

milliard m one thousand million

millier m thousand

mimi* m (kitty-)cat

minable* rotten, awful, pathetic

minéral(e) mineral; **eau minérale** mineral water

mineur m minor

ministère m ministry

ministre m minister (political)

minot m pound (12 troy ounces)

minou* m (kitty-)cat

miroir m mirror

misérable miserable, poverty-stricken

misère f misery; poverty

mitaine f mitten

mite f moth

mobile f motive; mobile (art)

moche* crummy; ugly, awful

mode f style; fashion; **à la mode de** in the manner/style of

mode m method; **mode de cuisson** method of cooking; **mode d'emploi** directions for use; **mode de vie** way of life

modèle m model; **modèle réduit** scale model

modelé(e) sur modelled on

modéré(e) moderate, reasonable; **prix modérés** reasonable prices

modifier to modify

modique modest; **prix modiques** mpl modest/low/reasonable prices

moé† (=**moi**) me

moi me; **moi-même** myself; **à moi** of my own, mine

moindre least

moins less; least; **moins (de)** less/fewer (than)

moins m least; **au moins** at least; **du moins** at least; **le moins possible** the least possible

mois m month

moitié f half

mollusque m mollusc

moment m moment; **en ce moment** right now; **moment difficile** difficult time

mon m mon (Japanese family/clan symbol)

monde m world; **tout le monde** everyone, everybody

mondial (mondiaux), mondiale world

moniteur m **monitrice** f instructor; (camp) counsellor

monogramme m monogram, initials

monoinsaturé(e) mono-unsaturated

monoparental(e) single-parent

monotone monotonous, boring

montage m (film) editing

montagne f mountain; **chèvre des montagnes** f mountain goat

monter to come up, to go up, to climb; **monter dans la voiture** to get in the car

montre f (wrist)watch

montréalais(e) of/from Montreal

montrer to show

se moquer de to make fun of, to poke fun at

morceau (morceaux) m piece, bit, slice

mordre (dans) to bite (into)

mort m death, casualty

mort(e) dead

morue f cod; **acras de morue** m cod cake

mot m word; **jeu de mots** m word game; pun; **mots croisés** crossword puzzle

moteur m motor

moto(cyclette) f motorbike

motopropulseur : groupe motopropulseur m power unit

mou, molle soft; **avoir les jambes molles** to be weak in the knees

mouche f fly

moulin m mill

moulu(e) ground (up)

mourir (mort) to die

mousquetaire m musketeer

mousse f foam; **mousse au chocolat** chocolate mousse

mousser to lather; to bubble

moustache f moustache

moustique m mosquito

moutarde f mustard; **sauce à la moutarde** f mustard sauce

mouton m sheep

mouvement m movement

moyen m means, method, way; **moyens** mpl financial means

moyen(ne) average; medium

Moyen-Orient m Middle East

moyen-oriental(e) Middle Eastern

moyenne f average; **en moyenne** on average

multiculturalisme m multiculturalism

multiculturel, multiculturelle multicultural

mur m wall; **au mur** on the wall

mûri(e) aged, ripened, matured

musculaire muscular

musée m museum

musicien, musicienne mf musician

musique f music

mutuel(le) mutual

mystère m mystery

mystérieux, mystérieuse mysterious

 N ....

nage f swimming; **à la nage** (cooked) in a bouillon

nager to swim

nageur m **nageuse** f swimmer

naissance f birth; **jour de naissance** m birth date

naître (né) to be born

naïveté f naivety, innocence

napolitain(e) Neapolitan; **à la napolitaine** Neapolitan style

nappé(e) topped, sprinkled

narrateur m **narratrice** f narrator

natation f swimming; **faire de la natation** to swim, to go swimming

natif, native native

Nations Unies fpl United Nations

naturel, naturelle natural; **au naturel** naturally coloured; **gaz naturel** m natural gas; **ressources naturelles** fpl natural resources

naturellement naturally

né(e) born

ne : ne ... aucun(e) no, not any; **ne ... jamais** never, not ever; **ne ... ni ... ni** neither ... nor; **ne ... pas** not; **ne ... personne** nobody; **ne ... plus** no longer, no more; **ne ... que** only; **ne ... rien** nothing

nécessaire necessary

nécessiter to require

négliger to neglect

négocier to negotiate, to bargain

neige f snow; **bonhomme (bonshommes) de neige** m snowman; **boule de neige** f snowball

Néo-Zélandais, m **Néo-Zélandaise** f New Zealander (person)

nerf m nerve; **à bout de nerfs** at the end of one's tether; **avoir les nerfs en boule** to be tense; **ça me tape sur les nerfs*** that gets/grates on my nerves

nerveux, nerveuse nervous

nervosité f nervousness

nettoyer to clean

neuf, neuve (brand-)new

neveu (neveux) m nephew

nez m nose

ni neither; nor

niveau (niveaux) m level; rank; height

nocif, nocive harmful, noxious

nocturne nocturnal, night

noir(e) black; **fèves noires** fpl black beans

noirci(e) blackened (grilled with hot spices)

nolisé : vol nolisé chartered flight

nom m name; noun; **nom de famille** surname; **nom de fille** maiden name

nombre m number

nombreux, nombreuse numerous, many

nommer to name

non no; not; **non plus** neither; **non seulement** not only

nord m north; **Amérique du Nord** f North America; **au nord de** north of; **Nord-Ouest** m North West

normal (normaux), normale normal; **c'est normal** that's normal, typical, usual
normalement normally
Normands *mpl* Normans
normand(e) Norman; **à la normande** Normandy style
Normandie *f* Normandy
norme *f* norm, standard
note *f* note; mark; **basses notes** low marks; **bulletin de notes** *m* report card
noter to note, to make a note of
noué(e) knotted; **estomac noué** *m* queasy, nervous stomach, stomach in knots
nounours* *m* (teddy-)bear
nourrir to nourish, to feed; **se nourrir** to feed oneself
nourrissant(e) nourishing, nutritious
nourriture *f* food
nouveau (nouvel), nouveaux, nouvelle new; **de nouveau** again, once more; **Nouveau-Brunswick** *m* New Brunswick; **Nouvelle-Écosse** *f* Nova Scotia; **Nouvelle-France** *f* New France; **Nouvelle-Orléans** *f* New Orleans; **Nouvelle-Zélande** *f* New Zealand
nouveau-né *m* **nouveau-née** *f* (**nouveau-nés**) newborn (baby)
nouveauté *f* novelty
nu(e) bare; **pieds nus** barefoot
nuage *m* cloud
nuisible harmful
nuit *f* night; **bonne nuit** goodnight
nul null; zero, nothing
numéro *m* number; issue; **numéro de téléphone** phone number
nutritif, nutritive nutritious

obéir to obey
objectif *m* lens; objective; **objectif à courte focale** close-up lens
objectif, objective objective
objet *m* object
obligatoire obligatory, compulsory
obligé(e) obliged, obligated; **être obligé de** to have to
obscurité *f* obscurity; darkness
observatoire *m* observatory; observation platform
obtenir (obtenu) to obtain
occasion *f* opportunity; second-hand item; **avoir l'occasion de** to have the opportunity to
occupé(e) busy; **être occupé à** to be busy (doing something)
occuper to occupy; **s'occuper à** to be busy doing something; **s'occuper de** to look after
odeur *f* odour, smell
odorat *m* (sense of) smell
œil (yeux) *m* eye; **droit dans les yeux** right in the eye
œuf *m* egg; **œufs à la bénédictine** eggs Benedict
œuvre *f* (piece of) work; **chef-d'œuvre** *m* masterpiece; **hors-d'œuvre** *m* starter,

appetizer; **main-d'œuvre** *f* labour, manpower; **œuvre d'art** work of art
offenser to offend
officiellement officially
offre *f* offer
offrir (offert) to offer; to give (as a gift); **s'offrir** to volunteer
oie *f* goose
oignon *m* onion
oiseau (oiseaux) *m* bird; **oiseau de mer** seabird
oison *m* gosling
olympique olympic; **Jeux olympiques** *mpl* Olympic Games
ombre *m* shadow, shade; **à l'ombre** in the shade
omettre (omis) to omit
omnibus : train omnibus *m* local (slow) train, milk run
on we; you; they; people
oncle *m* uncle
onde *f* wave; **en ondes** on the air
ontarien, ontarienne Ontarian
s'opérer to come into play
optimisme *m* optimism
optimiste optimistic
or *m* gold; **âge d'or** *m* golden age, senior citizens; **médaille d'or** *f* gold medal; **ruée vers l'or** *f* gold rush
orange *f* orange; **bœuf à l'orange** *m* beef with orange sauce
orchestre *m* orchestra; **femme orchestre** *f* one-woman band
orchidée *f* orchid
ordinaire ordinary; regular; plain
ordinateur *m* computer
ordonner to order, to prescribe; to organize
ordre *m* order
oreille *f* ear
organisateur, organisatrice organizing; **comité organisateur** *m* organizing committee
organiser to organize, to prepare; **s'organiser** to get organized
organisme *m* organization; **organisme communautaire** community organization
oriental(e) Oriental; **moyen-oriental** Middle Eastern
orientation *f* orienteering; guidance; **centre d'orientation** *m* guidance office
originaire de (originally) from
origine *f* origin, source
orignal (orignaux)† *m* moose
orthographe *f* spelling
os *m* bone
oser to dare, to venture
ou or
où where; that, when
ou ... ou either ... or
oublier (de) to forget (to)
ouest *m* west
oui yes
ourdou *m* Urdu (language)
Outaouais *m* Ottawa River/Valley region
outil *m* tool
outré(e) outrageous, extravagant, wild

ouvert(e) open; open-minded; **ouvert 7 jours sur 7** open 7 days a week
ouverture *f* opening; **heures d'ouverture** *fpl* business hours
ouvrir (ouvert) to open; **s'ouvrir sur** to become aware of

P

pacane *f* pecan; **tarte aux pacanes** *f* pecan pie
paille *f* straw
pain *m* bread; **pain de seigle** rye bread; **petit pain** roll
paire *f* pair
paix *f* peace; **laisser en paix** to leave alone
palais *m* palace; palate
palmarès *m* hit parade, top hits; top ones
palme *f* palm leaf
palmeraie *f* palm grove
palmier *m* palm tree
palpitations *fpl* palpitations (of the heart)
panier *m* (waste)basket
panique *f* panic
paniquer to panic
panne : en panne stuck, broken (down), out of order
panneau (panneaux) *m* panel; sign; board
panpan : faire panpan* to go bang
pantalon *m* (pair of) pants, trousers
papa* *m* dad, daddy
papatte* *f* leg
papeterie *f* lumber mill
papier *m* paper; **feuille de papier** *f* sheet of paper; **papier argent** silver paper/foil
papilles *fpl* taste buds
paquet *m* parcel, bundle, package
par by; **par bateau** by boat; **par contre** on the other hand; **par écrit** in writing; **par étapes** in stages; **par exemple** for example; **par hasard** by chance; **par semaine** per week; **par téléphone** by telephone; **par terre** on the ground
parachute *m* parachute; **saut en parachute** *m* parachute jumping
parade *f* pageant
parascolaire extracurricular
parasoleil *m* (camera) lens hood
parc *m* park; **parc d'attractions** theme park
parce que because
parcourir (parcouru) to cover, to travel; to glance, to skim through
pare-chocs *m inv* bumper
pareil *m* peer
paresseux, paresseuse lazy
parfait *m* parfait; **parfait à la menthe** mint parfait; **parfait aux pralines** almond parfait
parfait(e) perfect
parfaitement perfectly
parfois sometimes, occasionally
parfum *m* perfume; aroma; flavour (ice cream)
parfumé(e) perfumed; flavoured
parking *m* parking lot
parlement *m* Parliament

parlementaire Parliamentary; colline parlementaire f Parliament Hill

parler to speak, to talk; to say; parler pour s'entendre to speak just to hear one's own voice; tu parles! nonsense! you must be kidding!; you're telling me!

parmi among

parodie f parody, mockery, satire

parole f word; (song) lyric; porte-parole m inv spokesperson; à vous la parole! it's your turn to speak!

parrainage m sponsorship, promotion

parsemer to sprinkle

part f share; à part apart/aside (from); faire sa part to do one's part; prendre part à to take part in; quelque part somewhere

partager to share (out)

partenaire mf partner

participer (à) to participate (in)

particulier, particulière particular, special; en particulier in particular; leçons particulières fpl private lessons

particulièrement particularly, especially

partie f part; match, game; en bonne partie in great measure; faire partie de to be (a) part of; to be a member of, to play on (a team)

partiel, partielle partial; temps partiel part-time

partir to leave; à partir de from; partir du bon pied to set out on the right foot; partir en voyage to go on a trip

partout everywhere

party f party† m party

parvenu(e) reached

pas m step

pas : pas du tout not at all

passable so-so, okay

passage m passing

passager m passagère f passenger

passé m past; au passé in the past

passé(e) past; last, before; previous

passe-temps m pastime

passer to pass; to go; to be on (TV); to spend (time); laisser passer to let pass; passer à la télévision to be (shown) on television; passer dans to enter; passer des heures to spend hours; passer du temps à to spend (time); passer le temps to pass/spend the time; se passer to happen

passionnant(e) exciting

passionné(e) excited, keen; passionate

passionner to impassion, to excite

pâte f dough; pâte assaisonnée seasoned dough

paternel* m father

pâtes fpl noodles, pasta

patient(e) patient

patin m skate; patin à roulettes roller skate; faire du patinage to skate, to go skating

patinage m skating; patinage artistique figure skating

patiner to skate

patineur m patineuse f skater

patinoire f skating rink

pâtisserie f pastry; pastry shop

patron m patronne mf boss; manager; owner

patrouille de ski f ski patrol

patte f paw

paume f palm; transpiration de la paume des mains f sweaty hands

pause f break, pause; faire une pause to take a break

pauvre poor, unfortunate

pavillon m pavilion, booth

payer to pay (for); je l'ai payé cinq dollars I paid five dollars (for it); payer une facture to pay a bill; payer sa part to pay one's share

pays m country

peau f skin

pêche f fishing; peach

pêcherie f fishery

pédale f pedal; automobile à pédales pedal-powered car

pédiatre mf pediatrician

se peigner to comb one's hair

peindre (peint) to paint

peine f pain, anguish; faire de la peine to upset; to hurt

peintre mf painter

peinture f painting; peinture sur pierre rock painting

pelle f shovel

pellicule f film

peluche f plush; animal en peluche m soft toy, stuffed animal

pénalité f penalty

pendant during; pendant que while

pendjabi m Punjabi (language)

pendre to hang

pénible bothersome, tiresome, annoying

pensée f thought

penser to think

pépé* m grandpa

percer to pierce

perché(e) perched

perdre to lose; perdre de vue to lose sight of; perdre son temps to waste one's time; se perdre to get lost

père m father

perfectionné(e) perfected, improved

permettre (permis) to permit, to allow

permis de conduire m driver's licence

perplexe perplexed

persévérer to persevere, to stick to it

persil m parsley

persister (à) to keep up/on; to persist; to last; persister dans la tâche to keep on task

personnage m character; personnage célèbre famous person

personnalité f personality

personne f person; les personnes âgées the elderly; ne ... personne no one, nobody

personnel, personnelle personal; affaires personnelles personal effects

personnellement personally

perspective f perspective, angle, viewpoint; en perspective in sight, coming up

perspicace insightful

perte f loss

pertinent(e) pertinent, on topic

pesant d'or m weight in gold

peser to weigh

pessimiste pessimistic

petit m petite f child

petit(e) small; petit ami m boyfriend; petite amie f girlfriend; petit pain m roll; petits travaux mpl small jobs

peu little; slightly; few; seldom; peu de few; un peu a little

peuple m people; nation

peur f fear; avoir peur de to be afraid of

peut-être perhaps, maybe

phalange f finger (bone) segment

phénomène m phenomenon

philosophe m philosopher

photographie (photo*) f photograph; photography; sur la photo in the photo

photocopie f photocopy

photographe mf photographer

phrase f sentence

physique physical

physiquement physically

piano m piano; jouer du piano to play the piano

pièce f coin; room; piece

pied m foot; à pied on foot; coup de pied m kick; mettre sur pied to set up; partir du bon pied to set out on the right foot; pieds nus barefoot

piéton m piétonne f pedestrian

pignon m gable; maison aux pignons verts house with green gables

pile f battery; piles non incluses batteries not included

pincée f pinch

pionnier, pionnière pioneer

piquant(e) spicy, hot; sauce piquante hot sauce

piquer une colère to throw a tantrum

pire worse; worst

pire mf worst; les meilleurs et les pires the best and the worst

pis† (=puis) then, next

piscine f swimming pool

place f place; seat; changer de place to change places/seats; en place in place; être cloué/figé sur place to be frozen to the spot; laisser votre place to give your seat; place d'honneur seat of honour; tenir en place to hold in place

plafond m ceiling

plage f beach

se plaindre (plaint) to complain

plaine f plain

plainte f complaint

plaire (plu) to please; s'il te plaît (if you) please

plaisanter to joke; tu plaisantes! you're joking! you must be kidding!

plaisir m pleasure, enjoyment

plan m map; plan

planétaire planetary, global

planification f planning

planifier to plan

plant m seedling

plantation f plantation; plantation de hévéas rubber plantation

planter to plant; to set up

plaque *f* plaque; **plaque dentaire** dental plaque

plat *m* dish; **plat principal** main course

plat(e) flat, dull, boring

plate-forme *f* platform

plateau (plateaux) *m* stage; dish; platter; tray

platine *m* platinum

plein(e) full; **à plein temps** full-time; **avec plein de brillantine** plastered with Brilliantine (hair cream); **en plein air** outdoors; **en plein hiver** in the middle of winter; **il y avait plein de chemins** there were paths everywhere; **pleine lune** full moon; **pleins feux sur** spotlight on

pleinement fully

pleur *m* tear, sob

pleurer to cry

se plonger (dans) to launch (into)

pluie *f* rain(fall)

plupart *f* most

plus more; most; **au plus loin** the farthest; **de plus** more; **de plus en plus** more and more; **en plus (de)** besides, beyond; **je n'en peux plus!** I can't stand it any longer! **le plus** the most; **le plus tôt possible** as early as possible; **ne ... plus** no longer, no more; **non plus** neither; **plus de** more than; **plus que** more than; **plus rien** no more; **plus tard** later

plusieurs many; several

plutôt (que) rather (than)

pneu *m* tire

poche *f* pocket; **argent de poche** *m* pocket money

pocher to poach

poème *m* poem

poésie *f* poetry

poète *mf* poet

poids *m* weight

poil *m* hair

poing *m* fist; **coup de poing** *m* punch

point *m* point; **point de vue** point of view; **points communs** common points; **à quel point** how far; **à un certain point** at/to a certain point/degree; **dorer à point** to do to a turn, to brown nicely; **être sur le point de craquer** to be near the breaking point

pointé(e) accented

poireau (poireaux) *m* leek

poison *m* poison

poisson *m* fish

poitrine *f* chest, breast

poivre *m* pepper

poivron *m* (hot) pepper

poli(e) polite, courteous

police *f* police; **voiture de police** *f* police car

policier *m* **policière** *f* police officer

poliment politely

polir to polish

politesse *f* politeness, courtesy

politique political

polonais *m* Polish (language)

polyinsaturé(e) polyunsaturated

Polynésie *f* Polynesia

polyvalente *f* high school (in Quebec)

pommade *f* pomade, hair cream

pomme *f* apple; **pomme de terre** potato; **pomme de terre au four** baked potato

pompe *f* pump

pompier *m* **pompière** *f* firefighter; **camion de pompiers** *m* fire engine/truck

pompiste *mf* gas station attendant

poncer to sand(paper)

populaire popular

porc *m* pork; **côtelette de porc** *f* pork chop; **cretons de porc** *mpl* pork pâté; **porc haché** minced/ground pork

portatif, portative portable

porte *f* door; **porte de sortie** escape hatch, exit

porte-parole *m inv* spokesperson

portefeuille *m* wallet

porter to wear; to carry

portion *f* portion; order; **une portion de frites** an order of french fries

portugais *m* Portuguese (language)

portugais(e) Portuguese

pose *f* pose; **prendre la pose** to pose

poser to pose; to ask (a question); **poser un danger** to pose a danger

positif, positive positive; **voir le côté positif de la vie** to look on the bright side of life

posséder to possess

possible possible; **autant que possible** as much as possible; **tout mon possible** everything I can

postal(e) postal; **boîte postale** Post Office box; **carte postale** postcard

poste *f* mail, post

poste *m* job; position; post; **poste de traite** trading post

poster to mail

potage *m* (cream) soup

poubelle *f* garbage can/bin

pouce *m* thumb; **faire du pouce†** to hitch-hike

poucet : *Le petit poucet* Tom Thumb

pouding *m* pudding; **pouding au riz** rice pudding

poudre *f* powder

poule *f* chicken, hen; **chair de poule** *f* goosebumps

poulet *m* chicken; **poitrine de poulet** *f* chicken breast; **salade chaude au poulet** *f* warm chicken salad

pouls *m* pulse; **accélération du pouls** *f* increased heartbeat

poupée *f* doll

pour for; **pour cent** percent; **le pour et le contre** the pros and cons; **pour toujours** forever

pourboire *m* tip, gratuity

pourcentage *m* percentage

pourpre *m* purple

pourquoi why

pourtant however

pousser to push; **poussé à la limite** pushed to the limit

poussin *m* chick

poutine† ** *f* poutine (fries with cheese curds and gravy); **poutine râpée potato dumpling

pouvoir (pu) to be able to; **je n'en peux plus!** I can't stand it any longer! **puis-je vous aider?** may I help you?

pouvoir *m* power

praline *f* sugared almond

praliné(e) almond-flavoured

pratique *f* practice; **mettre en pratique** to put into practice

pratique practical

pratiquement practically

pratiquer to practise; to play (a sport)

précéder (de) to precede (by)

précieux, précieuse precious, dear

se précipiter to hurl oneself, to plunge

précis(e) precise, exact

préciser to elaborate, to clarify; to specify, to identify

prédire (prédit) to predict

préféré(e) favourite

premier, première first; **premier de la classe** top student; **premier ministre** *m* prime minister

prendre (pris) to make; to take; to have (food); **prendre un bain** to have a bath; **prendre à cœur** to take to heart; **prendre contact** to make contact; **prendre une décision** to make a decision; **prendre l'initiative** to take the initiative; **prendre en main** to take in hand; **prendre part à** to take part in; **prendre la pose** to pose; **prendre au sérieux** to take seriously; **prendre rendez-vous** to make an appointment; **prendre la tête*** to drive nuts; **se prendre pour** to take oneself for, to think one is

preneur de son *m* sound engineer

prénom *m* first name

préoccupé(e) preoccupied

près (de) near (to); **à peu près** almost, about

présent(e) present; **être présent** to be there

présent *m* the present time; gift; **à présent** now, at present

présenter to present, to introduce; **se présenter** to arise; to appear; to introduce oneself

presque almost, nearly

presse *f* the press

pression *f* pressure; **pressions des responsabilités** pressure of responsibility; **pressions du temps** time demands; **pressions sociales** social pressure

prêt(e) ready

prêter to lend

preuve *f* proof; **faire preuve (de)** to show (proof of), to demonstrate

prier to pray; to beg; to ask

prière *f* prayer

primaire primary

primaire *m* primary school

principal (principaux), principale principal, main; **plat principal** *m* main course

printemps *m* spring

prise *f* shot, take (film); **prise de vue** filming, camerawork

privé(e) private; **salon privé** *m* private dining room

prix *m* price; prize; **à tout prix** at all costs; **menu à prix fixe** *m* set-price menu; **prix élevés** high prices; **prix modérés** reasonable prices; **rapport qualité/prix** quality-price ratio, value for money

probablement probably

problème *m* problem

procédé *m* process

procéder to proceed

prochain(e) next; **à la prochaine** until next time; **la semaine prochaine** next week; **la prochaine fois** the next time

proche near

se procurer to obtain

prodige *mf* prodigy

produire (produit) to produce

produit *m* product; **profil-produit** *m* product profile

professeur (prof*) *m* teacher

profiter de to benefit from, to take advantage of

profond(e) deep; **au plus profond de moi** in my heart of hearts

profondément profoundly

profondeur *f* depth

programme *m* program; project

progrès *m* progress; **en progrès** in progress; **faire des progrès** to make progress, to improve

proie *f* prey; **être en proie à** to be a victim of, to fall prey to

projet *m* project; plan

projeter to project

promenade *f* walk; ride, trip

promener to take (for a walk); **se promener** to take a walk/ride

promesse *f* promise

promettre (promis) to promise

promotionnel, promotionnelle promotional

promouvoir (promu) to promote

pronom *m* pronoun

propos *m* subject; **à propos** appropriate, timely; by the way; **à propos (de)** about, concerning, regarding

propre own; clean

propreté *f* cleanliness

propriétaire *mf* owner

propriété *f* property

protecteur, protectrice protective

protéger to protect

protestation *f* protest

prouver to prove

provenir (provenu) de to come from

provocateur, provocatrice provocative

provoquer to provoke, to cause

pseudonyme *m* pseudonym, pen name

psychologique psychological

psychologue *mf* psychologist

publicité (pub*) *f* advertising, advertisement

publicitaire advertising; **annonce publicitaire** *f* advertisement

publicitaire *mf* publicist; advertiser

publicité *f* advertising, publicity; **campagne de publicité** *f* advertising campaign; **publicité à caractère social** public-service ad

publier to publish

publiphile *mf* ad(vertisement) lover

publiphobe *mf* ad(vertisement) hater

publique public; **relations publiques** *fpl* public relations

puis then, so; and

puis-je? may I?

puisque since, because

puissance *f* power, strength

puissant(e) powerful, strong

punir to punish

punition *f* punishment

pupitre *m* (student) desk

pur(e) pure; **pur bœuf** 100% beef; **pure laine** pure wool; genuine, 100%

purée *f* puree; **purée de pommes de terre** mashed potatoes

pureté *f* purity

qu'est-ce qui what; **qu'est-ce qui est arrivé/s'est passé?** what happened?

qualifier to call, to describe; to qualify

qualité *f* quality; skill, attribute, trait; **rapport qualité/prix** *m* quality-price ratio, value for money

quand when; **quand même** just, all the same

quant à as for, as regards

quart *m* quarter; **quart de million** a quarter of a million; **quart d'heure** quarter of an hour

quartier *m* quarter, neighbourhood, district; **quartier latin** Latin/student quarter

que that, which; what; **ne ... que** only; **que de...!** what a lot of ...! **ce que** that which, what; **qu'est-ce que** what

Québec *m* Quebec; **au Québec** in Quebec

Québécois *m* **Québécoise** *f* Quebecker

québécois(e) of, from Quebec

quel, quels, quelle, quelles which; what; **de quelle façon?** how? **n'importe quel** any one (at all)

quelqu'un someone, somebody; **quelqu'un d'autre** somebody else

quelque some; **quelque chose** something; **quelque chose d'important** something important; **quelque part** somewhere

quelquefois sometimes

quenelle *f* meat dumpling; **quenelle de foie de veau** veal liver dumpling

queue *f* tail

qui who; whom; **ce qui** which; **n'importe qui** anyone at all; **qu'est-ce qui** what

quintuplées *fpl* quintuplets

quitter to leave; **se quitter** to part company

quoi what; **quoi de neuf?** what's new? **c'est quoi?*** what is it?; **n'importe quoi** anything (at all)

quotidien *m* daily paper

quotidien, quotidienne daily

R ....

rabais *m* discount, reduction

racine *f* root

racisme *m* racism

raciste racist

raconter to tell; to describe; to relate; **se raconter** to tell one another

raconteur *m* **raconteuse** *f* story teller, narrator

radieux, radieuse radiant, glowing

radio *f* radio; **émission de radio** *f* radio show

radiodiffusé(e) broadcast on radio

raffiné(e) refined, polished, sophisticated

raffinement *m* refinement, sophistication

rafraîchissant(e) refreshing

rafraîchissements *mpl* refreshments

rage *f* rabies

ragoût *m* stew

raide stiff, straight

raison *f* reason; **avoir raison** to be right

raisonnable reasonable; inexpensive

raisonner (avec) to reason (with),

ramassage *m* collection

ramasser to collect, to gather

rampe de lancement *f* launching pad

randonnée *f* ride, trip; hike; **randonnée de ski de fond** cross-country ski run

rang† *m* concession road; **école de rang**† *f* country school(house)

rang *m* rank, row, line; **se mettre sur trois rangs** to arrange themselves in three rows

rangée *f* row

ranger to tidy (up)

râpé(e) grated; **poutine râpée** *f* potato dumpling

rapide rapid, quick; **respiration rapide** *f* rapid breathing

rapidement rapidly

rappeler to call back; to remind; **se rappeler** to remember

rapport *m* relationship; ratio; report; **rapport qualité/prix** quality-price ratio, value for money

rapporter to bring/take back

râpure† *f* rappie pie, fish pie

rarement rarely

ras : avoir ras le bol* to be fed up

rasage *m* shaving; **après-rasage** *m* after-shave

rasé(e) shaved

rassemblement *m* gathering, assembly

rassembler to assemble, to get together

rater to miss; to fail; **c'est raté** it was a failure

rationnel(le) rational

rattaché(e) related, connected

rattraper to catch up with; to recover

ravi(e) (de) delighted (with)

rayonner to shine, to glow

réadaptation *f* rehabilitation

réagir to react

réalisateur *m* **réalisatrice** *f* (film) producer; director

réalisation *f* production

réaliser to produce; to realize; **réaliser ses rêves** to make one's dreams come true

réaliste realistic

rebelle rebellious

récemment recently

recette f recipe

recevoir (reçu) to receive

recherche f research; **faire des recherches** to do research

rechercher to look for, to seek out

réciproque reciprocal, mutual

récit m story, account

réciter to tell, to relate

récolter to harvest

recommander to recommend

recommencer to begin again

récompense f reward

récompenser to reward

reconnaître (reconnu) to recognize, to acknowledge; **se reconnaître** to recognize one another

recouvrir (recouvert) to cover

récréation f recreation; **cour de récréation** f schoolyard, playground

récupération f recovery

recyclage m recycling

rédacteur m **rédactrice** f editor; **rédacteur en chef** editor-in-chief

rédaction f editorial staff

redécorer to redecorate

rédiger to write, to compose

se redresser to sit/stand up (straight)

réduire (réduit) to reduce

réel, réelle real

réfléchir (à) to reflect, to think (about)

refléter to reflect, to mirror

refoulé(e) repressed, unexpressed, held back

refuge m refuge; shelter

refuser (de) to refuse (to)

regarder to look at; to watch

régime m diet; **suivre un régime** to be on a diet

réglable adjustable

règle f rule; ruler

règlement m regulation, rule; payment

régler to settle

regretter (de) to regret, to be sorry (about); **je regrette, mais...** I'm sorry, but...

régulateur regulating

régulier, régulière regular

régulièrement regularly

réinventé(e) reinvented

rejeter to reject

relâche m/f **sans relâche** without a break/rest

relais m roadside inn, coach house

relax(e)* relaxed, casual

relève f relief; changing

se relever to get back up

relier to join, to link, to connect

religieux, religieuse religious

relire (relu) to re-read, to read again

remarquable remarkable; outstanding

remarque f remark, comment

remarquer to notice

remède m remedy, cure

remerciement m thank you, thanks; **carte de remerciement** f thank-you card

remercier to thank

remise f delivery; presentation; **remise des diplômes** presentation of diplomas

remonter to reach; to go/come back up

remplacer to replace

remplir to fill; to fill out, to complete

remporter to win

remue-méninges m brainstorming

rencontre f meeting

rencontrer to meet

rendez-vous m date; meeting, appointment; **prendre rendez-vous** to make an appointment

rendre to give back; to make; **rendre heureux** to make happy, to please; **rendre plus intéressant** to make more interesting; **rendre service** to help; **se rendre** to go, to get (there)

rengaine f refrain, melody, tune

renommée f renown, fame

renouvelé(e) renewed

renseignements mpl information

renseigner to inform; **se renseigner** to find out

rentrée f start of the new school year; **rentrée des classes** school opening

rentrer to come/go back/home

renverser to spill

réparation f repair

réparer to repair

repartir to set out again

répartition f distribution, allocation

repas m meal

repasser to retake, to rewrite (exams)

répéter to repeat

répétition f practice, rehearsal

répliquer to answer, to reply

répondre to answer, to respond, to reply

réponse f answer; **coupon-réponse** m reply coupon; **lettre de réponse** f reply

reportage m reporting, commentary, coverage

repos m rest

reposer to rest; **se reposer** to rest (up)

reprendre (repris) to resume; to recall; to take over, to repeat

représentant m **représentante** f representative

représentatif, représentative representative

représentation f performance

reproduire (reproduit) to reproduce; **se reproduire** to reproduce; to reappear, to re-occur

réputation f reputation; **faire sa réputation** to earn a reputation, to become famous

requis(e) required, needed

réseau m network

réserver to reserve; **réservé à** reserved for, restricted to

résoudre (résolu) to solve

respecter to respect; **se respecter** to have self-respect

respiration f breathing; **respiration rapide** rapid breathing

responsabilité f responsibility; **sens des responsabilités** m sense of responsibilty

responsable responsible

ressembler à to resemble, to look like

ressource f resource; **document-ressource** m resource document; **ressources naturelles** natural resources

restaurateur m restaurant owner

restauration f catering, food industry

reste m rest, remainder

rester to stay; to remain

résultat m result; score

résumé m summary; **en résumé** in summary, to conclude

résumer to summarize

retard m lateness; **en retard** late

retenir (retenu) to retain, to keep, to hold onto

retour m return; **à son retour** on his/her return; **aller et retour** return (ticket, trip); **de retour à** back (home) in

retourner to return, to go back

retrouver to find; **se retrouver** to get together; to meet again

réunion f reunion; meeting; **réunion de famille** family reunion

réussir (à) to succeed (in); to pass (a test); **réussir (à) un examen** to pass an exam

réussite f success

réutiliser to reuse

rêve m dream; **réaliser ses rêves** to make one's dreams come true

réveiller to waken; **se réveiller** to awaken, to wake up

révéler to reveal

revendeur m **revendeuse** f reseller

revenir (revenu) to come back; **je n'en reviens pas!** I can't get over it!

revenu m revenue

rêver (de) to dream (of)

rêverie f daydreaming

rêveur m **rêveuse** f dreamer

réviser to review; to revise

révision f review; revision; **faire des révisions** to revise

revitalisant m hair conditioner

revoir (revu) to see again; **se revoir** to see/meet one another again

révolté(e) outraged, appalled, revolted

révolutionnaire revolutionary

revue f show, review; magazine; **revue touristique** travel magazine

rhume m cold; **rhume des foins** hay fever

richesse f riches, wealth

rideau (rideaux) m curtain

ridicule ridiculous

rien nothing; **ça ne fait rien** it's nothing, don't worry about it; **ne ... rien** nothing; **pour rien** for nothing; **rien de spécial** nothing special; **sans rien dire** without saying a word

rigoureux, rigoureuse rigorous

rime f rhyme

rinçage m rinsing, rinse (cycle)

rinceau m foliage, wreath, cluster

rince-dents m *inv* mouthwash

ringuette† f ringette

rire (ri) to laugh; **éclater de rire** to burst out laughing; **faire rire** to make laugh, to be funny

risque *m* risk

risquer (de) to risk

rivière *f* river; **rivière Rouge** Red River

riz *m* rice; **pouding au riz** rice pudding; **riz sauvage** wild rice

robuste robust, strong, sturdy

rocher *m* rock

Rocheuses *fpl* Rocky Mountains

Roger-Bon-Temps* *m* good-time Charlie

roi *m* king

rôle *m* rôle, part; **jeu de rôles** role-playing

roman *m* novel

roman(e) romance; **langues romanes** *fpl* Romance languages

romantique romantic, emotional

romantisme *m* romanticism

rond(e) round; **table ronde** *f* round table (discussion)

ronde *f* circle, ring; slice

rose *f* rose, pink; **voir la vie en rose** to see everything through rose-coloured glasses

rôti *m* roast

rôtir to roast; **rôti à la broche** spit-roasted

rôtisserie *f* rotisserie, grill

roue *f* wheel; **mettre des bâtons dans les roues** to throw a wrench into the works

rouge red; **Croix-Rouge** *f* Red Cross

rougeole *f* measles

rougir to blush

rouille *f* rust; spicy garlic sauce

roulant(e) rolling; **fauteuil roulant** *m* wheelchair

rouler to go, to travel (vehicle), to ride

route *f* road, highway; **bonne route!** have a nice trip! **être en route pour** to be on the way to; **une heure de route** an hour's drive; **tenue de route** *f* road handling

routier, routière highway

roux, rousse red, auburn (hair)

roy *m* (=**roi**) king

ruban *m* tape; **ruban gommé** sticky tape

rubrique *f* heading; section (of a newspaper); column

rue *f* street, road; **à la rue** (out) on the street; **fête de rue†** *f* street party; **rue principale** main street

ruée vers l'or *f* gold rush

ruine *f* ruin

rupture *f* breakup

russe *m* Russian (language)

rustique rustic, country

sable *m* sand; **château de sable** *m* sandcastle

sac *m* bag; handbag

sacré(e) holy, sacred

sacrifier to sacrifice

sage wise; well-behaved, good

sagement properly, quietly, nicely

Saïgon Saigon

saillant(e) salient, important

sain(e) healthy; pure

saint *m* **sainte** *f* saint; **Saint-Laurent** *m* Saint Lawrence (River)

saisir to seize, to grab

saison *f* season

saisonnier, saisonnière seasonal, in season

salade *f* salad; **salade César** Ceasar salad; **salade chaude au poulet** warm chicken salad; **salade de chou** coleslaw

salaire *m* salary, wages

sale dirty

salé(e) salted, salty; **non salé** unsalted

salière *f* salt shaker/cellar

salle *f* (meeting) room; **salle à manger** dining room; **salle de bain(s)** bathroom; **salle de banquet** banquet hall; **salle de billard** billiard hall; **salle de cinéma** movie theatre; **salle de classe, salle de cours** classroom; **salle de jeu** games room

salon *m* living room; **salon de beauté** beauty salon; **salon privé** private (dining) room

saluer to greet

salut! hi!; 'bye!

sang *m* blood

sans without; **sans abri** homeless; **sans blague** no kidding; **sans cesse** incessantly; **sans doute** doubtless, no doubt; **sans emploi du temps** unscheduled, with no agenda; **sans frais** free of charge; **sans relâche** without a break/rest; **sans rien dire** without saying a word

sans-abri *mf inv* homeless person

santé *f* health; **studio de santé** *m* health club

satisfait(e) satisfied

saturé(e) saturated, drenched

sauce *f* sauce

saucisse *f* sausage

saupoudré(e) (de) sprinkled, dusted (with)

saut *m* jump; **faire du saut en parachute** to do/go parachute jumping

sauté(e) pan fried, sauteed

sauter to jump, to jump over; to skip; **sauter à la corde** to skip rope; **sauter de joie** to jump for joy; **sauter en l'air** to jump in the air

sauterelle *f* grasshopper

sauvage wild, raw, unspoiled; **baies sauvages** *fpl* wild berries; **fruit sauvage** *m* wild fruit; **riz sauvage** *m* wild rice

sauver to save

saveur *f* taste

savoir (su) to know; to know how; **il sait nager** he knows how to swim; **je le sais** I know it/that; **saviez-vous que... ?** did you know that... ? **savoir tout à son sujet** to know all about him/her

savon *m* soap

savonneux, savonneuse soapy; **tampon savonneux** *m* cleaning pad

savoureux, savoureuse tasty, delicious

scampis *mpl* scampi; **scampis à l'ail** garlic shrimp

scandaleux, scandaleuse scandalous, outrageous

sceau (sceaux) *m* (official) seal

scénario *m* scenario, dramatization; screenplay; **scénario-maquette** rough screenplay; storyboard

scène *f* stage; scene

scientifique scientific

scientifique *mf* scientist

scientifiquement scientifically

scolaire school; **excursion scolaire** *f* field trip; **manuel scolaire** *m* textbook; **travail scolaire** *m* schoolwork

séance *f* meeting, session

sec, sèche dry

sécher to dry (out)

secondaire *m* secondary school level; **être en secondaire** to be in secondary school

seconde *f* second (of time)

secouer to shake

secours *m* help, aid; **au secours!** help!

secrétaire général *m* Secretary General

section *f* section; **section (non-)fumeur** (non)smoking section

sécurité *f* security; safety; **en sécurité** safely

seigle *m* rye; **pain de seigle** *m* rye bread

séjour *m* stay, visit

sel *m* salt; **sel de la vie** spice of life; **minot de sel** *m* pound of salt

sélection *f* selection, choice

selon according to

semaine *f* week; **en semaine** during the week

semblable similar

semblant : faire semblant to pretend

sembler to seem; **il me semble que...** it seems to me that...

semelle *f* sole (of shoe)

semer to spread, to sow

semestre *m* semester

semi-conducteur *m* semiconductor

Sénégal *m* Senegal

sens *m* sense, meaning; direction; **avoir du bon sens** to have good sense; **sens de l'humour** sense of humour; **sens des responsabilités** sense of responsibility

sensation *f* sensation, feeling; **faire sensation** to be a hit

sensationnel(le) sensational, fabulous

sensibilité *f* sensitivity

sensible sensitive

senteur *f* scent, perfume

sentiment *m* feeling

sentimental(e) sentimental, emotional

sentir to feel; to smell; **se sentir** to feel; **se sentir à l'aise** to feel at ease/comfortable

séparément separately

séquentiel(le) sequential, in order

sérénité *f* serenity, calm

sergent *m* sergeant

série *f* series

sérieux *m* **sérieuse** *f* serious one

sérieux, sérieuse serious; **ce n'est pas sérieux** don't worry about it; **prendre au sérieux** to take seriously

serveur *m* **serveuse** *f* server, waiter/waitress

service *m* service; department; **libre-service** self-service; **rendre service (à)** to help, to be helpful; **service au volant** curb/drive-through service; **services bénévoles** volunteer work; **service de livraison** delivery service; **service de publicité** advertising department; **services sociaux** social services; **service de traiteur** catering service; **à votre service** at your service

servir to serve; **servi chaud** served hot; **servi en brochette** served on a skewer; **servi froid** served cold; **servir d'exemple** to serve as an example

sésame *m* sesame

seul *m* **seule** *f* only one

seul(e) alone; only; single; **tout(e) seul(e)** all alone

seulement only; **non seulement** not only

sévère severe, strict

sexisme *m* sexism

sexiste sexist

sexualité *f* sexuality

shakespearien, shakespearienne Shakespearian

shampooing *m* shampoo

si so; if; yes; **comme si** as if

Sicile *f* Sicily

sicilien(ne) Sicilian

sida *m* aids

siècle *m* century

siège *m* seat; **s'installer sur un siège** to climb into a seat; **siège arrière** back seat; **siège d'auto** car seat

sieste *f* siesta, nap; **faire la sieste** to have/take a nap

sifflet *m* whistle; **coup de sifflet** *m* sound of the whistle

signaler to point out, to highlight; to emphasize

sigle *m* monogram, initials

signe *m* sign

signer to sign

signification *f* meaning

signifier to mean

silencieux, silencieuse silent

similaire similar

similarité *f* similarity

simplement simply, plainly

simuler to simulate

sincère sincere, honest, well-meaning

sincèrement sincerely; **sincèrement vôtre** sincerely yours

sinon unless; if not

sinople green

sirène *f* siren

sirop *m* syrup; **sirop d'érable†** maple syrup

sisite* : faire sisite to sit down

site historique *m* historic site

situation *f* situation, location

situer to situate, to locate

ski *m* skiing; **faire du ski** to ski, to go skiing; **ski alpin** downhill skiing; **ski de fond** cross-country skiing; **ski nautique** water skiing

social (sociaux), sociale social; **publicité à caractère social** *f* public-service ad; **services sociaux** social services

société *f* organization, firm; society; company; **jeu de société** *m* board game; **Société canadienne des postes** Canada Post; **Société d'assistance pour enfants** Children's Aid Society

sœur *f* sister; **sœurs jumelles** twin sisters

soi : en soi in/by/of itself; oneself; **soi-même** itself, oneself

soie *f* silk; **soie dentaire** dental floss; **ver à soie** *m* silkworm

soif *f* thirst; **avoir soif** to be thirsty

soigné(e) well-groomed, neat; trimmed

soigneur *m* **soigneuse** *f* (soccer) trainer

soin *m* care; **avec soin** carefully

soir *m* evening; **ce soir** tonight; **cours du soir** *m* night course; **le soir** in the evening; **samedi soir** Saturday night

soirée *f* party; evening; **soirée dansante** dance party; **soirée de gala** gala evening

soit (être) be

solaire solar; **écran solaire** *m* sunscreen

solde *m* sale; **en solde** on sale

sole *m* sole; **filet de sole** *m* fillet of sole

soleil *m* sun; **lunettes de soleil** *fpl* sunglasses

solitaire solitary, lonely

solliciter to solicit, to ask for, to encourage

solo alone, solo

somme *f* sum, amount

sommeil *m* sleep; **sommeil agité** fitful/restless sleep

sommet *m* top, peak

son *m* bran; sound

sondage *m* opinion poll, survey

sonore sound; **bande sonore** *f* sound track; **effets sonores** *mpl* sound effects

sophistiqué(e) sophisticated

sortie *f* exit, way out; outing

sortir to go out; to take out; **sortir en bande** to go out in/as a group

souci *m* care, worry

soudain suddenly

soufflé(e) spun; **sucre soufflé** *m* spun sugar

souffrir (souffert) to suffer

soulagement *m* relief; **avec soulagement** to one's relief, with relief

soulager to relieve, to soothe

soulever to lift up, to raise

souligner to underline, to emphasize

soumettre (soumis) to submit

soupe *f* soup; **soupe aux champignons** mushroom soup; **soupe du jour** soup of the day

souper† *m* dinner, supper

souple supple, soft, flexible

source *f* source; spring; **sources alimentaires** food sources

sourire (souri) to smile

sourire *m* smile

souris *f* mouse

sous under(neath)

souscuit(e) undercooked

soutenu(e) elevated; formal

souvenir *m* souvenir, memory; **souvenir d'enfance** childhood memory; **objet-souvenir** *m* souvenir, keepsake

se souvenir (souvenu) de to remember

spacieux, spacieuse spacious

spaghettis *mpl* spaghetti

spécialement specially, particularly

spécialité *f* specialty

spécifique specific

spectacle *m* show, performance

spectaculaire spectacular, outstanding

spirale *f* spiral

sport *m* sport(s); **article de sport** piece of sports equipment; **sport d'équipe** team sport

sportif *m* **sportive** *f* sports enthusiast

sportif, sportive sports, sporting; athletic; sporty

spot *m* ad, commercial

squelettique skeletal, scrawny

stade *m* stadium

station-service *f* gas/service station

stationnement *m* parking

statistique *f* statistic

steak *m* steak; **steak au poivre** pepper steak

stéréo *f* stereo; **chaîne stéréo** *f* stereo system; **en stéréo** in stereo

stéréotype *m* stereotype

stockage *m* stockpiling, stocking

store *m* (window) blind

stratégie *f* strategy

stratégique strategic

stress *m* stress; **stress-bilan** stress level

stressant(e) stressful

stressé(e) stressed (out)

stresseur *m* stressor

strict(e) strict; **strict minimum** bare minmum

studio *m* studio; **studio de santé** health club

stupeur *f* astonishment, amazement

style *m* style; **style de vie** lifestyle

subir to undergo, to suffer

submergé(e) submerged

subsistance *f* subsistence, living

succès *m* success

succulent(e) succulent, delicious

succursale *f* branch (outlet)

sucre *m* sugar; **sucre soufflé** spun sugar; **tarte au sucre** *f* sugar pie

sucré(e) sweet(ened); **non sucré** unsweetened

sud *m* south; **au sud de** south of; **Afrique du sud** *f* South Africa

suédois *m* Swedish (language)

sueur *f* sweat

suffir to suffice, to be enough; **ça suffit!** that's enough! stop!

suffisamment sufficient, enough

suffisant(e) sufficient

suggérer to suggest

suisse Swiss

Suisse *m* **Suissesse** *f* Swiss (person)

suite *f* result; **tout de suite** right away

suivant(e) following, next

suivre (suivi) to follow; **à suivre** to be continued; **suivre un régime** to be on a diet

sujet *m* subject; **au sujet de** about, on the subject/topic of; **savoir tout à son sujet** to know all about him/her

super *m* super, premium (gasoline)

superbe superb, wonderful

superflu(e) supefluous, surplus

supérieur(e) superior, highest

supériorité *f* superiority

superlatif *m* superlative

supermarché *m* supermarket

supporter to support, to endure

supposer to suppose, to conjecture

sur on; about; **sur le vif** live, on-the-spot; **un sur dix** one out of ten

sur(e) sour; **crème sure†** *f* sour cream

sûr(e) sure; **bien sûr!** sure! of course!
surcuit(e) overcooked
surprenant(e) surprising
surprendre (**surpris**) to surprise
surpris(e) surprised
surtout above all, especially, most of all
survie *f* survival
symboliser to symbolize, to exemplify
sympathique (**sympa***) nice, kind, friendly
symptôme *m* symptom
Széchuan Szechuan
széchuanais(e) Szechuan

T ·········

tabac *m* tobacco
table *f* table; **à table!** let's eat! **table d'hôte**
 set-price menu; **table ronde** round table
 (discussion); **table tatami** traditional
 Japanese table
tableau (**tableaux**) *m* picture; chart;
 (chalk)board; **tableau de bord** dashboard
tache *f* spot, stain
tâche *f* task; **persister dans la tâche** to keep
 on task
tactique *f* tactic(s)
tagal *m* Tagalog (language)
taille *f* size; **de taille** considerable, sizeable,
 big, large
tampon *m* pad; **tampon savonneux**
 cleaning pad
tandouri *m* tandoori; **four tandouri** *m*
 tandoori oven
tant (**de**) so much; so many; **tant ... que ...**
 both ... and ...; **en tant que** as
tante *f* aunt
tantôt soon, shortly
taper sur to hit, to punch; **ça me tape sur
 les nerfs*** that's getting/grating on my
 nerves
tapis *m* carpet, rug; **tapis volant** flying
 carpet
taquiner to annoy, to tease
tard late
tarif *m* price; rate; **tarif d'hôtel** hotel rate;
 tarifs pour groupes group rates
tartare Tartar; **sauce tartare** *f* tartar sauce
tarte *f* pie; **tarte à la viande** meat pie; **tarte
 au sucre** sugar pie; **tarte aux pacanes**
 pecan pie
tartine *f* slice of bread; **tartine de confiture**
 slice of bread and jam
tartre *m* (dental) tartar
tas *m* pile; **des tas de** tons of, lots of
tasse *f* cup
tata* *f* auntie
tatami *m* tatami; **table tatami** traditional
 Japanese table
taux *m* rate, level
technique *f* technique
tel, telle such; like; **tel que** such as
télécommande *f* remote control
télécopieur *m* fax/facsimile machine
télédiffusé(e) broadcast on television
téléférique/téléphérique *f* cable-car
téléobjectif *m* telephoto lens
téléphonique telephone; **annuaire**

téléphonique *m* telephone
 directory/book; **centre d'écoute
 téléphonique** *m* phone-in centre
téléspectateur m, téléspectatrice *f*
 television viewer
télévisé(e) televised
téléviseur *m* television set
télévision (**télé***) *f* television (service)
tellement (**de**) so, so much; so many
témoignage *m* testimonial
tempête *f* storm
temporaire temporary
temps *m* time; **à temps** in time; **à temps
 partiel**; part-time; **avoir le temps de** to
 have the time to; **le bon vieux temps** the
 good old days; **le reste du temps** the rest
 of the time; **de temps en temps** from
 time to time; **depuis ce temps** since then;
 en même temps at the same time; **passer
 le temps (à)** to pass/spend the time;
 pressions du temps *fpl* time demands;
 temps libre free time; **tout le temps** all
 the time
tenace tenacious, persistent
tendance *f* tendency; **avoir tendance à** to
 tend to
tendu(e) tight, tense, strained
teneur *f* content
tenir (**tenu**) to hold; (**se**) **tenir au courant**
 to keep up-to-date, informed; **tenir en
 place** to hold in place
tentation *f* temptation
tenter (**de**) to try, to attempt (to)
tenue *f* control; **tenue de route** road
 holding ability
terme *m* term; **terme courant** everyday
 term; **terme familier** colloquial term
Terminale *f* senior year; **en classe de
 Terminale** in final year
terminer to end, to finish; **se terminer** to
 (come to an) end
terrain *m* terrain, ground; field; **terrain de
 camping** campground; **terrain
 d'équitation** riding range; **terrain de jeu**
 playing field; **tout-terrain** all-terrain
terrasse *f* terrace
terre *f* earth, ground; **par terre** on the
 ground; **pomme de terre** *f* potato
Terre-Neuve *f* Newfoundland
terrifiant(e) terrifiying, frightening
territoire *m* territory; **Territoires du Nord-
 Ouest** *mpl* Northwest Territories
tête *f* head; **chasser de ma tête** to get out of
 my mind; **en tête** in mind; **faire la tête** to
 sulk; **mal de tête** *m* headache
thé *m* tea
théâtre *m* theatre, drama; **faire du théâtre**
 to act
thématique thematic
thème *m* theme
tiers *m* third
tigé(e) stemmed; **tigée, feuillée et pointée
 de sinople** stemmed, leaved and accented
 in green
timbre *m* (postage) stamp; crest
timbré(e) crested
timide timid, shy
tirer to draw (conclusions); to take from,

 to pull; to extract, to derive; **tirer par la
 queue** to pull by the tail
tiret *m* blank, dash
tisane *f* herbal tea, infusion
tissu *m* cloth, fabric, material
titre *m* title
toile *f* canvas (painting)
toilettes *fpl* washroom; toilets
toit *m* roof
tolérer to tolerate
Tom Pouce Tom Thumb
tomate *f* tomato; **sauce tomate** *f* tomato
 sauce
tomber to fall, to fall down; **tomber
 amoureux/amoureuse (de)** to fall in love
 (with); **tomber malade** to fall sick; **laisser
 tomber** to drop
ton *m* tone
tonne *f* ton
tonton* *m* uncle
toque *f* tuque; chef's hat
torse *m* torso
tort *m* wrong; **avoir tort** to be wrong
tôt early; **le plus tôt possible** as soon as
 possible
toucher to touch, to affect
toujours always; still; **pour toujours**
 forever
tour *f* tower
tour *m* course; turn; **à son tour** in turn;
 faire le tour to tour, to travel; *Le tour du
 monde en 80 jours* Around the World in
 80 Days
tourisme *m* tourism
touristique tourist; **guide touristique** *m*
 tourist guide; **revue touristique** *f* travel
 magazine
tourmenter to torment, to harass
tournage *m* shooting (film)
tournée *f* tour, ride
tourner to turn; to film
tournoi *m* tournament
tourterelle *f* turtledove
tourtière† *f* meat pie
tous everybody, everyone
tout, toute, tous all; every; **à tout prix** at all
 costs; **pas du tout** not at all; **tout à fait**
 completely; **tout au commencement**
 right at the beginning; **toute autre** quite
 different; **tout d'abord** first(ly); **tout d'un
 coup** suddenly; **tout de même** all the
 same, anyway; **tout de suite** immediately;
 tous les jours every day; **tout le monde**
 everyone; **tout le temps** all the time; **tout
 mon possible** everything I can; **tout seul**
 all alone; **tout-terrain** all-terrain
toutou* *m* doggie, bow-wow
trac *m* nervousness; **avoir le trac** to be
 nervous
tracasser to worry, to bother, to harass
tracer to trace, to outline
traduction *f* translation
traduire (**traduit**) to translate
train *m* train; flow; **être en train de** to be in
 the process/middle of; **son petit train**
 one's own pace/speed; **train électrique**
 electric train; **train omnibus** slow/local
 train, milk run

traîneau *m* sled; **chien de traîneau** sled-dog

traîner : se traîner to drag oneself

traite *f* trade; **poste de traite** *m* trading post; **traite des fourrures** fur trade

traiter to treat; **traiter en** to treat as/like

traiteur *m* caterer; **service de traiteur** *m* catering service

trajet *m* trip; distance

tranche *f* slice

tranquille quiet; **laisser tranquille** to leave alone

tranquillité *f* peace

transfert *m* transfer

transpiration *f* sweat; **transpiration de la paume des mains** sweaty palms

transport *m* transport, travel; **frais de transport** *mpl* travel expenses

transport *m* transportation

traumatisé(e) traumatised

travail (travaux) *m* work; job; **petits travaux** odd jobs; **travail scolaire** schoolwork; **travaux ménagers** housework

travailler to work; **tout en travaillant** while working, while you work

travailleur, travailleuse hard-working

travailleur *m* **travailleuse** *f* worker

travers : à travers across; through

traversée *f* crossing

traverser to cross

traversier† *m* ferry(boat)

trèfle *m* clover, shamrock

tremblement *m* shaking; **tremblement des mains** shaky hands; **tremblement de terre** earthquake

trembler to tremble, to shake

trempé(e) dipped

trentaine *f* about thirty

trésor *m* treasure

tricher to cheat; to trick

tricolore *m* French flag

tricoter to knit; **aiguille à tricoter** *f* knitting needle

tristement sadly

se tromper to be wrong, to be mistaken

trôner to sit in glory, to be enshrined

trop (de) too; too many; too much

trophée *m* trophy

tropical (tropicaux) tropicale tropical

trottinette *f* scooter

trottoir *m* sidewalk

trou *m* hole

troublé(e) troubled

troupe *f* troupe, company

trouver to find; **se trouver** to be located

truc *m* trick

tube* *m* hit (song)

tuberculose *f* tuberculosis

tuer to kill

tumultueux, tumultueuse tumultuous, noisy

Tunisie *f* Tunisia

tuque† *f* hat, cap

type *m* type, sort, kind; guy*, fellow*

typique typical

typiquement typically

U

ukrainien *m* Ukrainian (language)

ukrainien, ukrainienne Ukrainian

ultime ultimate

une one; **à la une** on the front page, in the headlines

uni(e) united

unique one of a kind; only; **enfant unique** *mf* only child

uniquement uniquely, only

univers *m* universe

universel, universelle universal

universitaire university

usage *m* use; usage; **d'usage chez** used by; **tout usage** all-purpose

usagé(e) old; used

usine *f* factory

ustensile *m* utensil, tool

utile useful; **puis-je vous être utile?** may I help you?

utilisation *f* usage, use

utiliser to use

V

vacances *fpl* vacation, holidays

vache *f* cow

vague *f* wave

vaisseau fantôme *m* ghost ship

vaisselle *f* dishes; **faire la vaiselle** to do the dishes

valable valid; valuable, worthwhile; **non valable** invalid, no good

valeur *f* value; **de valeur** valuable; **mettre en valeur** to highlight, to show off

vallée *f* valley

valoir to be worth; **valoir le coup** to be worth it; **ça vaut le coup** it's worth it

vanille *f* vanilla; **glace à la vanille** *f* vanilla ice cream

vanter to praise, to extol, to promote

vapeur *f* steam; **machine à vapeur** *f* steam engine

varié(e) varied

varier to vary

variété *f* variety

vaut : ça vaut le coup it's worth it, it's worth doing/seeing

veau *m* veal; **quenelle de foie de veau** veal liver dumpling; **veau haché** minced veal

vedette *f* star; **mettre en vedette** to highlight; to star

végétarien(ne) vegetarian

véhicule *m* vehicle

veillée *f* party, festive evening

veiller to watch over; to spend an evening

vélo *m* bike

velouté(e) creamy (soup)

venaison *f* venison

vendeur *m* **vendeuse** *f* salesperson

vendre to sell; **à vendre** for sale

venir (venu) to come; **venir de** to have just done something; **venir en aide** to assist

vent *m* wind; **dans le vent*** with it, hip, in the know

vente *f* sale

ventilateur *m* ventilator, fan

ventre *m* abdomen, stomach

ver *m* (earth)worm; **ver à soie** silkworm

véracité *f* truth

verbal (verbaux), verbale verbal

vérification *f* proof, checking, confirmation

vérifier to check, to verify

véritable real, true, genuine

vérité *f* truth

verre *m* glass

verrouillage *m* locking mechanism

vers toward(s); **vers 5 h 00** about 5 o'clock

vestimentaire clothing, dress; **code vestimentaire** *m* dress code

vêtement *m* article of clothing

viande *f* meat; **tarte à la viande** meat pie; **viande de tourterelle** turtledove meat; **viande fumée** smoked meat; **viande hachée** minced/chopped meat

victime *f* victim

victoire *f* victory

vide empty

vidéo† *m* video

vidéocassette *f* videocassette; **sur vidéocassette** on video

vidéoclip *m* music video

vie *f* life; **en vie** alive; **la belle vie** the good life; **mener une vie** to live a life; **mode de vie** *m* way of life; **pour la vie** for life; **sel de la vie** *m* spice of life; **style de vie** *m* lifestyle; **voir la vie en rose** to view life through rose-coloured glasses; **voir le côté positif de la vie** to look on the bright side of life

Viêt-nam *m* Viet-Nam

vietnamien, vietnamienne *m* Vietnamese

vieux (vieil), vieille old; **mon vieux** my friend/pal, old buddy; **le bon vieux temps** the good old days

vif, vive alive; lively; **sur le vif** live, on-the-spot

vigueur *f* vigour; **en vigueur** in force, current

ville *f* city; **en ville** downtown/in town

vin *m* wine

vinaigre *m* vinegar

vinaigrette *f* (salad) dressing

violence *f* violence

violet, violette violet, purple

violon *m* violin

violoneux *m* violinist, fiddler

virtuose *mf* virtuoso

vis-à-vis with regard to, concerning

visage *m* face; look

viser to aim (at), to target; to focus on

visiteur *m* **visiteuse** *f* visitor

visuel(le) visual

vite quickly, fast; **faire vite** to work quickly, to hurry up

vitesse *f* speed; **à haute vitesse** high-speed; **limitation de vitesse** *f* speed limit

vitre *f* windowpane

vivable livable

vivant(e) living, alive

vivre (vécu) to live; to live through; to experience; **vive...!** long live...!

vocabulaire *m* vocabulary

vœu (vœux) *m* wish; **carte de vœux** *f* greeting card; **meilleurs vœux** best wishes

voici here is/are

voilà there is/are; **voilà maintenant deux ans que...** for two years now...

voile *f* sail; sailing

voilier *m* sailboat

voir (vu) to see; **le voir, c'est le croire** seeing is believing; **voyons donc!** see here! **voir la vie en rose** to view life through rose-coloured glasses; **voir le côté positif de la vie** to look on the bright side of life; **voir les deux côtés** to see both sides

voisin *m* **voisine** *f* neighbour

voisinage *m* neighbourhood

voiture *f* car; **voiture ancienne** antique car; **voiture de police** police car

voix *f* voice; **élever la voix** to raise one's voice

vol *m* theft; flight; **vol libre** hang-gliding; **vol nolisé** charter flight

volaille *f* fowl, poultry

volant *m* steering wheel; **service au volant** *m* curb/drive-through service

volant(e) flying

volcan *m* volcano

voler to fly

voleur *m* robber, burglar

volonté *f* will; **à volonté** at will, as you wish, freely, without limits

volontiers gladly

vôtre *mf* yours

vouloir (voulu) to want (to); **vouloir dire** to mean, to signify; **je veux bien** I'd (really) like to

voyage *m* trip; **agent/agente de voyage** *mf* travel agent; **chèque de voyage** *m* traveller's cheque

voyager to travel

voyageur *m* **voyageuse** *f* traveller; **voyageur**[†] voyageur, fur trader

voyons! come on now!

vrai(e) true, real, genuine; right, correct; **à vrai dire** to tell the truth; **pas vrai!** no kidding! that can't be true!

vraiment really, truly

vue *f* sight; view; **perdre de vue** to lose sight of; **point de vue** *m* point of view; **prise de vue** *f* camera angle

y to it/them; from it/them; there; **il y a** there is, there are

yassa *m* type of spiced dish

yeux *mpl* eyes

yogourt *m* yoghurt

zapping *m* zapping, (TV) channel surfing

Index thématique

Index linguistique

ILLUSTRATIONS : *pp. 32, 148–9 :* Jamie Meiwah Au ; *pp. 7, 8, 13, 14, 16, 23 :* Philippe Béha ; *p. 157 :* Réal Bérard ; *pp. 68, 120, 176 :* Sylvie Bourbonnière ; *p. 33 :* Bill Boyko ; *pp. 52–3 :* Sheldon Cohen, tiré du livre *Le chandail de hockey* © 1984 , Livres Toundra ; *pp. 80–1, 122–3, 137 :* Normand Cousineau ; *pp. 35–7, 66, 69–71, 111–3, 117, 118, 126, 136, 141, 143 :* Sue Denti ; *pp. 153, 163 :* Sylvie Desronziers ; *pp. 1, 2, 3, 8, 23, 114–6, 145–7, 160 :* Helen D'Souza ; *pp. 56, 142, 168, 174 :* Daniel Dumont ; *p. 152 :* Frederic Eibner ; *p. 28 :* John Etheridge ; *pp. 67, 168–9 :* Norman Eyolfson ; *p. 97 :* Joe Fleming ; *pp. 7, 32, 63, 77, 81, 135, 140, 178 :* Mario Gailloux ; *pp. 98–9, 126, 127, 154 :* Michel Garneau ; *p. 27 :* Gérard ; *pp. 109, 129, 169 :* Janice Goldberg ; *p. 57 :* Frank Hammond ; *pp. 6, 8, 11, 26, 126–7 :* Heather Holbrook ; *p. 34 :* Anthony Jenkins ; *pp. 154–5 :* Benoît Laverdière ; *pp. 14, 15 :* Anson Liau ; *pp. 42–3, 60–1, 102, 128–9, 170–1 :* Susan Leopold ; *pp. 30–1, 51, 90–1, 130–1 :* Marc Mongeau ; *pp. 40, 41, 43, 50, 64–5 :* Mike Moran ; *pp. 64–5 :* Eve Olitsky ; *pp. 17, 40, 156, 166–7, 168, 169, 173, 176, 179 :* Dusan Petricic ; *pp. 106–7 :* Heather Price ; *pp. 24–6 :* Hal Roth ; *p. 44 :* Sempé ; *p. 118 :* Andrew Skuja ; *p. 161 :* Miyuki Tanobe ; *pp. 22–3 :* Craig Terlson ; *pp. 79, 80, 88, 91, 99, 107, 119, 144, 177 :* Wayne Vincent ; *pp. 12–3 :* Tracy Walker

PHOTOGRAPHIES : *p. 14 :* Rick Alexander ; *pp. 51, 55, 64, 68, 78, 80, 82, 84, 86, 88, 90, 100, 104, 117, 120, 121, 124, 125, 127, 132–3, 135, 141, 153, 155, 168 :* Ray Boudreau, avec les étudiants de St. Patrick Secondary School (MSSB) et St. Robert Catholic High School (YRRCSSB) ; *pp. 39, 40, 41, 42, 65, 118, 129, 135, 162, 175 :* Peter Chou ; *pp. 18, 19 :* Ian Crysler ; *pp. 1–3, 5, 6, 7, 16, 30, 31, 35–5, 69–71, 72, 73, 83, 92–3, 97, 98, 106, 107, 111–3, 128, 129, 145–7, 158–9, 174, 178–9 :* Gilbert Duclos ; *pp. 7, 11, 12–3, 15, 20–1, 29, 30 :* David Muir ; *pp. 18–9, 58–9,101, 121, 138–9, 142, 164 :* Sandy Murchison ; *pp. 24–5, 154–5 :* Hal Roth

p. 9 : Y. Beaulieu / Publiphoto ; *p. 10 :* Thompson Photo Bank / Barry Thompson ; *p.14 :* Tabasco Co. ; *p. 17 :* Superstock ; *p. 20 :* J.Y. Derome / Publiphoto ; *p. 21 :* J.C. Tessier / Publiphoto ; *p. 22 :* G. Schiele / Publiphoto ; *p. 26 :* Image Bank Canada ; *p. 29 :* Publiphoto ; *p. 32 :* P. Andrews / Publiphoto ; *p. 38 :* *Le courrier du patrimoine* ; *p. 39 : a)* Vancouver Museum Association ; *b)* Canadian Broadcasting Corporation ; *c)* Royal British Columbia Museum ; *p. 41 :* FourByFive ; *p. 43 :* Jeff Noble, David Scott Smith ; *p. 46 :* Canapress Photo Service ; *p. 47 :* Jeff Noble ; *p. 48 :* Paul Villeneuve ; *p. 51 :* Jeff Noble ; *p. 57 :* Jeff Noble ; *p. 62 :* Publiphoto ; *p. 67 :* Grant V. Faint / Image Bank Canada ; *p. 96 :* Les Szurkowsky ; *p. 134 :* H. Gyssels-Diaf / Publiphoto ; *p. 136 :* Jeff Noble ; *p. 144 :* Chris Hackett / Image Bank Canada ; *p. 148 : a)* Denis Poustka ; *b)* Yukon Government ; *c)* Calgary Stampede ; *d)* Tessa Macintosh / Gouvernement de T. N.-O. ; *e)* Robin Karpan ; *f)* © Andrew Sikorsky, 1991, avec l'autorisation de Folklorama ; *p. 149 : a) b) c)* Ministère de la Culture, du Tourisme et des Loisirs Ontario ; *d)* © Gilles Gaudreau ; *f)* © Lyne Fortin ; *e)* Tourisme Nouvelle-Écosse ; *f)* Gilles Daigle / Tourisme Nouveau-Brunswick ; *pp. 150–1 :* Festival du Voyageur ; *p. 152 :* © Annebicque-Sygma / Publiphoto ; *p. 155 :* © Denis Drever, NCC / CCN ; *p. 156 :* Jake Rajs / Image Bank Canada ; *p. 162 :* David de Lossy / Image Bank Canada ; *p. 170 : a)* Weinberg-Clark / Image Bank Canada ; *b)* L. Gordon / Image Bank Canada ; *c)* Image Bank Canada ; *p. 172 : a)* Art Gallery of Greater Victoria ; *b)* Société canadienne des postes ; *p. 173 : a)* Avec l'autorisation de Nancy Poole's Studio ; *b)* Société canadienne des postes ; *p. 174 :* © Gary Crallé / Image Bank Canada

DOCUMENTS : *p. 6 :* Tiré de *Berlitz Maxi-guide : Chine* © Berlitz Publishing Company Ltd ; *p. 10 :* Tiré d'un article de Colleen Thompson ; *p. 19 :* Extrait de «Le Chiffre—50 tonnes» *Les clés de l'actualité* no 59 du 3–9 juin 1993 © Milan Presse ; *p. 32 :* Extrait du texte de I.L. Martinello ; *pp. 44–5 :* Extrait de *Le petit Nicolas*, Sempé & Goscinny © Éditions Denoël ; *pp. 52–3 :* Extrait de *Le chandail de hockey*, Les Éditions internationales Alain Stanké ; *pp. 54–5 :* Jean Mélédo & Eric Pavon, avec l'autorisation du *Journal de Mickey* ; *p. 73 : a)* NATCOM Publicité / Promotion ; *b)* Toshiba of Canada ; *pp. 60–1 :* © Yvette Chaux, 1979 ; *p. 66 :* Traduction de Michelle Tisseyre, Éditions Pierre Tisseyre ; *p. 74 : a)* Les Éditions Télémédia ; *b)* Mutuelcom ; *c)* Martel & Compagnie ; *d)* MusiquePlus ; *p. 75 : a)* La Cordée ; *b)* Miles Canada Inc. ; *c)* Kraft General Foods Canada ; *p. 76 : a)* BMW Canada ; *b)* Black & Decker ; *c)* Proctor & Gamble ; *d)* Chattem Canada Ltd. ; *e)* Centre d'information sur le bœuf ; *p. 77 : a)* Pepsi-Cola International ; b) Radio Shack Canada ; *p. 78 : a)* Avec l'autorisation de Colgate-Palmolive Canada Inc. ; *b)* Swiss Watches & Microelectronics Canada Ltd. ; *p. 79 : a)* Thomas J. Lipton ; *b)* Carter Products ; *c)* Société de l'assurance automobile du Québec ; *d)* Musée des beaux-arts du Canada ; *p. 81 :* Zurich Canada ; *p. 82 :* © Mary Glasgow Magazines Ltd, London ; *p. 84 :* Club Med Sales, Inc. / BCP ; *p. 85 : a)* Lancaster ; *b)* Chrysler Canada ; *c)* Radio Shack Canada ; *p. 86 :* Nikon Canada Inc. ; *p. 87 : a)* Visa Canada Association ; *b)* © Canadian Tire Corporation Ltd., Canada, 1993 ; *c)* Industrie, sciences et technologie Canada ; *p. 88 : a)* Cineplex Odeon Corporation ; *b)* La Fédération des producteurs du lait du Québec ; *p. 89 : a)* General Motors of Canada Ltd. ; *b)* Royal Bank of Canada ; *c)* Avec l'autorisation de Nabisco Brands Ltd., Toronto, Canada. Aylmer est une marque déposée de Nabisco Brands Ltd., Toronto, Canada, © Tous droits réservés. *d)* S.C. Johnson & Sons ; *e)* Johnson & Johnson Inc. ; *pp. 92–3 :* Extrait de *La goutte d'or* © Éditions Gallimard ; *p. 94 : a)* Société de l'assurance automobile du Québec ; *b)* La Société canadienne de la Croix-Rouge ; *c)* Environnement Canada ; *p. 95 : a)* Centraide du Grand Montréal ; *b)* Santé et bien-être social Canada, 1989. Avec l'autorisation du Ministère d'approvisionnement et services Canada 1993 ; *c)* Emploi et immigration Canada ; *p. 96 :* ParticipACTION ; *p. 98 : a)* Ministère des affaires culturelles, Gouvernement du Québec ; *b)* Avec l'autorisation de Cossette Communication-Marketing ; *c)* les Restaurants McDonald du Canada ; *p. 100 :* Santé et bien-être social Canada, 1989. Avec l'autorisation du Ministère d'approvisionnement et services Canada 1993 ; *p. 103 :* Le Conseil des Normes de la Publicité ; *p. 104 : a)* Schering Canada Inc. ; *b)* Church & Dwight Ltd. ; *p. 105 : a)* Pfizer Canada ; *b)* Mazda Canada Inc. ; *p. 108 :* Benetton Services Corp. ; *p. 122 :* © Mary Glasgow Publications Ltd, London ; *pp. 124–5, 132, 163 :* Avec l'autorisation de UNEQ ; *p. 126 :* © Mary Glasgow Publications Ltd, London ; *p. 134 :* Avec l'autorisation de France Telecom ; *pp. 158–9 :* Tiré de *Langue et Société*, avec l'autorisation du Ministère d'approvisionnement et services Canada, 1993 ; *p. 157 :* © Janvier Musique ; *p. 165 :* «Le tourisme... une carrière de rêve» Isabelle Gauthier